Hans Werner Richter

Rose weiß, Rose rot

Roman

Hoffmann und Campe

1. bis 7. Tausend 1971
© Hoffmann und Campe Verlag, Hamburg, 1971
ISBN 3 455 06270 9. Printed in Germany

Ob Gerda tanzen konnte, wußte ich nicht. Ich hatte nie mit ihr getanzt.

»Kannst du denn tanzen? Wenn du zum Fünf-Uhr-Tee gehst, mußt du doch tanzen können.«

»Nein, ich kann nicht tanzen. Und mit deinem Onkel tanze ich schon gar nicht. Der ist doch viel zu alt dazu.«

»Der und alt.«

Ich zog die Bettdecke über mich, und sie angelte in der mondhellen Nacht nach ihrem Nachthemd, das auf dem Boden lag. Es lag dort, auf dem Bettvorleger, ein weißer Fleck, in sich zusammengesunken, wie sie es hatte fallen lassen. Sie war nicht sehr begabt für die Liebe, und ich war es auch nicht. Ich dachte: sie hat zuviel gelesen und weiß zu wenig. Und sie dachte von mir vielleicht dasselbe. Ich fragte sie nicht danach. An jedem Morgen nahm sie ihre Unschuld wieder unbeschädigt mit an den Strand, und an jedem Abend brachte sie sie zurück ins Bett. Immer stand für mich in diesen Tagen mein Onkel im Hintergrund und lachte sein Liebhaber- und Soldatenlachen. Ich glaubte es auch jetzt zu hören.

»Nein, gnädiges Fräulein, Ihr Vater ist Polizeimajor. Und Sie wohnen in Steglitz, ausgerechnet in Steglitz, nicht weit von mir entfernt? Das ist ja amüsant, sehr amüsant. Und das da drüben ist das Zielschiff der Marineartillerie. Nehmen Sie nur das Glas. Sie können die Einschläge genau beobachten.«

So hatte mein Onkel, auf seiner Strandburg stehend, Gerda die Schießübungen der Hafenbatterien von Swinemünde erklärt, eine lange Erklärung über die Fähigkeiten, Fehler und Tugenden der Marineartillerie.

»Und Ihr Vater ist wirklich Polizeimajor in Berlin? Interessant, interessant. Dann werde ich vielleicht einmal das Vergnügen haben, Ihren Herrn Vater kennenzulernen.«

»Das bestimmt nicht«, hatte ich gesagt, aber Onkel August hatte mich nicht beachtet.

Ich ärgerte mich noch immer darüber.

»Mein Onkel lacht wie ein Ziegenbock. Findest du nicht?«

Doch Gerda gab mir keine Antwort. Sie stand neben ihrem Nachthemd, auf dem Bettvorleger vor dem Fenster, eine »höhere Tochter«, Tochter eines Polizeimajors und Schülerin einer Schule in Berlin-Steglitz, die sich neuzeitlich Gerhart-Hauptmann-Schule nannte. Ich kannte ihren Vater nicht. Ich hatte den »Herrn Polizeimajor« nie gesehen.

»Und wenn nun dein Vater erfährt, daß du hier bei mir bist. Was dann?«

»Wie soll er denn das erfahren? Für ihn bin ich mit einer Freundin in Heringsdorf. Das hier erfährt er nie.«

»Und wenn doch?«

»Dann erschlägt er mich. Aber es ist mir gleichgültig. Ich kann ja machen, was ich will.«

Ich war mir nicht sicher, ob es ihr gleichgültig war. Vielleicht spielte sie nur die Gleichgültige. Sie liebte ihren Vater und lehnte gleichzeitig alles ab, was mit ihm zusammenhing, seine konservative, alte Welt, die Welt der Väter und Großväter. Sie haßte alle Konventionen und lebte doch darin. Sie sprach fast jeden Tag von den Komplexen dieser Welt, die für sie zusammengetragen ein Gebirge von Minderwertigkeitsgefühlen ergaben, das abzutragen oder zu zerstören die Aufgabe der modernen Jugend war. Es war gerade Mode geworden, Sigmund Freud zu lesen, und sie las ihn mit großer Begeisterung und las auch das, was sie nicht verstand. Sie nahm jeden Tag ein Buch von ihm mit an den Strand und brachte es jeden Abend fast ungelesen wieder zurück. Ich wußte, daß sie nicht alles verstand. Auch ich begriff nicht alles, aber ich sagte es ihr nicht. In langen Unterhaltungen spielten wir uns gegenseitig unser »modernes Aufgeklärt-sein« vor. Sprach ich von der Wasserglastheorie – genieße die Sexualität, wie du ein Glas Wasser trinkst –, so sagte sie: »Ja, die Madame Kollontay. Magst du sie eigentlich?«

»Nein, ich lese sie.«

»Ja, lesen muß man sie. Aber sie ist eine Bolschewistin. Wie findest du das?«

»Bolschewist bin ich auch«, sagte ich dann, erzählte von der russischen Revolution und sprach von Aleksandra Michailowna Kollontay, die während der Revolution hohe Parteistellen bekleidet und das Buch *Wege der Liebe* geschrieben hatte, als hätte ich sie persönlich gekannt. Aber da war mein Onkel, der nichts von der Wasserglastheorie wußte und doch ein großer Liebhaber war, ein konservativer Onkel, der vom Fadenkreuz, von Zielvorrichtungen und von den Gesetzen der Ballistik zu Gerda gesprochen hatte, auf der hochaufgeschippten Sandburg, unter seiner an einem langen Fahnenmast wehenden Reichskriegsflagge, im schwarzen Badeanzug, zigarrenrauchend, und immer mit seinem liebenswürdigen Männer-Lachen, dem auch Gerda vielleicht nicht gewachsen war. Onkel August hatte meiner Überzeugung nach keine Komplexe.

»Der«, sagte ich, »weiß gar nicht, was das ist. Der hat noch nie von Komplexen gehört. Der kennt nur seine Marine-artillerie.«

»Doch. Der hat auch welche. Der hat den Vaterlandskomplex, den Oedipuskomplex. Ich finde deinen Onkel lustig, trotz seiner kriegerischen Komponente.«

Gerdas »Komponente« klang merkwürdig, und ich sah sofort die Komponente meines Onkels aus dessen rechter Hand in den Ostseehimmel, in den deutschen Himmel emporwachsen, das germanische Schwert, jenes emporgereckte, gewaltige Schwert, das der alte Hindenburg während des Krieges auf einem Amboß, mit aufgekrempelten Hemdsärmeln, bekleidet mit einem Lederschurz, zur Freude des Volkes geschmiedet hatte. Ich kannte es von Postkarten, die mein Onkel aus dem Felde an seine Schwester Anna, meine Mutter, geschickt hatte. Sie wurden noch immer aufbewahrt. Im Felde unbesiegt, Dolchstoß, Rache für Versailles standen jetzt auf dem Schwert. Das, sagte ich, sei die kriegerische Komponente meines Onkels.

»Er ist ein Nationalsozialist. Glaub es mir.«

»Nein, das ist er nicht.«

»Aber fast. Es fehlt nicht viel daran.«

»Wie bei meinem Vater. Bei dem fehlt auch nicht viel daran. Der redet genauso daher.«

Sie stand noch immer an dem halb geöffneten Fenster, ihr Nachthemd, ein Ungetüm aus Barchent, Leinen oder Wolle, mit Blumen, Vergißmeinnicht oder Männertreu bedruckt oder bestickt – ich kannte mich mit Blumen und Stoffen nicht aus –, dieses für mich veraltete Ding von einem Nachthemd in der rechten Hand, die linke in ihrem Nacken, über den bis auf die Schultern fallenden Drahthaaren. Sie rührte sich nicht und sagte nichts mehr.

Etwas geschah in diesem Augenblick. Ich wußte nicht, was geschah. Etwas veränderte sich. Ich spürte es. Ich sagte:

»Komm zurück ins Bett.«

Sie antwortete nicht. Sie sah in die Nacht hinaus, unverwandt, träge, ohne sich zu rühren.

Ich richtete mich auf. Jetzt sah auch ich den Mond wie sie. Es war ein männermordender Mond, wie meine Mutter gesagt hätte, ein Mond zum nächtlichen Eisfischen hätte ihn mein Vater genannt, ein weiblicher Mond ohne Gesicht, von einem penetranten Eidottergelb übergossen, mit grauen, zitternden, flimmernden Ringen um sich, die oben bis zum Polarstern und unten bis zu den Wassern des kleines Krebssees reichten.

Etwas bewegte sich an Gerda. Ich glaubte es zu sehen. Ich sah, daß ihr Rücken zu zittern und ihre Haut zu fließen begann, und ich wußte doch zugleich, daß alles ganz regungslos war, regungslos und ohne jeden Laut. Ich wollte etwas Einfaches, ganz Nüchternes zu ihr sagen. Aber für diesen Augenblick gab meine derzeitige Lektüre nichts her: weder Karl Marx noch Sigmund Freud. Es fiel mir nichts ein. Nur das Wort »somnambul« ging durch meinen Kopf. Ich hatte es irgendwo gelesen. Erleichtert rief ich sie an.

»Gerda. Hörst du?«

»Ja«, flüsterte sie.

»Der blöde Mond. Er ist verrückt. Er ist somnambul. Hörst du?«

Sie begann sich zu bewegen. Es waren langsame, träge Bewegungen, anders als sonst. Ich rief:

»Gerda. Was machst du denn?«

Sie stieg zum Fenster hinaus, im Zeitlupentempo, wie es mir vorkam, und doch so schnell, daß sie schon aus dem Fenster war, als ich aus dem Bett sprang. Das Fenster war klein, eng. Aber ich quälte mich hindurch. Ich hätte auch durch die Tür, über den Flur des Schulhauses laufen können, aber dann wäre mein Bruder, der Lehrer, wach geworden. Ich sprang in den kleinen Vorgarten und auf ihr Nachthemd. Es lag unter dem Fenster. Es war ihr aus der Hand gefallen. Ich hatte das altmodische Nachthemd, ein Erbstück ihrer Mutter, drei Nächte lang auf ihrem Körper hochgeschoben, und sie hatte es wieder hinuntergezogen. Jetzt lag es hier auf dem Rasen vor der Schule im gelben Mondlicht. Ich hob es nicht auf. Ich lief über den Rasen und stieg über den niedrigen Vorgartenzaun. Ich sah Gerda vor mir auf dem Weg zum See. Sie schien zu wandeln unter dem großen Mond. Aber sie lief nicht, sie schwebte. Sie schwebte vor meinen Augen wie ein riesiger nackter Engel direkt auf den Mond zu und in das Wasser des Sees hinein.

Ich sah den Mond jetzt zweimal, am Himmel und im See, oben und unten, und mein nackter X-Bein-Engel schwebte auf den unteren zu, auf den Mond im See, auf den Trabanten des oberen. Ich dachte: Sie will sich das Leben nehmen.

Was habe ich nur angerichtet? Was habe ich falsch gemacht?
Alles erschien mir falsch, die Erlebnisse dieser Tage, mein
Onkel August mit seinen Anbiederungsversuchen und seinen militärischen Marotten, unsere vielen Gespräche über
Karl Marx und die Psychoanalyse und der blöde Versuch, einer aufgeklärten siebzehnjährigen Jungfrau leichtfertig die
Jungfrauenschaft zu nehmen.
Jetzt lief ich um ihr Leben und um ihre Unschuld im Hun-
dert-Meter-Sprinter-Stil dieser Zeit. Ich hatte ihn bis zu
meinem achtzehnten Lebensjahr geübt. Hinter mir, oberhalb
des Sees auf einem Hügel lag die Schule, in der mein Bruder Willi mich mit Gerda für ein paar Tage aufgenommen
hatte, und ich dachte an diesen meinen ältesten Bruder, den
Volksschullehrer, der vielleicht wach geworden war und
jetzt zwei nackte Engel auf den See und auf den Mond zu-
schweben sah, einen männlichen und einen weiblichen, und
der sicher erstaunt sein würde, in dem männlichen seinen
Bruder wiederzuerkennen. Nein, er würde es nicht glauben.
Er glaubte nicht an Engel. Sein Engel war Ferdinand Lassal-
le. Ich sprang über den Weg, kurz vor dem See, einen lehm-
verkrusteten Weg, hinter dem ein Kleefeld lag, das sich bis
zu dem hohen Schilfrohr hinzog. Mir kam es vor, als machte
ich einen Luftsprung bis an den Rand des Mondes. Gerda
war vor mir, nur noch wenige Meter entfernt. Ich rief sie
an!
»Was machst du denn für einen Blödsinn? Was soll der
Unfug?«
Sie blieb stehen, ruckartig, mit schaukelndem Oberkörper,
auf ihren X-Beinen, die mir unter dem Mond seltsam ver-
längert vorkamen, Stelzen gleich, die einen schwankenden
Körper trugen.
»Schluß damit. Sofort.«
Ich riß sie in das Kleefeld hinunter, und sie fiel um, als hätte
sie schon lange darauf gewartet, einmal so zu fallen. Ich
dachte: sie ist krank, sie ist somnambul. Ja, sie war mond-

süchtig wie meine älteste Schwester, die einmal in der Nacht aufgestanden und bis zur Post gegangen war, im Nachthemd auf dem Bürgersteig, und später nichts anderes zu sagen gewußt hatte als, der Mond habe sie verrückt gemacht.

»Du, was ist denn?« sagte ich. »Hat dich der Mond verrückt gemacht?«

Gerda antwortete nicht. Ihr Körper lag da, steif, ohne Bewegung, weiß im grünen Kleefeld, überzogen von einem schwefligen Gelb, das der Mond ausspuckte. Ein Jugendstilkörper, wie ich ihn auf Buchumschlägen und auf Bildern gesehen hatte. Es fehlen nur die wehenden weißen Schleier. Es fiel mir ein, daß ich ihr Hemd holen mußte, das oben auf dem Hügel unter dem Fenster im Vorgarten des Schulhauses lag. So konnte sie nicht zurückgehen. Gerda hatte ihre Augen offen, und jetzt kam es mir vor, als bewege sich alles auf mich zu, ihre Augen, ihre Haare, ihre Beine, ihre Arme. Ich kniete neben ihr, und sie zog mich zu sich herunter.

»Wo bin ich denn? Komm doch.«

»Nein. Nicht hier. Es kann jeden Augenblick jemand kommen.«

Ich fürchtete mich. Da war ihre Höhere-Töchter-Jungfrauenschaft, die ich bereits verfluchte, da war diese unerträgliche Romantik mit dem Mond am Himmel und dem grünen feucht-warmen Klee, auf dem sie lag, und da war mein Bruder, der jeden Augenblick aus dem Schulhaus mit der Frage auftauchen konnte: »Ja, was macht ihr denn hier?«

Ich glaubte ihre Komplexe zu sehen, von denen sie fast täglich gesprochen hatte. Sie liefen für mich über den See wie Wassergeister davon, leichtfüßig, galoppierend, auch sie im Sprinterstil der Zeit, und allen voran der Ödipuskomplex.

Ich versuchte zu lachen.

»Sie laufen alle weg, deine Komplexe.«

»Laß sie laufen«, flüsterte sie, »was gehen uns jetzt die Komplexe an.«

Ich glaubte auch die Hemmungen fallen zu sehen. Es war eine seltsame Vorstellung. Sie fielen vor meinen Augen wie Jugendstilschleier vom Mond herunter, flatterten fallschirmartig auf Gerdas nackten Körper, blähten sich noch einmal auf und zergingen nebelgleich auf dem Kleefeld, das nach Stallmist, Kuhfladen und Kunstdünger roch.

Sie sagte: »Komisch.« Eine Bemerkung, die ich überflüssig fand.

»Es ist nicht komisch. Dich hat nur der Mond verrückt gemacht.«

Ich hätte gern gelacht, aber es gab nichts zu lachen, und ich kam mir doch lächerlich vor. Der Mond schien mir auf den Rücken, auf meinen Hintern, auf meinen »Allerwertesten« hätte Onkel August gesagt. Ich hörte ihn sprechen:

»Auf deinen blanken Allerwertesten, Karl, ja, ja, mein Lieber, auch der Umgang mit Frauen will gelernt sein.« Ich empfand es unverschämt, daß er sich jetzt einmischte, hier, auf dem Kleefeld, unter dem verrückten Mond. Aber ich tat, was Gerda von mir erwartete. Ich küßte von ihren X-Bein-Knien hinauf alles, was es zu küssen gab, und sie sah mit offenen Augen in den Mond dabei, als sei er es, der ihrer Höheren-Töchter-Jungfrauenschaft das ersehnte Ende bereitete. Ich sagte:

»Es ist nicht der Mond. Ich bin es, ich. Guck nicht immer in den Mond.«

Gerda hörte es nicht. Sie war wieder weit weg, irgendwo, auf dem Rücken des Mondes vielleicht. Ich hörte nur ihr »Ich weiß nicht«, ihre geflüsterte Unentschlossenheit. Sie sprach zu dem Mond hinauf, in den Mond hinein.

Ich dachte dabei an meinen Bruder, den Pazifisten, der vielleicht oben vor dem Schulhaus stand, uns zusah und jeden Augenblick in den ironischen Ruf ausbrechen konnte: »Nie wieder Krieg, Karl.«

Ich traute es ihm zu. Es war peinlich oder konnte peinlich werden. Aber ich vergaß es auf dem Kleefeld. Der Geruch der Erde war in meiner Nase, und erst als ich die Nässe des Kleefeldes an meinen Knien spürte, wußte ich, daß etwas mehr als in den Nächten zuvor geschehen war. Sie hatte ihre Höhere-Töchter-Jungfrauenschaft verloren, ganz oder halb, oder doch irgendwie. Genau wußte ich es nicht. Ich kannte den sicheren Beweis dafür. Ich hatte darüber gelesen. Aber hier in dem nassen, grünen Kleefeld konnte ich ihn nicht suchen.

»Wie kommen wir jetzt nur zurück, so unangezogen, nackt?«

»Nackt?« fragte sie.

»Nackt, und wie«, sagte ich.

»Ja, ganz nackt.«

Sie hatte sich erhoben, sah zu ihren Füßen hinunter und flüsterte: »Ach, du lieber Gott«, und dann noch einmal: »Ach, du lieber Gott, wie kommen wir hier bloß her?«

II

Ich sah meinen Onkel schon von weitem. Er saß auf einem weißlackierten Gartenstuhl, vor einem weißlackierten Gartentisch, selbst ganz in Weiß gekleidet, in einem weißen Feriensommeranzug, das braungebrannte Gesicht mit einem Monokel verziert, den linken Fuß im Rhythmus des Foxtrotts bewegend, den *Völkischen Beobachter* in der Rocktasche. Er saß dort, auf der Terrasse des Cafés »Asgard«, ein weißer Fleck unter dem blauen Nachmittagshimmel, rauchte seine Zigarre und trank seinen Fünf-Uhr-Tee.

Der Kellner, der ihn bediente, sprach ihn mit »Herr Major« an, und die Frauen, die zu ihm von anderen Tischen herübersahen, fixierte er durch sein Monokel, flüchtig, scheinbar uninteressiert, doch mit immer vorhandener Unmißverständlichkeit.

Er sagte nicht, was ich erwartet hatte:

»O gnädiges Fräulein, ich freue mich, daß Sie gekommen sind.«

Er schob Gerda nur den Stuhl hin und ließ sein Monokel so aus dem Auge fallen, daß es ein gewisses Erstaunen ausdrückte, Erstaunen über mich, den Begleiter, den er nicht eingeladen hatte. Ich tat, als bemerkte ich dieses Erstaunen nicht.

»Tag, Onkel August, ich bin nur gerade mit vorbeigekommen.«

Ich hatte nicht mitgehen wollen, aber Gerda hatte es verlangt.

»Du mußt mitgehen. Allein gehe ich nicht. Und außerdem will ich mich mit ihm ja gar nicht zum Fünf-Uhr-Tee treffen.«

»Aber du hast seine Einladung doch angenommen?«

»Das ist es ja eben. Was soll ich denn machen?«

So war ich mitgegangen. Jetzt saß ich neben Gerda auf einem der weißlackierten Gartenstühle.

Mein Onkel beherrschte sich. Er schob sein Monokel ins rechte Auge zurück, bestellte etwas zu trinken und ließ sich wiederum mit »Herr Major« ansprechen. Der Kellner sprach es mit sichtbarem Vergnügen aus, und Gerda errötete, als mein Onkel sich ihr mit der Frage zuwandte, wie denn das Bad heute gewesen sei. Er wartete ihre Antwort nicht ab, sondern sprach gleich weiter über die Temperatur des Wassers, über den Wind, über die Luft, über das Reiten an der Küste entlang, über den Tattersall.

»Die Pferde gehen nicht gut, bis auf einen Rotfuchs, ein ausgezeichneter Traber. Reiten Sie auch, gnädiges Fräulein?«

Gerda schüttelte den Kopf. Nein, sie ritt nicht. Sie wußte nicht einmal, was ein ausgezeichneter Traber war. Sie saß auf ihrem weißen Gartenstuhl in einem hellgelben Sommerkleid, das ihre schüchterne Kindlichkeit unterstrich, und sah vor sich auf die Tischdecke.

Es entging mir nicht, wie sehr mein Onkel sich zu ihr hingezogen fühlte. Das rechte Auge hinter dem Monokel bewegte sich bald nach oben, bald nach unten, von Gerdas X-Bein-Knien zu ihrem Gesicht und wieder zurück. Er liebte die großen Damen und die kleinen Mädchen, jene, wie er sich einmal gegenüber meinem ältesten Bruder geäußert hatte, bei denen die Haare gerade ans Hemd stießen. Ich dachte an die gestrige Nacht in dem feucht-warmen Kleefeld, ich dachte: es ist zu spät für dich, Onkel August. Es erfüllte mich mit Genugtuung, mit Schadenfreude.

»Bedauerlich, daß Sie nicht reiten, gnädiges Fräulein«, sagte mein Onkel, »ein Ritt durch den morgendlichen Buchenwald in der frischen Seeluft, das ist wohl das Schönste, was es gibt.«

Er fuhr fort, über die Kunst des Reitens zu sprechen. Im Krieg, an der Westfront, habe er einen Rappen gehabt, ein stolzes Pferd, das mit ihm durch dick und dünn gegangen sei.

»Jawohl, gnädiges Fräulein, so kann man es nur sagen. Durch dick und dünn.«

Er sprach von der stoischen Ruhe dieses Pferdes, das kein Geschützdonner je habe erschrecken können. »Aber, wie das so ist. Leider wurde es mir unter dem Hintern weggeschossen.«

Er sagte nicht »Arsch«, was militärisch geklungen hätte und wie er sich anderen gegenüber ausdrückte. Er nahm Rücksicht auf Gerdas Jugend und gute Erziehung. Für ihn war sie die Tochter eines Polizeimajors, und somit kam sie aus einem guten Stall.

»Es kommt eben immer darauf an, gnädiges Fräulein, aus welchem Stall man kommt. Das ist bei den Pferden so und auch bei den Menschen.«

Es war eine Anspielung auf mich, und ich ärgerte mich darüber. Schließlich kam auch mein Onkel nicht aus einem guten Stall, sondern aus einer Kleinbauerkate. Er hatte sich in der ehemaligen preußischen Armee vom Volksschüler und Klempnergesellen zum Major hochgedient, mit in Abendkursen nachgeholtem Abitur, mit der Sondergenehmigung des Kaisers für sein Offizierspatent und mit einer auch von mir anerkannten Energie und Intelligenz – ein seltener und vielleicht der einzige Fall dieser Art in einer Armee, deren preußisch-hierarchisches Aufbauprinzip sich bis in die republikanische Armee, die Reichswehr, fortgesetzt hatte. Auch ich bewunderte den Charme meines Onkels, seine »unwahrscheinliche« Karriere, sein sicheres Auftreten unter Leuten, die aus anderen Schichten kamen, aber ich haßte auch sein Verharren in den politischen Vorstellungen von gestern. Doch er war inzwischen bei der Republik angekommen, die er ablehnte. Sie sei, sagte er, ein Beispiel dafür, ein schlechter

Stall voll kranker und ungepflegter Pferde, die alle mal an die Trense müßten oder besser gleich zum Schinder.

»Sehen Sie sich nur die Arbeitslosenzahlen an. Alles Arbeitsscheue. Die brauchen mal wieder festen Schritt und Tritt. Die müssen mal wieder an die Kandare genommen werden.«

»An wessen Kandare? An deine?« fragte ich. Mein Onkel antwortete nicht. Er hatte sich schon erhoben und forderte Gerda zum Tanzen auf.

»Ein Slowfox, gnädiges Fräulein. Das ist sicher etwas für Sie. Sie tanzen doch?«

Gerda wurde rot. Das Rot lief von ihrem Halsansatz bis zu ihrer Stirn hinauf. Jetzt mußte sie den Kopf schütteln und »Nein, ich tanze nicht« sagen. Ich sah sie fast beschwörend an, aber sie tat, als sei ich nicht vorhanden. Sie erhob sich und bewegte sich vor meinem Onkel her zur Tanzfläche. Ich sah ihr nach und begriff es nicht.

Die Tanzfläche im Freien, unmittelbar hinter der Promenade unter kurz getrimmten Ahornbäumen, war voll von Tänzern, die sich im Takt des Slowfox langsam, lachend und doch feierlich schwermütig oder sentimental hin und her bewegten. Nur Gerda etwas steif, zu steif für Onkel August, dessen Lachen bis zu mir herüberstrahlte. Mein Onkel gab sich ganz als junger Mann. Er tanzte aufrecht, straff, die Schultern durchgedrückt, fast zu elegant und zu musikalisch für einen Major der Reserve. Ich hätte ihm gern an jede Schulter eine Kesselpauke gehängt. Kesselpauken waren seine musikalische Leidenschaft. Ich sah in den tanzenden Paaren zeitweise nur ihre Köpfe, Gerdas Kopf an der weißen Ferienanzugsschulter meines Onkels, eine Schulter, wie gemacht vom lieben Gott für goldene Epauletten. Darüber Gerdas rotblonde Haare, ein sperriges Drahtgeflecht von Haaren, widerspenstig und vielleicht elektrisch. Sie tanzte schlecht, aber mein Onkel führte sie mit der festen Hand des immer Erfolgreichen, des im Felde und auf jedem Felde Unbesiegbaren.

Unterhalb der Terrasse dämmerte das Meer. Ein diesiger Dunst stand am Horizont. Er verhüllte die Kaffeeberge von Misdroy, ebnete alles ein und ließ die Pommersche Bucht wie eine einzige graublaue Fläche erscheinen. Die Fahnen über den Strandkörben hingen schlaff an ihren Stangen. Es gab keinen Wind, der sie hätte flattern lassen können, keinen Aufwind für die Reichskriegsflagge, für die schwarz-weißrote Fahne und für das Hakenkreuz. Der gelbe, blakende, dunstende Mond der gestrigen Nacht hatte die Wetteränderung schon angekündigt. Ich empfand wieder etwas wie Schadenfreude gegenüber meinem Onkel. Vielleicht war er ein Jungfrauenjäger, einer, dem das Vergnügen machte, was mir nur Schwierigkeiten bereitet hatte. Es war für mich eine seltsame Leidenschaft, die ich nicht verstand oder nicht verstehen wollte, das veraltete »jus primae noctis« einer veralteten Welt. Ich war trotzdem schadenfroh. Mein Onkel kam hinter Gerda her von der Tanzfläche, und jetzt tat er mir leid.

»Na, wie war's denn? Habt ihr gut zusammen getanzt?«

»Ach, ich kann ja nicht tanzen«, sagte Gerda.

Sie stand vor mir, rot, erhitzt, sie hatte sich Mühe gegeben. Ich sah es ihr an. Sie setzte sich wieder auf ihren Gartenstuhl, und Onkel August verbeugte sich leicht, wobei er gleichzeitig aufs Meer hinaussah. »Der Wind schlägt um. Es wird einen Nord-Nord-West geben.«

»Ja«, sagte ich, »der Wind springt um.«

Mein Onkel wischte sich ein paar leichte, kaum sichtbare Schweißtropfen von der Stirn. Das Taschentuch, das er dabei benutzte, war schneeweiß. Blütenweiß hätte meine Mutter gesagt.

Ein leichter Eau-de-Cologne-Geruch stieg in meine Nase. Ich sah zu meinem Onkel auf, in sein männliches Gesicht unter den schwarzen, kurzgeschnittenen borstenartigen Haaren – eine gerade klassische Nase, braune, lebhafte, neugierige Augen, ein glattrasiertes energisches Kinn unter einer vollen Unter- und einer schmalen Oberlippe – ein schöner Mann, dem die Frauen nachliefen und um den es in fast jeder Feriensaison Skandale gab, ein Mann von Welt, leichtsinnig, lebenslustig, selbstsicher. Er war auch für mich ein ungewöhnlicher, ein anziehender Mann, aber da war der Hochmut, mit dem er seine Gesinnung vor sich her trug, dieses »Hie Deutschland allewege« und »Am deutschen Wesen soll die Welt genesen«. Nach meiner Ansicht zu trivial für Onkel Augusts Intelligenz. Aber er übersah mich auch jetzt, wie er es immer tat, beachtete mich nicht, sondern schob sein Monokel, das ihm während des Tanzens vor der Brust gehangen hatte, wieder ins rechte Auge, klemmte es unter die Augenbraue, in das sonnengebräunte Gesicht und wandte sich Gerda zu.

»Sie tanzen gut, gnädiges Fräulein.«

»Aber nein«, sagte Gerda.

»Doch, doch. Darf ich fragen, welche Tanzschule Sie besucht haben? Sicher eine der besten. Es gibt ja hervorragende Tanzschulen, gerade in Steglitz.«

Gerda hatte keine Tanzschule besucht.

»Prinzipiell tanze ich nicht.«

»Aus Prinzip? Aber das gibt es doch nicht.«

»Es ist mir nicht wichtig genug«, sagte sie.

Sie errötete wieder dabei, und er verbeugte sich, auf seinem Stuhl sitzend, etwas zu steif, den Oberkörper in der Leistengegend einknickend.

»Da muß ich mich ja glücklich schätzen, gnädiges Fräulein, daß Sie mit mir getanzt haben.«

Er lachte, diesmal sein Offizierslachen. Der *Völkische Beobachter* wippte dabei in seiner Rocktasche, und jetzt fiel er mir wieder auf.

»Ach, du liest ja den *Völkischen Beobachter*, Onkel August. Eine schlechte Zeitung, findest du nicht?«

»Das finde ich ganz und gar nicht.«

»Sie ist aber schlecht.«

Mein Onkel zuckte nicht zusammen, wie ich es erwartet hatte. Er ließ nur sein Monokel aus dem rechten Auge fallen, schlug das eine Bein über das andere, zog die Zeitung aus der Tasche und warf sie auf den Tisch.

»Hier. Ich schenke sie dir. Damit du mal etwas Vernünftiges liest. Das kann dir nicht schaden, mein Junge.«

Sein »mein Junge« klang herablassend, gnädig. Ich empfand es als demütigend vor Gerda und in dieser Umgebung. Es kam mir vor, als hätte jemand an einem der Nebentische über mich gelacht, über den politisch unreifen Jungen, der den *Völkischen Beobachter* lesen mußte. Abneigung und Haß waren plötzlich da. Ich glaubte es auch in den Augen meines Onkels zu sehen, Abneigung und Haß gegenüber seinem Neffen, der seine politischen Ansichten nicht teilte, ja, sie verachtete. Ich sah auf die Hand meines Onkels. Sie trommelte auf den Tisch, leicht zitternd, eine militärische Hand, die lieber geohrfeigt hätte, als den Rhythmus des Foxtrotts mitzutrommeln, den die Kapelle hinter den getrimmten Ahornbäumen gerade spielte.

»Einen solchen Scheißdreck lese ich nicht«, sagte ich.

»Einen Scheißdreck?« erwiderte mein Onkel, »du nennst den *Völkischen Beobachter* einen Scheißdreck?«

»Jawohl, einen Scheißdreck, Onkel August. Lügen von vorn bis hinten.«

Diesmal zuckte er zusammen. Seine schwarzen Augenbrauen verengten sich an der Nasenwurzel. Seine Lippen wurden schmaler, seine Augen bekamen den flackernden Ausdruck gedrosselter Wut, den ich kannte. Er lachte nicht, wie er es sonst getan hätte. Ich hatte ihn getroffen, mitten ins Herz, hätte ich gern gesagt, oder: »Das saß, Onkel August, wie?« Aber mein Onkel fing sich wieder, beherrschte sich, eine Tugend, die er angenommen und gelernt hatte. Er zog die rechte Augenbraue hoch, schob das Monokel darunter und sah mich mit der Gelassenheit dessen an, der Angriffe hinnehmen und sich leisten kann.

»Du liest wohl nur deinen jüdischen Mist, wie? Na, gratuliere. Damit wirst du es weit bringen.«

Bevor ich etwas erwidern konnte, wandte er sich wieder Gerda zu, die verlegen aufs Meer hinaussah, auf dem jetzt die Sonne ganz davonlief. Er griff nach ihrer Hand, die sie ihm zu meinem Ärger nicht entzog.

»Entschuldigen Sie, gnädiges Fräulein, diesen Ton in Ihrer Gegenwart.«

»Bitte«, sagte sie.

»Es stört Sie doch?«

»Nein, nein«, flüsterte sie.

Sie schüttelte den Kopf und sah dabei weiter aufs Meer hinaus, und er begann von den guten Manieren zu sprechen, die in dieser Zeit sehr zu wünschen übrig ließen.

»Es fehlt eben die große Schule der Nation. Jawoll, gnädiges Fräulein, darauf kommt es an, auf die militärische Erziehung.«

»Das könnte dir so passen«, sagte ich.

»Ob es mir paßt oder nicht. Es ist notwendig. Aber das sind die Folgen von Versailles. Euch jungen Leuten kann man da nichts vorwerfen. Ihr wißt es ja nicht besser.«

»Und ob wir es besser wissen.«

»Nichts wißt ihr. Gar nichts.«

Er sprach jetzt im milden, überlegenen Ton, sprach von Erfahrungen, die man haben müsse, Erfahrungen, denen ich nichts entgegenzusetzen hatte. Es war sinnlos, sich mit ihm zu streiten. Mein Onkel verstand nicht, um was es ging. Ich erhob mich.

»Jetzt ist es genug. Auf Wiedersehen, Onkel August.«

»Ja, Wiedersehen. Und was ich sagen wollte. Deine Ausdrucksweise kannst du ruhig etwas korrigieren. Wir sind hier ja auf der Promenade und nicht auf dem Kasernenhof.«

»Auf dem Kasernenhof sind wir nicht«, sagte ich, »Gott sei Dank.«

Ich war wieder der Unterlegene. Ich spürte es. Ich stand neben dem Gartentisch und sah Gerda an. Sie erhob sich nicht, stand nicht gleichzeitig auf, um meinen Onkel mit einem stolzen Kopfnicken sitzenzulassen, wie man nach meiner Vorstellung einen Nationalsozialisten und Schürzenjäger sitzen ließ. Sie zögerte und wartete auf irgend etwas, vielleicht auf ein versöhnendes Wort. Ich wagte nicht, sie zum Mitkommen aufzufordern. Sollte sie sitzen bleiben.

Die Promenade vor mir war dicht belebt. Ich beachtete die Kurgäste nicht. Ich verwünschte Onkel August und alles, was mit ihm zusammenhing. Er hatte Gerda zum Tee eingeladen und nicht mich, also hätte ich auch nicht mitgehen dürfen. Es war nicht meine Gesellschaft, in der Onkel August verkehrte, diese Gesellschaft von Baronen, Majoren, Direktoren, über deren Strandkörben die Reichskriegsflagge und jetzt auch das Hakenkreuz flatterten. Kurz vor der Landungsbrücke holte Gerda mich ein. Sie war schnell gegangen, fast gelaufen. Sie war erhitzt und atemlos.

»Dein Onkel war sehr ungehalten.«

»Der soll ruhig ungehalten sein.«

»Aber du hast doch angefangen mit deiner Anspielung auf den *Völkischen Beobachter*. Warum bist du denn aufgestanden?«

»Weil ich nicht mehr sitzen bleiben wollte.«

»Aber, man bleibt doch sitzen. Das ist doch unhöflich.«

»Unhöflich war er, nicht ich. Und man bleibt nicht sitzen, wenn jemand den *Völkischen Beobachter* liest.«

»Du hast angefangen. Gib es doch zu.«

»Ja«, sagte ich, »das habe ich.«

Es war richtig. Ich mußte es zugeben. Ich hatte den Streit vom Zaun gebrochen. Aber mein Onkel hatte sich unerträglich aufgespielt mit seinem Tattersall, mit seinen Reitpferden, mit seinem Gerede von dem guten Stall.

»Alles ist gelogen. Dem haben sie nie einen Rappen unter dem Hintern weggeschossen. Er will dir nur imponieren.

Er will dich weich machen, weil er mit dir ins Bett gehen will.«

Gerda blieb stehen und hielt mich am linken Arm fest, so daß auch ich stehenbleiben mußte. Wir standen mitten auf der Brücke, unter den Sommergästen, die die Möven fütterten, auf das diesige Meer hinaussahen oder von dem Motorboot kamen, das gerade angelegt hatte.

»Mit mir?« sagte Gerda, »das glaubst du doch selbst nicht.«

Sie sah mich an, als hätte ich etwas Unmögliches gesagt, etwas kaum zu Fassendes, eine Anspielung, die ich zurücknehmen mußte.

»Na ja. Das will er doch. Oder etwa nicht?«

Sie ließ meinen Arm los und schüttelte den Kopf. Es sah naiv aus, naiver, als ich es erwartet hatte.

»Nein. Das will er nicht. Bestimmt nicht. Ich bin doch erst siebzehn. Ich bin doch viel zu jung für ihn. Verstehst du das denn nicht?«

Ich verstand es nicht. Ich glaubte, meinen Onkel besser zu kennen als sie.

»Das ist es ja gerade, was ihn reizt, deine Jugend.«

Ich setzte nach einer Pause »dieser alte Bock« hinzu. Es klang gut und verächtlich. Ich wiederholte es noch mal und rief es aufs Meer hinaus: »Ein alter Bock. Weiter ist er nichts.«

Der Dunst, der vom Horizont kam, hatte jetzt die Sonne ganz unterlaufen. Sie war nur noch eine flimmernde, rötliche Scheibe. Die Motorboote, die an dem Kopf der Brücke an- und ablegten, hatten es eilig. Die Matrosen sprangen wie Puppen auf die Bohlen der Brücke und wieder zurück auf die Planken ihrer Boote. Eine erste Bö lief über das Wasser. Sie kam mit einer leichten Drehung nach West aus dem Norden. Es sah aus, als fege sie das Meer sauber, einem riesigen Besen gleich, den jemand über das Wasser schob. Eine dunkle Wolkenwand kam mit einer zweiten Bö im Nordwesten herauf. Gelbe, grüne, graue Giftschleier hingen plötzlich bis auf das Meer herunter.

Die zweite Bö trieb Gerdas Kleid an ihren Schenkeln empor. Sie hielt es unter dem jähen Sturzwind mit beiden Händen an ihren Knien fest.

»Chinagelb« hatte mein Onkel die Farbe des Kleides genannt und dabei an seinen Aufenthalt in China während des Boxeraufstands erinnert.

»Bei Peking, da haben wir die Boxer gejagt. Und immer Kopf ab, wenn wir einen gefangen hatten.«

Wieviel Boxer hatte er wohl umgebracht, mit dem Bajonett, aufgepflanzt auf einem Karabiner, den er vor seinem Südwester auf einer Photographie in den Händen hielt. Meine Mutter bewahrte das Bild noch immer auf.

»In China unbesiegt« stand auf der hinteren Seite dieser Photographie, gemalt von Onkel August mit roter Tusche. Er war überall unbesiegt geblieben, in China, in Frankreich, in den Betten seiner gnädigen Frauen, aber diesmal mußte er verlieren, mit seiner Reichskriegsflagge, seiner schwarz-weißroten Fahne, seinem Hakenkreuz und seinem nationalen Getue. Ich schwor es mir, schwor es meinem Onkel, in dem beginnenden Sturm und angesichts der freigewehten X-Bein-Knie, die der Wind vor mir her von der Landungsbrücke trieb.

III

Es war früh am Morgen. Der zweitägige Sturm hatte die Landschaft und den Himmel klargefegt. Ich stand vor dem Bäderzug und wartete auf das Abfahrtsignal. Der D-Zug, der fast vier Stunden bis Berlin brauchte, hatte nur drei Klassen. Eine erste Klasse, die immer leer war, mit roter Plüschpolsterung. Sie diente den höheren Zehntausend, wie sie mein Vater nannte, zur Beförderung. Eine zweite Klasse mit grüner Samtpolsterung für die besseren Leute, von denen einige auch bei meiner Mutter wohnten, und in der Onkel August reiste, und eine dritte mit gewölbten Holzbänken, in der das drittklassige Volk mitgenommen wurde.

Für mich war dieser Bäderzug ein Zug des schon abgeschafften, aber insgeheim und in dieser Republik immer noch vorhandenen Dreiklassenwahlrechts, wobei die vierte Klasse, viereckige Holzkästen mit harten Bänken an den Wänden, ausgespart war. Züge, die vierte Klasse mit sich führten, besaßen keine erste und zweite Klasse. Sie nannten sich Personenzüge. In dieser vierten Klasse reisten nur Personen, also auch ich und meine Familie.

Ich wußte nichts mit mir anzufangen. Es fiel mir nicht ein, was ich noch sagen konnte. Ich sah zu dem Abteilfenster des Dritte-Klasse-Waggons hinauf und sah wieder weg. Ich sagte:

»Es war schön.«

»Ja, sehr schön«, sagte Gerda.

Sie stand an dem halb heruntergelassenen Abteilfenster und lächelte.

»Und komm bald nach Berlin, ja.«

»Natürlich. Sobald ich kann. Im Herbst bestimmt.«
Ich wußte, daß es schwer für mich sein würde, nach Berlin zu kommen. Es gab keine Arbeit für mich, weder dort noch hier. Ich lief neben dem anfahrenden Zug her, neben dem Abteilfenster, aus dem sie zu mir heruntersah. Sie sagte etwas, flüsterte oder lachte es zu mir herunter. Ich verstand es nicht mehr. Es klang wie Danke oder Danke schön.
Ich blieb stehen und hob die Hand. Jetzt winkte auch sie, den Kopf aus dem Abteilfenster vorgestreckt, die rotblonden Haare verweht vor den Augen, in der Hand ein Taschentuch, eine weiße flatternde Fahne. Ich sah der sich entfernenden weißen Fahne nach, die sich plötzlich hob und weit über mich hinwegwinkte, irgendwohin oder irgend jemandem zu, der hinter mir, weit hinter mir stehen mußte.
Ich drehte mich um und sah meinen Onkel. Er stand dort, zehn Meter hinter mir, unter den zurückgebliebenen winkenden Kurgästen, etwas abseits, und so aus der Ferne noch deutlich sichtbar und erkennbar. Auch in seiner Hand flatterte ein weißes Taschentuch, das er langsam, gravitätisch auf und ab bewegte.
Ich ging ein paar Schritte auf ihn zu.
»Aber, Onkel August, was machst du denn hier?«
Ich bekam keine Antwort. Er winkte weiter, ruhig, gelassen, das Taschentuch gleichmäßig und fast feierlich auf und ab bewegend. Er winkte irgendwelchen Bekannten zu, die wie Gerda abfuhren. Er tat, als ob es so sei.
Das Pfeifen des D-Zugs, der jetzt Fahrt bekam und in das etwas tiefer liegende Wiesenland verschwand, störte ihn nicht in seiner Winkerei, und erst, als der letzte Wagen des Zuges außer Sicht geriet, ließ er die Hand sinken und das Taschentuch in seiner rechten Brusttasche verschwinden. Seine Begrüßung war kurz.
»Guten Morgen. Was machst du denn hier?«
Verblüfft über diese Frage, die ich ihm auch gestellt hatte, starrte ich ihn an.

»Ich habe Gerda zum Bahnhof gebracht.«

»Ach so. Dein Mädchen. Ist sie abgefahren?«

»Ja, natürlich ist sie abgefahren.«

»Schade für dich. Ein nettes Mädchen. Wo hast du sie eigentlich kennengelernt? So was gibt es doch nicht alle Tage. Und dann die Tochter eines Polizeimajors. Wirklich schade für dich.«

Er hob dabei seinen Spazierstock in Richtung des davonfahrenden Zuges leicht an und versuchte das Gespräch mit einem wohlwollenden, zugleich aber herrischen Lachen abzuschließen.

»Na, mach dir nichts draus.«

Er drehte sich um, und ich ging ein paar Schritte neben ihm her.

»Was hat dich denn so früh am Morgen auf den Bahnhof getrieben?«

»Ich habe ein paar Freunde verabschiedet«, sagte er. Er ging durch die kleine Halle des Bahnhofs. Ich blieb drei Schritte hinter ihm. Es war mir peinlich, so hinter meinem Onkel herzulaufen. Alle, die auf dem Bahnhof herumstanden, die Saisonverdiener, die Droschkenkutscher, die Gepäckträger, kannten ihn und wußten, daß dies mein Onkel war, Onkel August, beliebt wegen seines »feinen Benehmens« und großen Auftretens, bewundert wegen seiner Karriere vom Klempnergesellen zum Oberinspektor und Major, wegen seines Aufstiegs in die höheren Schichten.

Ich sah meinen Onkel in die Droschke steigen, die vor dem Bahnhofseingang auf ihn wartete, auf dem kopfsteingepflasterten Bahnhofsplatz. Mein Onkel forderte mich nicht auf, mit einzusteigen. Er ließ mich an der Tür stehen. Er verschwendete keinen Blick zu mir hin, sondern gab dem Kutscher ein Zeichen anzufahren. Er fuhr zweispännig, einspännig zu fahren war ihm zu wenig. Noch gab es nur wenige Autos und nur ein Taxi im Ort. Noch besorgten die Bauern aus dem Hinterland das Fuhrgeschäft mit ihren ein- und zweispännigen Droschken, vierrädrig, hellbraun gestrichen, mit einem schwarzen Sonnen- oder Regenverdeck, Droschken, die im Winter in den Scheunen standen, mit dem Beginn der Badesaison im Mai oder Juni aber wieder ans Tageslicht kamen und dann drei Monate lang vom Bahnhofsplatz die zum Meer hin abfallende Seestraße hinunter zu den großen Hotels rollten und wieder zurück, hinauf und hinab, Tag für Tag, vom Morgen bis zum Abend. Das gleichmäßige Geklapper ihrer eisenbeschlagenen Räder und Pferdehufe gehörte für mich zum Saisonbetrieb, das nur dann von einer Art galoppierender Hysterie unterbrochen wurde, wenn die Kutscher zu viel getrunken hatten und die durchgehenden Pferde die Freiwillige Feuerwehr, den Ortspolizisten und die Kurgäste alarmierten.

Mein Onkel hatte das nicht zu befürchten. Er kannte sich mit den Kutschern aus. Er sprach, wenn er wollte, ihre Sprache. Er fuhr in jeder Situation gelassen zweispännig. Im schlanken Trab, nannte es mein Vater.

Ich sah der Droschke meines Onkels nach. Sie rollte mit ihren beiden Rappen – Onkel August liebte Rappen – davon, ein Gefährt der Wohlanständigkeit und des eleganten Lebensstils.

Die frühe sommerliche Sonne stand jetzt über den Kastanienbäumen, unter denen ich die Seestraße entlang und der Droschke meines davoneilenden Onkels nachging. Ich war beschämt und beleidigt und zweifelte an der Wahrheitsliebe meines Onkels. Er war Gerdas wegen auf den Bahnhof gekommen, alles andere, die zu verabschiedenden Freunde, waren eine Ausrede gewesen. Aber ich konnte es nicht beweisen. Ich war wütend und versuchte nicht mehr an Gerda zu denken. Mein Onkel hatte mir den Abschied von ihr verdorben, anmaßend und überheblich, mit dem Recht des Stärkeren, das er für sich in Anspruch nahm. Es war für mich eine Art mißverstandener Darwinismus, unbewußt bald ins Erotische, bald ins Nationale übersetzt, mit Sprüchen wie

»Das Recht ist bei dem Mächtigen allein« und »Nur was stark macht, macht frei«. Ich kannte alle diese Redensarten, mit denen mein Onkel seine Anschauungen abstützte, Träger und Querbalken, die ein wackeliges Haus halten sollten. Ich las sie täglich auf den immer zahlreicher werdenden politischen Plakaten. Mit einem solchen Spruch versuchte ich mich am späten Nachmittag zu rächen.

Onkel August stand in der Kellerküche neben meiner Mutter, noch im Bademantel, noch nicht umgezogen für die Vergnügungen des Abends und der Nacht. Ich ging die fünf Stufen zur Kellerküche hinunter, öffnete die nur angelehnte Tür und warf einen Packen *Rote Fahne* direkt vor seine Nase auf den Küchentisch.

»Mach mir den linken Flügel stark, Onkel August.«

»Wie? Was sagst du?«

»Den linken Flügel«, wiederholte ich, »stark machen.«

Mein Onkel verstand mich nicht. Er starrte auf den Kopf der Zeitungen und buchstabierte den Titel. Er tat, als hätte er diese Zeitung nie gesehen. Er öffnete buchstabierend die Lippen und kniff sie wieder zusammen. Es war ein Moment ergreifender Stille. Sie gefiel mir.

»Was ist denn los?« sagte meine Mutter, »wo sind denn die Zeitungen her?«

Ich sah in die Augen meines Onkels, die, wie es mir schien, vor Zorn dunkler wurden, dunkelbraun oder schwarz unter den zusammengezogenen Augenbrauen. Aber noch schwankte er zwischen aufbrausendem Jähzorn und seinem wegwerfenden, ironischen Lachen, einem oft lustigen Lachen, dem auch ich nichts entgegenzusetzen hatte. Aber mein Onkel tat, was ich erwartete. Die *Rote Fahne* war eine Beleidigung für ihn, wie für mich der *Völkische Beobachter*.

»Was soll das hier? Du willst mir doch nicht etwa diese Zeitungen andrehen, Karl?«

»Und ob«, sagte ich. »Das ist die Zeitung für dich. Die mußt du lesen.«

Es war ein Satz, der meinen Onkel treffen mußte, Rache für die Szene auf dem Bahnhof und Rache für den *Völkischen Beobachter*.

»Was soll das?« wiederholte Onkel August, und zu meiner Mutter gewandt:

»Wie kannst du eine solche Zeitung in deinem Haus dulden, Anna?«

Seine Schwester verstand ihn nicht. Ihre grauen, im Zorn dunkelgrauen, im Lachen hellgrauen, bei ihren ironischen Späßen oft blauen Augen, sahen ihn ratlos an.

»Was sind denn das für Zeitungen, August? Ist das etwas Schlimmes?«

Meinem Onkel platzte zu meiner Überraschung plötzlich der Kragen, obwohl er noch im Bademantel war. Er rief es in die Kellerküche hinein.

»Jetzt platzt mir aber der Kragen, Anna.«

»Was für ein Kragen«, sagte ich. »Du hast ja gar keinen um.«

Ich hätte es nicht sagen sollen. Mein Onkel richtete sich auf, und jetzt saß sein Bademantel straff und knapp wie eine Uniform um seine Brust. Mir schien, als blitzten seine Augen. Sie blitzten wie die Augen des längst abgedankten, von meinem Onkel aber immer noch verehrten Kaisers Wilhelm. Die Stimme meines Onkels wurde hart, leicht rostig, eine Kommandostimme.

»Lümmel.«

Er schrie es nicht, er sagte es leise, schneidend, er sagte nicht »Du Lümmel«, er ließ es bei dem anonymen Lümmel. Mir kam es vor, als spränge das Wort zuerst gegen das Kellerküchenfenster, dann gegen die Kellerküchendecke und schließlich meiner Mutter ins Gesicht. Sie stand ihrem Bruder fassungslos gegenüber und begriff seine Aufregung nicht.

»Wenn du ihn meinst«, sagte sie und nickte zu mir hinüber, »er ist kein Lümmel.«

Aber nun war ihr Bruder in Fahrt gekommen. Ich sah es

ihm an. Die *Rote Fahne* hatte getroffen. Ich dachte: jetzt ist er groß in Fahrt. Es gefiel mir wieder. Mein Onkel schlug mit der Faust auf den Zeitungspacken und schrie:
»Hinaus mit dem Scheißdreck, hinaus.«
Er benutzte dasselbe Wort »Scheißdreck« für die *Rote Fahne*, das ich für seinen *Völkischen Beobachter* gebraucht hatte. Ich versuchte die Zeitungen an mich zu nehmen.
»Das sind meine Zeitungen, Onkel August.«
Aber mein Onkel hatte die Faust darauf, einem Siegfried ähnlich, einem braungebrannten Siegfried mit Borstenhaaren und im Bademantel.
Ich sah meine Mutter an. Sie zerkaute anscheinend das Wort »Lümmel«. Lippen, Nase und Kinn bewegten sich so, als hätte sie etwas hinunterzuschlucken. Ihre Augen gingen hin und her, von ihrem Bruder zu ihrem Sohn und wieder zurück. Es fiel ihr schwer, mit dem »Lümmel« fertigzuwerden, mit der Entscheidung zwischen ihrem Sohn und ihrem Bruder.
»Was sind denn das für Zeitungen? Ich will es jetzt endlich wissen.«
Ruhig, aber mit strengen Augen hörte sie sich die Erklärung ihres Bruders an.
»Rote Zeitungen, Anna, kommunistische Zeitungen. So was findest du in keinem anständigen Haus. Wenn das deine Gäste morgen erfahren, hast du übermorgen das Haus leer.«
»Und was ist mit meinem Jungen? Warum ist er ein Lümmel?«
»Er ist ein Kommunist, Anna.«
»Sind Kommunisten Lümmel?«
»Verbrecher«, erwiderte Onkel August.
»So, so, das ist ja allerhand.«
Sie wandte sich mir zu. Ich hätte meinen Onkel für diesen Dialog gerne geohrfeigt, fühlte mich aber nicht stark genug.
»Bist du ein Kommunist, Karl?«

Es war eine Frage, die ich nicht erwartet hatte. So unmittelbar gestellt, traf sie mich unvorbereitet. Sicher war ich es oder wollte es sein. Aber ich liebte die so direkten Fragen meiner Mutter nicht. Sie zwangen mich »Ja« oder »Nein« zu sagen, und dies auch dort, wo ich es für richtiger hielt, es nicht zu tun. So sagte ich:

»Nein.«

»Also du bist es nicht?«

»Doch, aber . . .«

»Also, was nun? Ja oder Nein.«

»Ja.«

Es blieb mir nichts anderes übrig. Eine Erklärung zwischen Ja und Nein hätte meine Mutter nicht verstanden. Mit ihrem »also« erwartete sie eine stichhaltige Auskunft. Was nicht stichhaltig war, besaß für sie keinen Wert. Stritt sie sich mit Richard, meinem Vater, so war ihr letztes Wort fast immer: »Das ist nicht stichhaltig, Richard«, und damit ließ sie ihn stehen oder sitzen, wo er gerade stand oder saß, meistens in der Position des Schwächeren, in die sie jetzt auch ihren Sohn gedrängt hatte.

»Also du bist ein Kommunist und Verbrecher?«

»Nein«, sagte ich.

»Ja, was denn nun?«

»Ich bin kein Verbrecher.«

»Gut, das bist du nicht. Das weiß ich. Aber was soll das mit den Zeitungen? Du trägst mir doch nicht etwa diese Zeitungen aus?«

Jetzt war ihr Bruder seinem Sieg nahe. Ich spürte es. Ich sah es ihm an. Mein Onkel zog seinen Bademantel zurecht, hob die Faust von den *Roten Fahnen* und stemmte sie erneut, jetzt noch fester, noch energischer darauf. Er sah dabei seine Schwester an, etwas überheblich, verächtlich, ironisch.

»Er trägt sie abends aus, diese Zeitungen. Ich beobachte es schon seit Tagen, Anna. Da hast du schön was herangezogen. Wenn das herauskommt, gibt es einen Skandal erster

Güte. Dann kannst du dir deine Gäste in den Schornstein schreiben. Wer will denn in einem kommunistischen Haus wohnen? Heute? Kein Mensch, Anna, kein Mensch.«

Er hatte gesiegt. Ich wußte es. Mit diesen Sätzen hatte er meine Mutter an ihrer empfindlichsten Stelle getroffen. Er hatte sie dort getroffen, wo ihre wenigen Gäste saßen: die Justizbeamten, kleinen Ärzte, Rechtsanwälte, die Dritte-Klasse-Fahrer dieser Zeit. Diese Gäste waren es, die ihr zusätzlich zu ihrer Wäscherei und dem Fischen ihres Mannes das Geld brachten, mit dem sie ihre große Familie ernährte und von Jahr zu Jahr durch den langen, oft harten Winter brachte, in dem es hier an der Küste nichts zu verdienen gab. Für sie war eine Reichsmark eine Reichsmark, wertbeständig, wie es in den ersten vier Jahrzehnten ihres Lebens der silberne Taler und das goldene Zwanzig-Mark-Stück gewesen waren. Weder Krieg noch Inflation hatten ihren Glauben an die Wertbeständigkeit des Geldes erschüttern können.

Ihr Bruder wußte das. Er kannte seine Schwester Anna. Sie war konservativ wie er, nur großzügiger, toleranter, weder an nationalem noch an religiösem Klimbim interessiert. Klimbim nannte sie alles, was ihr fragwürdig erschien. So siegte ihr Bruder über ihren Sohn, und ich sah ihn siegen, wie er gern im Weltkrieg gesiegt hätte und wie er morgen siegen wollte über alles, was ihm nicht paßte, über das marxistische Gesindel und über die Weimarer Republik.

Vorerst aber siegte er nur in der Kellerküche, neben dem großen Kochherd, mit seiner Kohlen- und Holzfeuerung, auf dem meine Mutter für ihre Gäste und für ihre Familie kochte, und an dem Küchentisch, auf dem die Zeitungen der Kommunistischen Partei lagen.

»Nun, Anna, was sagst du jetzt?«

Seine Schwester gab ihm keine Antwort. Sie wurde mit sich nicht einig. Ich sah es an ihren Augen. Sie waren mißtrauisch, skeptisch, noch immer fragend. Der mögliche Verlust ihrer Gäste ging ihr nahe, so nahe, wie ihr Bruder August es angenommen und wie ich es vermutet hatte. Aber sie sagte nicht, was zu erwarten war: »Scher dich hinaus, Karl, und komm mir nicht wieder unter die Augen.« Sie hielt sich in Zucht. Mit Inzuchthalten war sie aufgewachsen. Das liebte sie und verlangte es auch von ihren Söhnen. Sie gab sich Mühe, mich meine Niederlage nicht spüren zu lassen. Ihre Augen begannen zu lachen, von innen her. Es war ein verstecktes Lachen, nicht sichtbar für Onkel August. Nur ich kannte es. Es kam fast immer kurz vor ihren Entscheidungen.

»Na gut, also.«

»Was also?« fragte ihr Bruder.

»Das muß ich mit Karl ausmachen. Das geht dich nichts an. Also, Karl, nimm deine Zeitungen und mach damit, was du willst. Verbrenn sie irgendwo hinten auf dem Hof. Und laß dich nicht wieder damit sehen. Das sage ich dir. Meine Gäste vertreiben, das gibt es nicht.«

Mein Onkel öffnete seine Faust zu einer wegwerfenden Handbewegung, mit der er die Zeitungen gleichsam vom Tisch wischte. Er schob sie mir mit einer Geste zu, als handle es sich um eine widerliche, klebrige Masse. Eine Gebärde männlicher Verachtung, die ihn von allem Niedrigen und Gemeinen abhob.

»Da, nimm den Dreck.«

Ich antwortete mit einer Handbewegung, die das Gegenteil ausdrücken sollte. Meine Mutter sah diese Geste gegenseitiger Verachtung und sagte:

»Jetzt aber Schluß damit. Keine Widerrede.«

IV

Die Bäume der Straße entlaubten sich. Es war Mitte Oktober, ein herbstdurchsonnter Vormittag. Ich sah auf das Straßenschild über den Köpfen der Herumstehenden – Hohenstaufenstraße –, eine Straßenecke im Westen Berlins, die dritte Straßenecke, an der ich zu singen versuchte. Ich sah auf das Straßenschild, auf die Fassaden der Häuser, in die sich entlaubenden Bäume, um nicht in die Gesichter der Zuhörenden zu sehen, der Passanten, die stehengeblieben waren und sich die Lönslieder der Straßensänger anhörten. Es war mir peinlich, ich hatte nie auf Straßen gesungen und um Geld gebettelt. Aber wenn ich in Berlin bleiben wollte, mußte ich singen.

Es war nicht leicht für mich, den Ton zu halten. Er war zu hoch für mich. Ich konnte ihn auch mit äußerster Anstrengung nicht erreichen. Meine Stimmbänder gingen nicht mit. Sie ließen mich im Stich. Meine Stimme schlug um von hoch in tief, von hell in dunkel, von Klarheit in krächzende Heiserkeit. Es war ein geschriees Brummen, ein Heer von Mißtönen, das aus meinem Mund quoll. Ich konnte nicht singen, hatte nie singen können, aber ich sang. Ich versuchte es noch einmal mit »Aber rot sind die Rosen«, erreichte das »Aber«, hielt es nicht durch, ließ das »rot« endgültig fallen und verstummte. Bedrückt starrte ich auf meine Gitarre. Es war eine alte, nicht funktionierende Gitarre, die nur drei Seiten hatte. Sie diente als Schmuck. Ich konnte auch nicht spielen.

»Und singen kannst du auch nicht«, hörte ich den Bariton neben mir sagen, »mach den Mund auf und zu, so daß es wenigstens so aussieht, als ob du singst. Aber laß keinen Ton mehr heraus. Du bringst uns durcheinander.«

Ich bewegte die Lippen und sah dabei auf die Lippen der anderen. Ich öffnete und schloß den Mund wie sie, immer etwas später als sie, immer im eiligen Hinterher. Es war anstrengend, aber es kam kein Ton mehr heraus, weder ein falscher noch ein richtiger. Ich begann zu schwitzen und schämte mich, nicht singen zu können und doch zu singen.

»Los, geh kassieren«, flüsterte der Bariton neben mir, »jetzt wird es Zeit. Die sind weich. Jetzt zahlen sie.«

Ich nahm meine Mütze vom Kopf und hielt sie vor die Gesichter der Herumstehenden, der andächtig und nicht andächtig Lauschenden. Es war eine stumme Aufforderung ohne ein Wort der Bitte. Nur wenn ein Geldstück in meine Mütze fiel, sagte ich »Danke« oder »Danke sehr« oder »Danke schön.« Ich ging um die Straßensänger herum, um die Singenden, die an der Ecke der Hohenstaufenstraße mit den Gesichtern zueinander im Kreis standen, Werkstudenten, wie wir uns nannten und die wir nicht waren. Arbeitsscheue hätte sie Onkel August genannt. Sie hatten mich mitgenommen als Kassierer.

»Kassieren kann jeder«, hatten sie gesagt, »und singen kannst du sicher auch. Ein Kommunist kann alles, auch singen.«

Sie waren Kommunisten, Anarchisten, Trotzkisten, Syndikalisten, Nihilisten, sie waren parteilinientreu oder auch nicht, sie stritten sich nach jeder »Welle«, die sie gedreht hatten, nach jedem Straßeneckengesang.

Sie sangen »Es steht ein Soldat am Wolgastrand« und »Rose weiß, Rose rot« und »Ja, grün ist die Heide«. Es waren Lieder, die ihnen mißfielen. Sie sangen sie trotzdem. Rote Kampflieder zahlten sich nicht aus. Niemand wollte sie hören. Nur im Haus meiner Mutter hatte ich von ihnen den Trauermarsch der bolschewistischen Revolution gehört: »Unzählige Opfer, sie sanken dahin.«

Auf einer Tournee an der Ostseeküste entlang waren sie an einem Tag im August bei meiner Familie gestrandet, ohne Geld, ohne Unterkunft. Meine Mutter hatte sie für ein paar Tage aufgenommen, aus Mitleid oder auch, weil sie so schön singen konnten, und sie hatten drei Tage lang gesungen und diskutiert und diskutiert und gesungen und schließlich mich aufgefordert, mit ihnen in Berlin singen zu gehen.

»Du gehörst nach Berlin. Ein Kommunist muß in diesem Winter in Berlin sein. Dort fällt die Entscheidung. Und wenn du nicht weiter weißt, kannst du mit uns singen gehen.«

An diesem Tag, sechs Tage nach meiner Ankunft in Berlin, hatten sie mich mitgenommen, in Anerkennung der Großzügigkeit meiner Mutter, und als Genossen, die sie waren oder zu sein glaubten. Genosse hilft Genosse, rote Solidarität, hatten sie gesagt, rote Solidarität ist alles. Sie bewiesen es am Abend, als das ersungene Geld geteilt wurde. Ich nahm das Geld, steckte es ein, sagte: »Bis morgen«, und sie sagten: »Bis morgen, Genosse.« Ich verließ das kleine Café, in dem sie das Geld geteilt hatten, und fuhr hinaus nach Schöneberg in die Wohnung meines Onkels. Er hatte mich für ein paar Wochen aufgenommen, nicht spontan und nicht freiwillig, sondern auf Bitten meiner Mutter.

»Wohnen kannst du bei mir. Natürlich nur für ein paar Wochen. Bis du Arbeit gefunden hast. Irgend etwas wird sich ja finden. Aber deinen Kommunismus, den läßt du gefälligst draußen. Hier in meiner Wohnung gibt es das nicht.«

Mein Onkel hatte mir die Wohnungsschlüssel zugeworfen, mit Schwung, im hohen Bogen, und mit einem unmißverständlichen Lächeln der Verachtung.

»Und stör mich bitte nicht. Ich habe keine Zeit für dich.«

»Nein, Onkel August, ich störe dich nicht. Bestimmt nicht.«

Ich war mit meinem Pappkoffer in die leerstehende Dienstmädchenkammer gezogen, und mein Onkel hatte sich seitdem nicht mehr um mich gekümmert. Auch ich versuchte meinem Onkel aus dem Weg zu gehen. Ich wollte ihn nicht sehen. Aber ich sah ihn an diesem Abend, nach meinem ersten Auftritt als Straßensänger. Mein Onkel stand vor mir, als ich die Wohnungstür öffnete. Er stand in dem schmalen Korridor der altberliner Wohnung, im Pyjama, und sah leicht lachend auf meine Gitarre.

»Seit wann spielst du denn Gitarre? Bist wohl unter die Wandervögel gegangen, wie? Das sieht dir ähnlich.«

Mein Onkel sah mich an, als sei ich nun endgültig auf den Hund gekommen. Ich glaubte zu wissen, was er dachte: Sie kommen alle auf den Hund, diese jungen Deutschen. Etwas wie nationales Mitleid war in den Augen meines Onkels, Selbstmitleid vielleicht, Mitgefühl mit der heruntergekommenen jungen Generation seiner Nation.

»Also Wandervogel, nee, so was.«

»Nein, nicht Wandervogel«, sagte ich.

Mein Onkel lachte und sah wieder auf die Gitarre. Sie gefiel ihm nicht. Etwas störte ihn daran. Es war kein militärisches Instrument, keine Kesselpauke. Mit Gitarren marschierte man nicht in den Krieg, in den Sieg, in die Niederlage. »Kein Wandervogel? Was denn sonst? Für was singst du denn?«

»Ich singe überhaupt nicht«, sagte ich, »ich kassiere nur.«

»Und für wen kassierst du? Für die Rote Hilfe?«

»Nein.«

Ich wunderte mich, daß mein Onkel die Rote Hilfe kannte. Es war eine Nebenorganisation der Kommunistischen Partei, eine finanzielle Hilfsorganisation. Mein Onkel konnte sie kaum kennen. Sie war, wie ich glaubte, seinen nationalen Kreisen nicht bekannt. Aber mein Onkel wußte anscheinend besser Bescheid, als ich angenommen hatte.

»Ein Sauhaufen, diese Rote Hilfe.«

»Nein«, sagte ich, »kein Sauhaufen.«

»Sauhaufen bleibt Sauhaufen. Gibst du das zu?«

»Ja, wenn es einer ist.«

»Es ist einer. Du kannst es mir glauben. Ich kenne mich aus.«

»Da irrst du dich«, sagte ich, »die Rote Hilfe funktioniert.

Kennst du den Genossen Münzenberg?«

»Ich kenne deine Genossen nicht. Aber ich weiß, wer sie sind.«

Mein Onkel geriet in Bewegung. Er begann hin und her zu laufen, drei Schritte vor und drei Schritte zurück, in dem schmalen Korridor, an dessen Wand ich mit meiner Gitarre stand. Die offene Pyjamajacke streifte auch die Gitarre. Ihr unterster Knopf schlug fast regelmäßig im Auf und Ab gegen die drei Saiten. Mein Onkel begann mit einer Beschimpfung all dessen, was bisher gewesen war, dieser Jahre der Republik, dieser beschissenen Systemzeit.

»Beschissen, jawoll, beschissen. Doch jetzt kommt die Stunde der Abrechnung. Darauf kannst du dich verlassen. Vorbei ist es mit den Herren von gestern. Für immer vorbei.«

»Mit welchen Herren?« fragte ich.

»Mit allen. Mit dem ganzen Gesindel. Jetzt wird aufgeräumt und abgeräumt, mein Junge.«

»Wieso jetzt?«

»Ja, jetzt. Jetzt ist es so weit.«

Mein Onkel blieb stehen, stand dicht vor der Gitarre und klopfte mit hartem Knöchel dagegen, als gehöre auch diese alte Gitarre zur Systemzeit, als sei auch sie in seiner Stunde der Abrechnung nicht ohne Belang.

»Nicht unterrichtet, wie? Ganz und gar nicht unterrichtet. Das sieht dir ähnlich.«

»Worüber unterrichtet?«

Mein Onkel schlug bei dieser Frage die Hände über dem Kopf zusammen. So sah es für mich aus. Aber er rieb sich die Hände nur triumphierend vor seinem Gesicht, als zerriebe er darin das System der Republik und alles, was dazu gehörte. Er fragte, ob ich denn keine Zeitungen lese, ob ich denn über nichts orientiert sei, jetzt müsse ich und meine ganze politisch höchst desorientierte Familie doch endlich begreifen, was die Stunde geschlagen habe.

»Was für eine Stunde? Die Stunde der Revolution?«

»Jawoll, mein Junge, jawoll. Die Stunde der nationalen Revolution.«

»Es gibt keine nationale Revolution. Es gibt nur eine proletarische«, sagte ich.

Jetzt benahm sich mein Onkel, als hätte ihn jemand ins Bein gebissen, als zöge ein brennender Schmerz von der Ferse oder der Wade bis zu seinen schwarzen Borstenhaaren hinauf. Er preßte die Lippen zusammen und öffnete sie wieder, wie von einer unerträglichen Pein auseinandergerissen.

»Proletarische, ha, ha, proletarische.«

Aber dann lachte er wieder, sein männliches Lachen, kein Lachen der Selbstgefälligkeit, der Überheblichkeit oder der Arroganz. Für einen Augenblick war ich diesem Lachen ausgeliefert.

»Mumpitz, mein Lieber, alles Mumpitz.«

Das Wort »Mumpitz« belustigte ihn, es gefiel ihm selbst. Mumpitz sei das alles, sagte er, auch der Karl Marx, reiner Mumpitz. Revolutionen dieser Art würden von Ratten gemacht, die aus ihren vielen Löchern kämen, um das Nationalgefühl der Völker zu zernagen. Das Wort »zernagen« gefiel ihm wieder. Er wiederholte es.

»Zernagen und untergraben, so ist es doch. Dagegen gibt es nur eins, die völkische Revolution, die Revolution der Konservativen. Das Proletariat, nee, mein Junge, das Proletariat . . .«

Ich sah auf die schwarzen, glänzenden Lack-Hausschuhe an den Füßen meines Onkels. Es waren die Schuhe des feinen Herrn, die Schuhe der nationalen Revolution, für die mein Onkel eintrat, die Revolution der oberen Zehntausend. Für mich gab es keine konservative Revolution. Es war ein Widerspruch in sich selbst. Und mein Onkel war ein Konservativer, ein konservativer Klempnergeselle, ein aufgestiegener konservativer Prolet.

»Hast du etwas dagegen? Gegen das Proletariat?«

»Es gibt gar kein Proletariat. Das bildet ihr euch nur ein.

Ein Proletariat hat es nie gegeben. Es gibt nur deutsche Arbeiter«, sagte mein Onkel.

»Aber du selbst bist doch ein . . .«

Ich wollte Prolet sagen, sprach es aber nicht mehr aus. Mein Onkel kam mir zuvor. Er unterbrach mich mit einem Wort, das ich nicht erwartet hatte. Er sagte Harzburg. Er donnerte es mir entgegen.

»Harzburg, mein Lieber, Harzburg. Hast du nichts davon gehört?«

Es klang, als sei dort in Harzburg die alte Welt untergegangen und eine andere, neue auferstanden, die Welt meines Onkels, die Welt der nationalen Wiedergeburt. Darauf war er stolz, mein Onkel. Ich sah es ihm an. Er war stolz auf die Zusammenfassung der nationalen Kräfte zu einer einzigen Front, der Harzburger Front. Jetzt, so glaubte er, hatte er den Sieg in der Tasche. »Das hast du doch wohl gelesen? Oder etwa nicht?«

»Natürlich«, sagte ich.

»In deinen jüdischen Zeitungen, wie?«

Es sollte verächtlich klingen, und es klang verächtlich. Wer las schon jüdische Zeitungen? Er, Onkel August, las sie nicht. Ich hatte die nationalen paramilitärischen Verbände in der Stadt im Harz auf Pressefotos marschieren sehen, die SA, den Stahlhelm, die nationalen Jugendbünde, die militärischen Traditionskompanien, an Hitler vorbei, an Hugenberg, an allen Führern der nationalen Parteien vorbei, unter Fahnenwäldern und Standarten, im Gleichschritt und mit Paradebeinen, in eine Zukunft hinein, die sie allein bestimmen wollten. Ich glaubte nicht an ihre Zukunft. Sie demonstrierten für die Welt von Gestern, deren Wiedergeburt nicht mehr möglich war. Mein Onkel war also auch dabei gewesen, hatte Heil geschrien, allen Roten den Tod gewünscht und das Morgenrot am Himmel der nationalen Revolution gefeiert.

»Du warst also auch dabei, in Harzburg?«

»Nein, ich war nicht dabei.«

»Und warum nicht?«

»Ich bin Beamter. Und als Beamter beteilige ich mich nicht an politischen Demonstrationen.«

Er sagte nicht »leider« oder »schade«. Er tat so, als sei dies selbstverständlich und unabhängig von seiner politischen Gesinnung. Ein Beamter, Oberinspektor der Provinzialregierung von Brandenburg, demonstriert nicht, er opponiert. Ich verstand es so. Ein Beamter untergräbt den Staat, aber er greift ihn nicht an.

»Schade, daß du nicht dabei warst.«

»Wieso schade?«

»Es hätte dir doch Spaß gemacht.«

»Das sicherlich«, sagte mein Onkel.

Er stand jetzt wieder vor mir, unmittelbar vor dem Bauch der alten Gitarre, die Hände auf dem Rücken seines gelben Chinapyjamas, aufgerichtet, leicht auf den Zehenspitzen wippend, eine nackte Brust vor meinen Augen, besetzt mit schwarzen Kräuselhaaren, in der Pose des Siegers von morgen.

»In Harzburg, da haben wir das Eisen geschmiedet. Da haben wir die Weichen gestellt. Das kannst du mir glauben, mein Junge.«

Er sagte es ohne Triumphgefühl, nur mit der sicheren Stimme eines Mannes, der sich seinen Triumph für eine bessere Gelegenheit aufbewahrt. Es war das unterdrückte verhaltene Siegesgefühl, das Onkel August veranlaßte, sich in diesen späten Abendstunden mit seinem Neffen abzugeben, das Mitteilungsbedürfnis dessen, der seinen kommenden Sieg schon jetzt hinausschreien möchte.

»Du warst also doch dabei, Onkel August?«

»Ich habe dir bereits gesagt, daß ich nicht dabei war. Das muß dir genügen.«

»Es interessiert mich auch nicht.«

Ich sah meinem Onkel an, daß er log. Er gab sich keine Mü-

he, sein Dabeigewesensein zu verbergen. Er war stolz dar
Es spiegelte sich in seinem Gesicht, in seinen Augen, in s
nem Lächeln. Es war das Lächeln des Besserwissenden. E
hatte es nicht nötig, seinen Achtgroschen-Neffen aufzuklären.
Ich erinnerte mich an diesen seinen Ausspruch: »Achtgro-
schenjungs, die Politik treiben wollen, das gibt es nicht.« Er
war sich seiner Sache sicher.

»Vormarsch auf der ganzen Linie, Karl. Auch die Herren
der großen Industrie sind jetzt dabei, die Herren von Rhein
und Ruhr. Jetzt rollt auch das Geld. Hast du gelesen, was
Hugenberg in Harzburg gesagt hat?«

»Nein, was hat er denn gesagt?«

»Hier ist die Mehrheit des Volkes. Jawoll, das hat er gesagt:
die Mehrheit. Und dann: sie, die Mehrheit, ruft den Inha-
bern und Ausbeutern der absterbenden Organisationen, sie
ruft den Parteien zu – wir wollen euch nicht mehr. Das kann
man nur unterstreichen. Das kann auch ich unterstreichen.
Ich will euch nicht mehr.«

»Wen willst du nicht mehr? Mich?«

»Pfeife«, sagte mein Onkel.

Er lachte, entfernte sich wieder drei Schritte von mir, drehte
sich um und kam zurück.

Ich wußte nicht, worauf er hinauswollte, warum er mir
seine Harzburger Träume erzählte. Es mußte eine besondere
Bewandtnis haben. Vielleicht wollte er die Familie retten und
sie vor dem drohenden Untergang bewahren, die rote Familie seiner Schwester Anna. Jeden Augenblick mußte der
entscheidende Satz dieser von mir nicht gewünschten Unterredung kommen, und er kam. Mein Onkel sprach ihn in
seiner Art aus, scharf, mit einem Unterton der Verachtung
und doch nicht ohne Wohlwollen.

»Und jetzt, mein Junge, kannst du mit deinem Kommunismus einpacken.«

Er sah mich dabei an, als hätte ich den Kommunismus
und alles, was damit zusammenhing, schon eingepackt in

den großen Koffer meines Onkels, der ihn nun beiseite stellen konnte, in die Dienstmädchen- oder in die Besenkammer, in einen Abstellraum oder sonst wohin. Mehr war der Kommunismus nicht mehr wert, eine verlorene, veraltete Angelegenheit nach dem Zusammenschluß der nationalen Kräfte, nach dem Sieg in Harzburg. Aber es gab nach meiner Ansicht nichts einzupacken, weder den Kommunismus noch sonst etwas. Noch waren die Auseinandersetzungen nicht entschieden, noch gehörte der Sieg dem Proletariat.

»Es gibt nichts einzupacken, Onkel August. Da täuschst du dich.«

»Wieso?« fragte mein Onkel.

»Weil du mit deiner Harzburger Front nicht siegen wirst und weil es nichts einzupacken gibt.«

»Du bleibst also Kommunist?«

»Was denn sonst?«

Ich hatte erreicht, was ich wollte. Mein Onkel stellte ruckartig sein Wippen auf den Zehenspitzen ein. Es geschah wie auf Kommando, als hätte er sich selbst einen harten, gleich zu befolgenden Befehl gegeben: »Schluß damit, August, sofort Schluß.«

Das Wohlwollen verschwand aus seinem Gesicht. Es lief auf dem Gesicht davon.

»Das habe ich mir gedacht. Ihr seid ja alles Verrückte. Die ganze Familie besteht aus Verrückten.«

»Wir sind normal«, sagte ich.

»Idioten«, sagte mein Onkel.

Es sollte ein abschließendes Wort sein, aber es war keines. Mein Onkel begann wieder hin und her zu laufen, drei Schritte vor und drei Schritte zurück, mit offener Pyjamajacke an meiner Gitarre vorbei.

Das Wort »Idioten« tanzte vor meinen Augen. Es war eine Beleidigung. Ein Idiot war mein Onkel, nicht ich oder einer meiner vielen Brüder. Onkel August war ein Blindgänger der Familie, ein militärisch verseuchter Dandy, erfolgreich auf dem Feld der Ehre und in den Betten der Frauen, ein Weiberheld, der nicht einmal vor Gerda Halt gemacht hatte, vor meiner siebzehnjährigen Freundin, der Tochter eines national denkenden Polizeimajors, die doch gerade er hätte respektieren müssen. Ich hatte Gerda, seit ich in Berlin war, nur einmal kurz gesehen, vor ihrer Schule in Steglitz. Ihr Vater hatte sie unter Hausarrest gestellt. Etwas war herausgekommen, und Onkel August hing damit zusammen.

»Sprich nicht mit ihm darüber«, hatte sie gesagt, »es ist besser, wenn er nichts weiß. Er hat meinen Vater kennengelernt, irgendwo, in einer ihrer nationalen Organisationen.«

Ich konnte nicht genau erfahren, wie es zu dieser Bekanntschaft gekommen war, aber ich traute meinem Onkel alles zu. In meinen Augen war er zu allem fähig. Ich sah ihn dort sitzen, in der Wohnung des Polizeimajors, in einer Nebenstraße in Steglitz, die auch ich gut kannte, und ich hörte ihn sagen:

»Ja, wissen Sie, Herr Major, ich habe da einen politisch etwas verirrten Neffen. Gehört zur Kommunistischen Partei. So etwas gibt es. Ich kann nur sagen, geben Sie auf Ihre Tochter acht. Sie ist zu schade für ihn, ein so reizendes Mädchen.«

So oder so ähnlich könnte er gesprochen haben. Geben Sie auf Ihre Tochter acht, Herr Major. Ich hätte ihm dafür ins Schienbein treten können, aber ich tat es nicht. Misch dich nicht in meine Angelegenheiten, das hätte ich sagen müssen. Ich sagte es nicht. Ich sagte statt dessen:

»Wir sind keine Idioten, Onkel August.«

»Doch, ihr seid es.«

»Nein«, sagte ich.

Mein Onkel blieb wieder vor mir stehen, wippte auf den Zehenspitzen, und ich sah auf seine schwarzen Kräuselhaare, die sich auf seiner atmenden Brust zitternd bewegten. Er atmete tief durch, um ruhiger zu werden.

»Seht ihr denn nicht, was kommt? Seht ihr es denn nicht?«

»Was kommt denn?«

»Adolf Hitler, mein Sohn.«

Er sagte es laut. Es klang wie ein Posaunenstoß. Eine Behauptung, unwiderlegbar, feststehend, und ich ärgerte mich weniger über sein »Adolf Hitler« als über sein »mein Sohn«. Ich bin nicht dein Sohn, wollte ich sagen, aber da ging mein Onkel schon den langen schmalen Korridor hinunter. Er ließ mich so stehen, wie ich stand, mit der umgehängten Gitarre vor dem Bauch, an die Wand des Korridors gelehnt. Mein Onkel hatte das letzte Wort gehabt, und das letzte Wort hieß »Adolf Hitler«. Es stand unwidersprochen im Korridor, aber es durfte dort nicht stehenbleiben, und ich stieß mich von der Wand ab, schlug auf die drei Seiten meiner Gitarre und rief meinem Onkel nach:

»Der kommt nie, dein Adolf Hitler.«

»Idiot«, schrie mein Onkel zurück. Er stand schon im Rahmen der ruckartig und im Zorn aufgerissenen Toilettentür. Er schrie sein »Idioten« noch ein zweites Mal, zurück in den Korridor und gleichzeitig in die Toilette hinein, als seien dort alle Idioten seines Vaterlandes versammelt, die nicht begreifen wollten, was die Stunde geschlagen hatte: die Stunde von Harzburg.

V

Ich marschierte in der Mitte. Hinter mir gingen zwei Straßensänger und vor mir der lange Bariton. Rechts und links von mir gingen Genossen, die ich nur flüchtig kannte, Mitglieder meines Parteibezirks, Angehörige meiner Parteizelle. Wir marschierten auf den Spittelmarkt, in Sechserreihen, singend, Transparente über den Köpfen. Ich sah nicht viel. Es war Abend, dunkel, nasse Schneeflocken tanzten vor den Beleuchtungskörpern der Straßenlaternen. Ich sah nur die Tschakos der berittenen Polizei, die schwarze Lackfarbe, die Gesichter darunter, die in der Straßenbeleuchtung auftauchten und wieder verschwanden.

Vor mir ging die Polizei mit Gummiknüppeln vor. Sie teilte die Demonstration in der Mitte auf, schob einen Keil hindurch, teilte die beiden schon hilflosen Teile noch einmal auf und schob auch durch diese Teile neue Keile. Sie vierteilte die Demonstration, achtteilte sie, sechzehnteilte sie. Es entstanden gestikulierende, schreiende Haufen von Demonstranten, dann Häufchen, die führungslos durcheinander liefen. Es war eine Gegendemonstration, gegen die SA.

Ich sah keine SA. Die Polizei hatte sie vom Spittelmarkt weggedrängt, in die Seitengassen und in die Seitenstraßen. Es gab nur Polizisten, nur Tschakos, nur Gummiknüppel, nur sich aufbäumende Pferde, von denen herab die Polizisten in die sich zersplitternde Masse der Demonstranten schlugen. Ich hörte nur noch Gesangsbruchstücke: die zerbrochenen Ketten, das Menschenrecht, Fetzen der Internationale. Pferde trabten heran, Polizeipferde.

»Weg, weg«, schrie jemand neben mir.

47

Hinter mir schrien die Straßensänger.

»Nieder mit dem Sozialfaschismus.«

»Nieder, nieder«, schrien die Demonstranten.

»Wer hat uns verraten!« rief ich.

Ich kam nicht weiter. Das Wort »Sozialdemokraten« blieb mir im Hals stecken. Es kitzelte im Gaumen. Das Wort kam nicht mehr heraus. Jemand hatte mir auf den Kopf geschlagen. Hinterrücks, das Schwein, hinterrücks auf den Kopf. Um mich wackelte alles, die Polizisten, die Pferde, die Tschakos, die Transparente. Ich versuchte noch einmal das Wort »Sozialdemokraten« herauszubringen. Es war so allein stehend ein sinnloses Wort. Es klang blechern und heiser. Vor mir drehte sich der Spittelmarkt, ein jetzt tanzender, schräg stehender Spittelmarkt.

Ich begann zu laufen. Ich lief irgendwohin, nach vorn, nach links, nach rechts, in eine Seitenstraße. Meine unsicher laufenden Beine wackelten. Neben mir liefen Genossen, wackelnde Genossen. Solidarität ist alles, dachte ich, auch eine davonlaufende Solidarität, eine wackelnde Solidarität.

Jemand lief neben mir, unmittelbar, Arm an Arm. Mein mitlaufender Nebenmann sagte etwas. Ich verstand es nicht. Es klang wie »Fall nicht um« und dann:

»Noch ein paar Schritte, dann sind wir da. Sie sind dicht hinter uns. Jetzt links hinein, links in den Hausflur, schnell.«

»Ja, links«, sagte ich.

Ich wackelte durch die offene Haustür. Mein Nebenmann hielt sie offen. Ich lehnte mich in dem dunklen Hausflur gegen die Wand. Meine Beine gaben nach. Sie rutschten von mir weg nach vorn. Sie rutschten auf dem Boden entlang. Alles rutschte jetzt, mein Rücken, mein Kopf, mein Gesäß. Es war unerträglich dunkel um mich. Es war kalt. Meine Zähne schlugen aufeinander. Ich glaubte selbst, sie klappern zu hören. Der, der mit mir gelaufen war, stand neben mir, an die Wand gelehnt. Ich konnte ihn nicht erkennen. Ich hörte nur seine Stimme.

»Ist es schlimm?«

»Ich weiß nicht.«

»Der Kopf?«

»Ja, der Kopf.«

»Wahrscheinlich nur eine Beule. Das geht vorüber.«

»Ja, sicher«, sagte ich.

Die Geräusche der Demonstration waren jetzt fern. Das Laufen der Stiefel war darin, der Klang von Eisen auf Kopfsteinpflaster, eine weibliche Stimme, die »Nieder« schrie. Ich glaubte Gerdas Vater zu sehen. Er ritt auf einem der Pferde. Er ritt an der Haustür vorbei, der Polizeimajor, der Sieger vom Spittelmarkt. Transparente lagen unter ihm im Schneematsch, zertreten, zerbrochen, zersplittert. »Nieder mit dem Faschismus.« Polizeipferde ritten darüber hin. Die Geräusche entfernten sich. Die Stimme war wieder über mir, an der Wand. Sie klang leise, verhalten.

»Jetzt sind sie weg. Kannst du gehen?«

Ich versuchte die Beine anzuziehen. Sie gehorchten. Sie schoben mich langsam an der Wand empor. Die Stimme neben mir sagte:

»Komm, laß uns gehen.«

»Ja, gehn wir.«

Ich stieß mich von der Flurwand ab. Die Haustür vor mir war offen. Ich ging hinaus, langsam, Schritt für Schritt. Die Straße war leer. Schnee fiel, langsam, träge, nasse Flocken, die sich Zeit ließen und sich auflösten. »Gehen wir langsam wie Passanten. Keine Demonstranten. Demonstranten waren wir«, sagte mein Nebenmann. Er hatte seinen Arm unter den meinen geschoben.

»Gehen wir zum Spittelmarkt zurück. Es ist besser so. Die Demonstration ist zu Ende. Dort hält uns niemand für Demonstranten. Weggelaufene Demonstranten kommen nicht zurück.«

Wir gingen über den Spittelmarkt. Polizisten standen in Gruppen herum. Auf einem Polizeiwagen saßen ein paar

SA-Leute. Sie warteten auf ihren Abtransport. Zerbrochene, zerrissene Transparente lagen auf dem Platz im Schneematsch. Aufgeweichte Parolen, die nichts mehr bedeuteten.
Ein Polizist rief:
»Weitergehen, weitergehen. Keine Ansammlungen.«
Wir gingen auf die Leipziger Straße zu. Wir mußten wie Brüder aussehen, so Arm in Arm, warme Brüder vielleicht. Wir fielen nicht weiter auf. Im Schein einer Straßenbeleuchtung sah ich meinen Nebenmann, meinen Beschützer. Er war lang, schmal, dünn, einen Kopf größer als ich. Auf einem langen Hals saß ein intellektuelles, blasses, mit einer Brille versehenes kindliches Raubvogelgesicht. Darüber ein Hut, der zu groß war, ein an den Krempen gestutztes Wagenrad. Mein Begleiter ging nach vorn gebeugt, hatte vielleicht einen Buckel, hoch oben, gleich am Halswirbel, einen kleinen buckligen Rückenhalswirbel.
Ich hatte ihn vor ein paar Tagen in der Zelle der Kommunistischen Partei gesehen, zu der ich gehörte und die jetzt mit allen anderen davongelaufen war, auseinandergestoben vor den Tschakos, vor den Pferden, vor einem Polizeimajor, der vielleicht Gerdas Vater gewesen war. Eine revolutionäre Blamage.
Wir gingen an einer zerbrochenen Schaufensterscheibe vorbei. Jemand hatte sie eingeschlagen. Die Glasscherben lagen auf dem Bürgersteig. In dem offenen Schaufenster standen nackte Kleiderpuppen, fleischfarbene, geschlechtslose Puppen. Leere Augen in leeren Köpfen. Zwei Polizisten beschützten sie.
Ich versuchte unauffällig daran vorbeizugehen, ohne Interesse zu zeigen. Ich spürte noch immer den Arm des anderen unter dem meinen. Der Arm stützte mich, hielt mich fest.
»Ich heiße Alex. Mir hat das gefallen, was du neulich in der Zelle gesagt hast.«
Ich wußte nicht, was ich in dem Bierlokal der Parteizelle gesagt hatte.

»Was habe ich denn gesagt.«

Der andere lachte. Es war ein hüstelndes, krankes Lachen, nach innen gezogen und mit der Luft wieder ausgestoßen.

»Wenn ihr so weiter macht, kommt Hitler dran. Das hast du gesagt. Es ist richtig, aber es hat niemandem gefallen.«

Das also hatte ich gesagt. Es war nichts Besonderes. Nur Zweifel an der politisch-taktischen Linie der Partei. Jeder konnte sie haben. Sie waren selbstverständlich. Alles hing davon ab, ob man so weiter machte, ob man sich weiterhin selbst zerfleischte, mit den Verfolgungen von Rechts-, Links- und Mitte-Abweichungen von der Generallinie der Partei, mit dem selbstmörderischen Bruderkampf gegen die Sozial-demokraten. Aber ich hatte ihn soeben selbst mitgemacht, aus Solidarität oder im Gehorsam gegenüber der strengen Parteidisziplin, der auch ich mich nicht entziehen konnte und entziehen wollte. »Nieder mit dem Sozialfaschismus, nieder, nieder« und »Wer hat uns verraten! Die Sozialdemokraten.« Es waren die zu Schlagworten geronnenen Parolen der Partei, die ein vielleicht brüderlich gemeinter Gummiknüppel zum Wackeln gebracht hatte: wacklige Parolen über sich aufbäumenden Polizeipferden.

Die Stimme meines Begleiters war seltsam hoch, eine quä-kende, näselnde, skeptische Kinderstimme.

»Man wird dich aus der Partei ausschließen. Man wird dich einfach hinauswerfen. Wer an dem unmittelbar bevorstehen-den Sieg zweifelt, der fliegt, der ist ein Klassenfeind, ein Feind der Partei. Nach der Generallinie ist der Sieg sicher, naturnotwendig, dialektisch bedingt, ein determinierter Sieg. Wie kannst du, ein junger Genosse, daran zweifeln?«

Er lachte. Sein ganzer Körper lachte. Ich sah es in dem Licht der Bogenlampen vor dem Kaufhaus Wertheim.

Ein Polizeiwagen fuhr vorbei. Den Polizisten, die darauf saßen, schien das Kreuz eingefroren. Der Genosse, mein Begleiter, beachtete sie nicht. Alles lachte an ihm. Seine zu langen Beine lachten, seine zu langen dünnen Arme mit spitzen Ellenbogen, der Kopf, der Rumpf, alle Knochen. Es sah seltsam aus: ein Vogel, der davonfliegen will, ein sich schüttelnder Vogel, ein lachender, sich gleichzeitig sträubender, feder- und flügelbewegender Habicht. Die Generallinie mußte ihm ein besonderes Vergnügen bereiten und in eine Ekstase wilden Humors versetzen.

»Blödsinn«, sagte ich, »die schließen mich nicht aus. Das wagen sie nicht. Bestimmt nicht.«

Das Lachen des anderen ging in Hüsteln, dann in Husten über. Er blieb vor mir stehen, unter der Bogenlampe, in sich gekrümmt, eine lange, krumme Gestalt.

»Verzeih. Aber es ist zu dumm.«

Ich wußte nicht, was er für dumm hielt oder was für ihn in diesem Augenblick dumm war: sein krankhaftes, lachendes Husten oder die Generallinie der Partei. Es ging – ich spürte es – eine seltsame Überzeugungskraft von diesem Husten aus, von diesem skeptischen, lachenden Husten. Der Husten hustete die Generallinie der Partei weg. Ich sah sie in tausend Stücke auseinanderfallen, Teile und Teilchen, die nicht mehr zusammenpaßten. Sie lagen unter der Bogenlampe auf der Leipziger Straße, am zeitlichen Ende der auseinandergelaufenen Demonstration.

Ich sah in den Schneematsch, der von den vorbeifahrenden Autos auf den Bürgersteig spritzte, und merkte, daß ich nasse Füße hatte.

»Jetzt muß ich nach Hause gehen. Es wird Zeit. Meine Schuhe sind durchgeweicht.«

Sofort hörte der Husten meines Begleiters auf, blieb mitten in einem neuen Anlauf stecken und starb dahin, als hätte es ihn nie gegeben. Die lange Gestalt richtete sich auf und bog sich nach hinten durch, die Hände im Kreuz, Hände mit langen Fingern und zu langen hochgewölbten Fingernägeln. Ohne weiter auf die Generallinie der Partei einzugehen, begann er von Trotzki zu sprechen.

»Hast du Trotzki gelesen? Auf Trotzki kommt es an. Alles

andere, alles, was Stalin sagt, ist Unsinn, um nicht zu sagen, Unfug.«

Bei dem Wort Unfug warf er seine langen Beine nach vorn, als wolle er sie wegwerfen, über den Potsdamer Platz, dem Unfug entgegen.

»Und dieser Unfug, das ist Verrat. Verrat an der Revolution. Glaub es mir.«

Das Wort Verrat gefiel mir nicht. Es gab so viele Verräter. Die Partei war umstellt von Verrätern. Niemand wußte mehr genau, wer wen verriet. Einer verriet anscheinend immer den anderen. Die Partei sagte es, fast jeden Tag. Leo Trotzki aber war nach Ansicht der Partei der größte Verräter. Ich konnte es nicht verschweigen. Es war meine Pflicht, es zu sagen.

»Aber Trotzki ist auch ein Verräter. Das weißt du doch, Genosse. Er hat die siegreiche Revolution verraten.«

Mein Begleiter blieb wieder stehen, stand vor dem hellerleuchteten Potsdamer Bahnhof, inmitten der späten Reisenden, die kamen und gingen. Er bemerkte sie nicht. Diesmal lächelte er nur, etwas mitleidig, etwas ironisch, etwas überlegen. Spitzbübisch hätte es meine Mutter genannt: »Wie spitzbübisch ein Revolutionär lachen kann.« Ich dachte es nur. Meine Mutter hatte keine Vorstellung von einem Revolutionär. Ich blickte zu den beschlagenen Brillengläsern auf. Sie waren plötzlich klar, hell. Sie blitzten wie das Monokel meines Onkels August. Die Stimme, die zu mir von oben herunterkam, war weich.

»Hast du denn die Revolution mitgemacht?«

»Nein. Ich war doch viel zu jung dazu. Ich war ja erst acht Jahre alt.«

»Aber ich, ich habe sie mitgemacht. Ich war nicht viel älter, aber ich habe sie mitgemacht. Ich kenne mich aus. Ich weiß Bescheid. Mir macht man nichts mehr vor. Die Revolution ist verraten worden. Ja. Aber von wem? Von wem, Genosse?«

Ich wußte nicht, wer die siegreiche Revolution verraten haben könnte. Mein Gegenüber – Alex Smirnoff, hatte er gesagt: »Ich heiße Alex Smirnoff« – hatte Stalin erwähnt, aber Stalin war der Generalsekretär der sowjetrussischen Partei, der Trotzki bekämpft, hinausgeworfen und in die Emigration gezwungen hatte. An Stalin, der Seele der Partei, zweifeln, hieß für mich, an allem zweifeln, hieß die Partei abschreiben, so wie sie jetzt war, eine Vorstellung, die einem Zusammenbruch gleichkam.

»Du meinst doch nicht etwa Stalin. Den kannst du doch nicht meinen, Genosse?«

»Jawoll, den meine ich.«

Es war ein preußisches Jawoll, nur klang es gefistelt, durch die Lippen geschoben, nicht mit geöffneten Lippen gesprochen, wie es Onkel August sprach. Mit dem langen Zeigefinger seiner rechten Hand tippte er auf meine Schulter, eine Berührung, so schien mir, die frei sprach von allen Parteiabweichungen und frei machte zur rechten und echten Überzeugung.

»Du hältst also auch ihn für einen Verräter?«

Alex Smirnoff fistelte noch einmal sein Jawoll, sagte es gleich zweimal. Seine Stimme überschlug sich beim zweiten Jawoll und kam in eine zu hohe Lage, in eine Lönssängerlage. Mein zweifelnder Satz schien ganz verschiedenartige Wirkungen auf ihn zu haben. Er erregte ihn, belustigte ihn, befriedigte ihn. Alles zur gleichen Zeit. Doch seine Stimme wurde wieder sachlich.

»Stalin ist der größte Verräter. Er hat alle anderen verraten und nicht sie ihn. Er hat die Revolution verraten, und für wen hat er sie verraten? Für wen? Weißt du es?«

»Nein. Woher soll ich das denn wissen? Für wen hat er sie denn verraten?«

»Für Rußland. Für den Sozialismus in einem Land. Für eine Theorie, die keine ist.«

Ich kannte die Theorie Stalins: Sozialismus in einem Land.

Sie hatten in der Partei darüber diskutiert, ohne Zweifel, ohne Widerspruch. Die Theorie war mehr deklariert als diskutiert worden. Ich hatte nicht viel darüber nachgedacht. Jetzt stand auch für mich alles auf dem Kopf. Wer hat uns verraten? Ich hätte es gern hinausgeschrien, über den Potsdamer Platz, in den noch immer fallenden, rieselnden, nassen Schnee hinein, in die Bahnhofshalle, den späten Reisenden zu, die doch wissen mußten, wer mich und meine Genossen verriet. Aber auf »verraten« reimten sich nur »Sozialdemokraten«. Alles andere reimte sich nicht.

Mein Begleiter sprach wieder von Trotzki, jetzt mit ruhiger, gelassener Stimme, nach jedem Satz mit einem Seitenblick zu mir herunter, einem lächelnden, freundschaftlichen Seitenblick.

»Sozialismus in einem Land, was bedeutet das? Das bedeutet, Genosse, Sozialismus in einem rückständigen Land, in einem Agrarland, in dem das Proletariat die schwächste aller Klassen ist. Das ist undurchführbar. Es widerspricht dem Willen Lenins und aller anderen. Es ist nationaler, kleinbürgerlicher, antiproletarischer Revisionismus. Ja, das ist es: billigster Revisionismus. Verrat an allem, was sich internationaler Sozialismus nennt.«

Er sprach zu mir herunter und sprach doch zu sich selbst. Er bestätigte sich mit jedem Satz seine eigenen Erkenntnisse, seine eigenen Überzeugungen, seine revolutionären Thesen.

»Nur die Theorie Trotzkis hat Gültigkeit. Die bürgerliche Revolution war national, die proletarische, die sozialistische ist international. Sie muß, wenn sie nicht in nationaler Abkapselung sterben will, alle Grenzen sprengen. Sie ist, wie Trotzki sagt, eine Revolution in Permanenz. Sie ist dazu verurteilt, ob ihre Führer es wollen oder nicht, ganz gleich, wie sie heißen, ob Stalin, Bucharin oder sonst wie.«

Wir gingen vor dem Potsdamer Bahnhof hin und her, zwischen den Reisenden, den Passanten hindurch. Die Passanten störten uns nicht. Der sacht fallende Schnee verwandelte sich in Schneetreiben. Meine schlecht besohlten Halbschuhe sogen immer mehr Wasser. Sie schlappten im nassen Schneematsch.

»Da hast du die These vom Sozialfaschismus – die Sozialdemokraten als Faschisten – Stalins These, auch ein Irrtum, ein gefährlicher Irrtum«, sagte Alex Smirnoff, »ein völliges Verkennen, ja Auf-den-Kopf-Stellen jeder revolutionären Strategie und Taktik. Lenin falsch verstanden ist ein Verhängnis. Glaub es mir.«

Er spuckte das Wort Lenin aus, spuckte es mit einem leichten Hustenanfall auf den Platz vor dem Potsdamer Bahnhof. Er schüttelte sich dabei, und mir kam es vor, als stünde der mißverstandene Lenin dort vor der Bahnhofshalle, im Schneetreiben, kopfschüttelnd wie der Genosse Smirnoff. Aber Alex Smirnoff sprach gleich weiter. Lenins *Was tun* sei keine Bibel, nicht in allen Fällen anwendbar, revolutionäre Strategie und Taktik verlange in jeder Situation neue Überlegungen, den Gegebenheiten angepaßte Ideen.

»Ja«, sagte ich, »aber welche Strategie und Taktik? Welche?«

»Eine neue, eine andere. Vielleicht die Leo Trotzkis. Vielleicht hat er auch in den Fragen der Taktik recht. Aber jetzt unter Stalin ist alles eingefroren und verkalkt. Ja, verkalkt, das ist es. Man müßte den Kalk abschlagen.«

Das Wort »verkalkt« gefiel dem Genossen Smirnoff. Er wiederholte es und blieb dabei stehen, leicht nach vorn gebeugt. Ich konnte seine Augen hinter den Brillengläsern erkennen, jugendlich naive Augen, grau mit Weiß abgesetzt. So also sah jemand aus, der die große Revolution mitgemacht hatte, der dabeigewesen war. Das strahlte er für mich aus, das Mit-Dabeigewesensein, die revolutionäre Romantik. Ich sah ihn auf der Rednertribüne stehen, seine revolutionären Thesen heraushusten, die Gestik seiner langen Arme. Ich fragte ihn nach dem Dabeigewesensein.

»Nein, nicht Leningrad, nicht Moskau. In der Ukraine, als

Kind. Ich habe als Fünfzehnjähriger das Vor und Zurück der Roten Armee mitgemacht.«
Ich glaubte es und glaubte es nicht. Es klang für mich falsch, unterspielt. Etwas verschleierte mein Gegenüber, etwas hielt er zurück. Aber er war dabeigewesen. Das genügte mir. Er kannte Trotzki, den Oberkommandierenden und Schöpfer der Roten Armee, den großen Revolutionär. Er hatte es soeben gesagt.
»Ja, ich habe Leo Trotzki gesehen.«
Er nannte einen Ort in der Ukraine. Ich kannte den Ort nicht, hatte den Namen nie gehört. Dort hatte ein Gefecht stattgefunden, eine Schlacht vielleicht. Dort hatten die Weißen die Roten zurückgeschlagen.
»Es gab so viele Tote«, sagte er, »es war schrecklich.«
Er sprach von den Leichen im Schnee, den toten Revolutionären.
»Aber erst jetzt sind sie wirklich tot. Eine tote Revolution.«
Er klang für mich sentimental, nach revolutionärer Sentimentalität. Aber Alex Smirnoff fuhr fort, von den Toten zu sprechen.
»Kennst du den bolschewistischen Trauermarsch? Damit haben wir sie beerdigt, drei Tage lang. Sie, unsere Überlebenden, haben ihn gespielt: ›Unzählige Opfer, sie sanken dahin.‹ Tag für Tag haben sie ihn gespielt. Kennst du den Trauermarsch?«
Er wartete die Antwort nicht ab. Er spitzte den Mund. Es sah seltsam aus. Er begann zu pfeifen. Er pfiff die Melodie des Trauermarsches, drei Takte, vier Takte. Er pfiff sie in den Schnee hinein, der treibend über die Hallendächer des Potsdamer Bahnhofs kam. Und ich sah die Revolutionäre dahinsinken, im Pulverdampf der Reaktion, auf den Schneefeldern der Ukraine. Aber für welche Revolution waren sie gestorben? Für die Revolution in einem Land oder für die Revolution in Permanenz, für die kleine begrenzte Revolution oder für die große unbegrenzte? Ich fragte danach, und

schon hörte der Genosse Alex auf zu pfeifen. Er stellte seinen Trauermarsch ein und spuckte den letzten Pfeifton mit einem Hustenanfall fort. Er spuckte ihn nicht in den Schneematsch hinunter, sondern nach oben, in die Schneeluft hinauf. Er blieb wieder stehen und schüttelte sich, die unruhigen Hände bald auf dem Rücken, bald vor dem Geschlecht. Ich wiederholte meine Frage.

»Wofür sind sie denn gestorben? Du mußt es doch wissen. Du warst doch dabei.«

Jetzt sprach mein Genosse Alex, als hätte ich ihn gekränkt, als sei eine solche Frage abwegig, nicht zu stellen und nicht zu beantworten, eine Frage mangelnder Pietät.

»Was wußten sie schon? Nichts wußten sie, gar nichts. Es war Trotzki, der sie mitgerissen hat. Nur er und kein anderer. Zweifelst du daran?«

Ich zweifelte nicht daran. Alex Smirnoff mußte es wissen. Er war dabeigewesen, und von ihm ging für mich in diesem Augenblick der Atem der großen Revolution aus, von seinem Raubvogel-Kindergesicht, in dem die Brillengläser wie zwei Fremde, nicht zu dem Gesicht passend, nicht dafür vorgesehen, standen. Ich sah erst jetzt, daß die Brille ein Pincenez war. Es sah aus wie das Pincenez Leo Trotzkis. Für einen Augenblick glaubte ich die gleichen Augen dahinter zu sehen. Ich kannte das Gesicht Trotzkis von Photos, und jetzt schien es mir, als sei dies das Gesicht des jungen Trotzki, eines Trotzki der zweiten Generation vielleicht, eines Revolutionärs, der sich seinem Vorbild angepaßt hatte.

So also sah die siegreiche und schon wieder verlorene Revolution aus. So mußte sie aussehen. Aber noch war sie nicht verloren. Ich glaubte nicht daran. Ich spürte wieder die klebrige Feuchtigkeit an meinen Füßen, die Nässe der verwackelten Demonstration vom Spittelmarkt. Ich mußte nach Hause gehen. Alex Smirnoff sah zu mir herunter.

»Wo wohnst du denn?«

»Bei einem Onkel. Und der ist stockkonservativ, ein Reak-

tionär. Fast ein Nationalsozialist. Fast. In Schöneberg.«
»Soll ich dich begleiten? Ein Reaktionär schreckt mich nicht«,
sagte Alex Smirnoff.
Er lächelte zu mir herunter und zog seinen dünnen, offenen,
immer wehenden Sommermantel um die langen Beine. Ich
sah, daß er fror. Er hielt mir die Hand hin. »Bis zur nächsten
Zellensitzung oder bis zur nächsten Demonstration.«
»Ja, wir werden uns sehen. Vielleicht schon morgen oder
übermorgen.«
Er gab mir die Hand. Er gab mir nicht die ganze Hand,
sondern nur die langen Fingerspitzen. Er tippte sie in meine
Hand hinein, mit der anderen Hand zog er den Hut und
hielt ihn zehn Zentimeter über seinem Kopf.
Ich stieg in den U-Bahn-Schacht hinunter. Die Treppenstufen
unter mir bewegten sich. Sie zitterten und schwangen hin
und her. Sie wellten sich vor meinen Augen. Etwas war mit
meinem Kopf geschehen. Er wackelte mit mir davon, auf
einer Wellenlinie nach unten. Auf der Wellenlinie der Revolution, auf der verflucht wackeligen Wellenlinie der Revolution.

VI

Die Wohnung hatte viele Zimmer, es war eine ganze Etage, eine altberliner Wohnung im vierten Stock eines Hauses, dessen wilhelminische Fassade auf den Winterfeldtplatz hinuntersah. Der Eingang war ein herrschaftlicher Eingang zum Unterschied von einem Dienstboteneingang, der neben einer fünf Stufen hohen Freitreppe lag. Die Lönssänger benutzten den herrschaftlichen Eingang. Sie wohnten im vierten Stock, wohin auch ich gezogen war. Mein Onkel war jetzt fern für mich, irgendwo in Schöneberg. Er hatte mich vor die Tür gesetzt, hinausgefeuert. Ich hatte es eines Abends durch die halboffene Tür des Herrenzimmers gehört:
»Mein Neffe ist Kommunist. Stellen Sie sich das vor. So etwas kann man doch nicht in seinem Haus dulden. Aber jetzt schmeiße ich ihn hinaus. Jetzt wird er gefeuert.« Die Stimme meines Onkels war militärisch laut bis zu mir auf den Korridor gedrungen. Ich hatte seine Wohnung am nächsten Morgen ohne Dank und Abschied verlassen, die alte Gitarre auf dem Rücken, meinen Pappkoffer in der Hand. Ich war zu den Lönssängern gegangen, hatte meinen Koffer dort abgestellt und die alte Gitarre zu allen anderen Gitarren in die Flurgarderobe gehängt.
Jetzt schlief ich in dem kleinsten und engsten Zimmer der Wohnung, einem Zimmer mit einem schmalen Bett, an dessen Fußende ein gekachelter Ofen stand, mit einem Kohleneimer davor. Es gab nur noch einen Stuhl, auf den Gerda nachlässig ihre Sachen legte. Sie war hereingekommen, ohne sich anzumelden, sie hatte plötzlich in der Tür gestanden, die Tür hinter sich geschlossen und gesagt:

»Da bin ich.«

»Aber wo kommst du denn her?« hatte ich gesagt.

»Für zwei Stunden bin ich meinem Vater ausgerissen. Aber nur für zwei Stunden. Dann muß ich wieder zu Hause sein. Ich wußte doch, wo du wohnst. Du hast es mir doch am Telefon gesagt.«

Jetzt stand sie dort, neben dem Stuhl, unmittelbar vor meinem Bett, in dem ich gelegen hatte, als sie hereinkam, und zog sich aus. Ich sah ihr dabei zu.

»Bleib nur liegen. Ich komme in dein Bett.«

»Ja«, hatte ich gesagt, »eine andere Möglichkeit gibt es hier auch nicht.«

Das Zimmer war armselig, kalt und leer wie dieser Arbeitslosenwinter, der für mich immer unerträglicher wurde. Auch die Singerei auf den Straßen war beschwerlich geworden. Jetzt, im Dezember, sangen sie anscheinend alle, die Arbeitslosen, die Nichtstuer, die Arbeitsscheuen, wie Onkel August sie nannte. Sie sangen »Grün ist die Heide« und »Rose weiß, Rose rot«. Es war nach meiner Ansicht ein Überangebot an Löns, eine unerträgliche Konkurrenz. Aus den gespendeten Fünfzig-Pfennig-Stücken waren Zehn- und Fünfpfennigstücke geworden. Ich kassierte sie auf Hinterhöfen, mit dem Blick nach oben, an den Fassaden empor, zu den Fenstern hinauf. Ich lief in den Höfen herum, immer in der Hoffnung, ein Fenster sich öffnen zu sehen, dann einen Arm, eine Hand, die ein in Zeitungspapier eingewickeltes Geldstück hielt und es in meine aufgehaltene Mütze fallen ließ, vom zweiten, dritten, vierten oder fünften Stock herunter. Ich war ein Jongleur geworden, der die wenigen Geldstücke geschickt auffing, sich verbeugte und sein »Danke« zu den Fenstern hinaufrief. An jedem Vormittag dienerte ich in den Höfen herum und bekam doch nicht den Betrag zusammen, den meine Straßensänger beanspruchten.

»Du bist ein schlechter Kassierer. Singen kannst du nicht, und kassieren kannst du auch nicht.«

Ich hörte es jetzt häufig von ihnen. Ich war eine Belastung für sie. Ich wußte es. Aber sie trennten sich nicht von mir. Das Wort »Solidarität« stand ihnen im Wege. Auf die Solidarität kam es an. Solidarisch sein, das hieß revolutionär sein, das hieß siegen, morgen oder übermorgen, siegen über Klassenherrschaft und Polizei, über SA, Republik und Reaktion. Daran hielten sie fest.

Ich lag auf dem Rücken, müde von der Vormittagssingerei. Über mir war die Stuckverzierung der Zimmerdecke und neben mir eine rosengeschmückte Tapete, halb verblaßt und schmutzig, eine Tapete, die sich vielleicht noch aus der Kaiserzeit in diesem Zimmer gehalten hatte. Es war Sonntagnachmittag. Nur am Sonntagnachmittag ließ der Polizeimajor Gerda für ein paar Stunden zu einer Freundin gehen, mit der sie sich abgesprochen hatte. Sie erzählte es mir, während sie sich auszog. Sie sprach jeden Satz stockend aus, leise, und verzog den Mund dabei. Ihr Vater hatte sie eine Hure genannt. Ich nahm es nicht ernst. Der Satz »Meine Tochter eine Hure«, hinausgeschrien von einem Polizeimajor, kam mir albern vor, hinausgeschrien von einem reaktionären Major wie meinem Onkel August, der vielleicht an allem schuld war. Ich fragte nach meinem Onkel, und ob er sie verraten haben könnte.

»Ja, natürlich. Aber er ist nicht schuld. Er konnte ja nicht wissen, daß mein Vater nichts von meinem Besuch bei dir wußte.«

»Das sieht ihm ähnlich«, sagte ich, »und wahrscheinlich hat er deinem Vater auch erzählt, daß ich Kommunist bin.«

»Natürlich hat er es ihm erzählt.«

»Hat dein Vater etwas davon gesagt?«

»Ja, das ist das schlimmste. Und dann noch mit einem Kommunisten, mit einem Verbrecher, hat er gesagt, und das mir, das mir, meine Tochter mit einem Kommunisten. Und dann hat er noch was von hinter Schloß und Riegel bringen gesagt.«

»Wen will er hinter Schloß und Riegel bringen?«

»Na, dich.«

»Mich? Das schafft er nie.«

»Na ja, und deswegen Hausarrest für mich. Verstehst du das?«

»Ja«, sagte ich, »das verstehe ich.«

»Und so«, sagte Gerda, »bin ich eine Hure geworden.«

Sie lachte das Wort »Hure« in sich hinein. Sie fand es ein veraltetes, ein dummes Wort. Das Rot, dieses für mich glühende Rot, lief wieder über ihr Gesicht. Es gab ihr etwas Kindliches, Unreifes, etwas von dem Mädchenhaften, das für mich eine Eigenart der höheren Töchter war. Sie bat mich, ihr die Ösen am Rücken ihres Kleides aufzuhaken. Sie setzte sich auf den Rand meines Bettes, den Rücken mir zugewandt, einen runden Rücken mit einer grobkörnigen Haut unter dem braunen Samtkleid. Sie sprach von meinem Onkel dabei.

»Er sitzt jetzt jeden vierten oder fünften Abend bei uns. Aber immer, wenn er kommt, schickt mein Vater mich in mein Zimmer und immer mit dem Satz: ›Geh ins Bett. Es wird Zeit für dich.‹ Für ihn bin ich noch ein Kind.«

»Und eine Hure«, sagte ich.

Sie lachte und gluckste das Wort noch einmal hinunter, und ich hakte die Ösen an ihrem Halswirbel auf. Ich löste die Druckknöpfe, die zwischen ihren Schulterblättern bis zur halben Höhe des Rückens hinunterliefen. Die Druckknöpfe sprangen mir unter den Händen auf. Sie trug ein schwarzes, seidenes, durchbrochenes Hemd unter dem braunen Samt. Ich wunderte mich darüber. Ich hatte noch nie schwarze Unterwäsche gesehen.

»Seit wann trägt man das?«

»Es ist gerade modern geworden, sehr modern sogar. Heute bin ich ganz in Schwarz. Gleich wirst du es sehen.«

Es klang, als hätte sie mir etwas Besonderes mitgebracht, ein überraschendes Geschenk. Sie zog ihr Samtkleid über den Kopf, über ihre frischgewaschenen Haare in Kupferrot. Sie zog die Haare mit dem Kleid nach vorn. Es machte sie schöner, als sie war, ein verwirrtes schamrotangehauchtes Kindergesicht in einem Gewirr von dichten Haaren. Ich wollte etwas Ironisches, Sachliches sagen. Sachlich war der Umgangston zwischen uns, sachlich war das, was wir unsere Kameradschaftsliebe nannten: die Revolution der modernen Jugend.

»Was macht er eigentlich, dein Vater? Ist er im aktiven Dienst?«

»Nein, ich glaube nicht. Oder nur selten. Warum fragst du danach?«

»Ich dachte nur. Leitet er nicht Einsätze gegen Kommunisten, gegen Demonstranten?«

Ich dachte an den Spittelmarkt, an die Polizeipferde, die Tschakos, die Gummiknüppel, an Alex Smirnoff, den ich in der Parteizelle wiedergetroffen hatte und mit dem es zu langen nächtlichen Diskussionen gekommen war, mit anderen Genossen und gegen sie. Für mich war der Abend auf dem Spittelmarkt und das Gespräch mit Alex Smirnoff ein Stück Revolution gewesen, ein winziges Stück.

»Du weißt also nicht, was dein Vater macht?«

»Nein. Ich weiß es nicht. Mein Vater spricht nie von dem, was er tut.«

Gerda sagte es leise, wegwerfend, ein nebensächlicher Satz. Sie hätte auch sagen können: »Fällt dir nichts Besseres ein?« Sie zog ihr schwarzes Filigranhemd über den Kopf und warf es auf den einzigen Stuhl, der an der Wand, nicht weit von dem Kachelofen entfernt, in dem engen, kalten Zimmer stand. Sie ließ das Hemd fallen, aus zwei Fingern ihrer rechten Hand. Es fiel auf ihre schwarze Lackhandtasche und über das braune Samtkleid. Sie schob ihre Schuhe von den Füßen, den linken Schuh mit dem rechten Fuß, den rechten Schuh mit dem linken Fuß. Es war alles schwarz, was sie noch anhatte: der Büstenhalter, der Schlüpfer, der Strapsgürtel, die langen Strümpfe, die fest um ihre Knie saßen, bis zu den Oberschenkeln, bis zu den Strapsbändern hinauf. Auf mich wirkte es, als trüge sie Trauer, eine Witwenkostümierung. Ich wagte nicht, darüber zu lachen. Sie war stolz auf ihr Schwarz.

»War dein Vater am Spittelmarkt nicht dabei?«

»Was war denn am Spittelmarkt?«

»Eine Demonstration. Ich habe sie mitgemacht. Es war schlimm. Ich habe dabei eins auf den Kopf bekommen.«

»Ach, auf den Kopf. Mit was denn?«

»Mit dem Gummiknüppel vielleicht. Ich weiß es nicht genau. Es war nur eine Beule.«

»Nur eine Beule«, wiederholte sie.

Sie lachte über die Vorstellung, daß ihr Vater meinem Kopf eine Beule beigebracht haben könnte.

»Aber mein Vater schlägt doch nicht mit Gummiknüppeln. Wie kommst du nur darauf?«

»Ich weiß«, sagte ich, »natürlich trägt ein Polizeimajor keinen Gummiknüppel. Ich dachte nur.«

Sie rollte ihre schwarzen Strümpfe über ihre Oberschenkel, über die Knie zu den Waden hinunter. Sie tat alles selbstverständlich, sachlich, langsam. Ich sah, sie zog sich für sich selber aus. Ich war nur Zuschauer, einer, der dabei sein mußte. Sie fragte nicht: Gefällt dir dieses Schwarz, diese neue Mode? Sie übte ihr Spiel des Sichausziehens in Schwarz ohne mich und gleichzeitig für mich. Ich war der Mittelpunkt und war es nicht. Sie war die einzige Tochter eines verwitweten Polizeimajors, und ich dachte, vielleicht ist ihr Vater mehr für sie als nur ihr Vater, vielleicht hatte er sie so gesehen: ein schwarz bekleidetes, schwarz bestrumpftes rotblondes, siebzehnjähriges X-Bein-Mädchen. Es war ein neues Gefühl für mich. Ich hatte es ihr gegenüber nie gehabt. Es durchbrach die Kameradschaftsliebe, die Sachlichkeit. Ich sah zu dem Stuhl, auf dem ihre Sachen lagen, die Strümpfe und den Strapsgürtel über dem braunen Samtkleid.

»Wie lange ziehst du dich noch aus?«

»Jetzt bin ich fertig«, sagte sie, »jetzt komme ich ins Bett.«

Sie kündigte es an, als spränge sie von einem Zwölfmeter-
turm ins Wasser. Jetzt springe ich. Siehst du, ich springe.
Aber sie sprang nicht. Sie stand dicht am Bett, unmittelbar
vor meinen Augen. Ich konnte an ihrem Körper emporse-
hen, über ihre langen Oberschenkel, über die rotblonden
Schamhaare unter dem durchsichtigen schwarzen Schlüpfer,
über den leicht vorgewölbten Bauch, über den Bauchnabel,
der etwas eingedrückt war, bis zu dem schwarzen Büstenhalter, den sie öffnete und achtlos fallen ließ. Sie ließ
sich auch jetzt noch Zeit. Sie genoß etwas, das ich nicht verstand. Vielleicht hatte sie etwas erlebt, von dem ich nichts
wußte, vielleicht war wieder Onkel August dabei im Spiel,
ein Weiberheld, ein eleganter Draufgänger, vor dessen Charme sie alle kapitulierten, die siebzehnjährigen Mädchen und
die verheirateten Frauen, die einen wie die anderen. Pardon
wird nicht gegeben. Ich hörte es meinen Onkel sagen, kein
Pardon mein Junge, immer drauf und ran, die Weiber wollen es nicht anders. Ich sah sein Gesicht über mir, seine weißen Zahnreihen, Gerdas Unterwäsche zwischen den Zähnen,
ihre Schamhaare darunter.

»Was hast du denn?« fragte Gerda.

»Nichts, was soll ich denn haben?«

»Aber du hast doch etwas.«

»Nein, nein. Ich habe nichts«, sagte ich.

Sie warf mit beiden Händen ihre Haare durcheinander, warf
sie vom Rücken über den Kopf nach vorn, warf sie wieder
zurück und strich sie glatt. Ihr vorgeschobenes rechtes X-
Bein-Knie stand dabei vor meinen Augen, darüber ihr
schwarzer Schlüpfer, durchsichtig, seiden und etwas zu eng
anliegend.

»Wo hast du sie eigentlich her, deine schwarze Unterwäsche?
Hat dein Vater sie dir geschenkt?«

»Mein Vater?«, sagte sie, »mein Vater? Du bist wohl verrückt. Mein Vater weiß nichts davon. Denkst du, er kümmert sich um meine Unterwäsche? Ich habe sie mir gekauft.« Mein Klassenbewußtsein erwachte wieder, mein etwas linkisches Klassenbewußtsein, das vom Major aufwärts, der Schwelle, auf der Onkel August stand, alles verurteilte, was es zu verurteilen gab. Was ging einen Polizeimajor die Unterwäsche von jungen Mädchen an? Es ging ihn einen Scheißdreck an. Etwas wie Empörung über die mögliche Anmaßung eines Polizeimajors stieg in mir empor. Aber bevor ich noch etwas sagen konnte, war sie in meinem Bett, lag sie neben mir, über mich gebeugt. Etwas veränderte sich in dem kahlen Zimmer, an diesem grau-dunklen Winter-Sonntag-Nachmittag. Gerdas Körper verlor seine Starrheit, diese Jungfrauenstarrheit, dieses: da liege ich. Mach mit mir, was du willst. Alles war anders, als es im Sommer gewesen war, am Strand, an dem See unter dem blakenden mondsüchtigen Mond, in dem Eheschlafzimmer meines Bruders, unter den dicken Federbetten in der Schule.

»Gerda«, flüsterte ich, »Gerda.«

Sie hielt mir den Mund zu.

»Nichts sagen, nichts.«

Die Bettdecke war plötzlich zu kurz, ein rotkariertes Plumeau. Es war oben zu kurz und unten zu kurz. Es war überall zu kurz, auch an den Seiten, auch rechts und links. Gerda hob es mit ihrem linken Knie hoch, hob es mit dem angezogenen Bein hoch, zog es über den Fuß und stieß es beiseite. Es war eine Bewegung, die ich nie an ihr gesehen hatte, selbstverständlich und ohne Scheu.

»Was machst du denn, um Gottes willen?«

»Es ist heiß hier, viel zu heiß.«

»Aber es ist doch kalt.«

»Nein, nein, es ist heiß«, sagte sie.

Ich sah zu dem Plumeau hinunter, das auf dem Boden lag. Es konnte schmutzig werden. Die Wirtin würde sich aufregen, die Haushälterin der Lönssänger. Sie stand vielleicht auf dem Korridor, hinter der Tür, das Ohr am Schlüsselloch. Ich war nur ein Arbeitsloser, und sie konnte mich jederzeit hinauswerfen, auch gegen den Protest der Sänger. Gerda aber benahm sich, als sei sie allein in der Wohnung.

»Sei doch nicht so laut.«

»Bin ich denn laut? Ich bin doch nicht laut.«

»Doch, du bist laut.«

»Ach«, sagte sie, »was denkst du schon wieder. Du denkst zu viel. Denk doch mal nicht.«

Ich bemühte mich, nicht zu denken. Es blieben nur Gedankenfetzen: Haushälterin, Polizeimajor, wir sind zu laut, viel zu laut. Gerda hatte ihren schwarzen Schlüpfer abgestreift, über die Knie geschoben, mit ihren Füßen irgendwohin befördert, zum Fußende des Bettes, dorthin, wo der Kachelofen stand. Ich küßte sie, wie ich sie in der Mondnacht am See geküßt hatte, eine Mondsüchtige, die nicht weiß, was geschieht, eine höhere Tochter, lasziv, somnambul, ich küßte sie von der Brust abwärts: den Bauchnabel, die Schamhaare, ihre Oberschenkel, ihre X-Bein-Knie. Ihre Hände lagen auf meinem Hinterkopf. Sie gingen mit ihm hinunter und wieder hinauf. Sie waren zärtlicher als in den Sommertagen an der See, erfahrener, sicherer, und ich dachte wieder an meinen Onkel. Vielleicht war seine Bekanntschaft mit ihrem Vater nicht ohne Erfolg geblieben, vielleicht hatte sie bei ihm die Erfahrungen gemacht, die ich jetzt zu spüren glaubte.

Es war ein blödsinniger Gedanke. Ich verdrängte ihn wieder. Ich vergaß ihn unter ihren Händen und in dem Spiel der eigenen. Gerda bewegte sich unter mir, bewegte ihre Schenkel, ihre Knie, ihre Füße. Alles an ihr bewegte sich, ihre Hüften, ihr Becken, alles kam mir entgegen. Ich kam mir hilflos vor, hilflos und ausgeliefert, ich reagierte nur noch, ich tat, was sie wollte. Ich versuchte in ihre Augen zu sehen, aber sie hatte die Augen geschlossen. Sie war wieder weit weg, irgendwo, mondsüchtig oder somnambul vielleicht. Ihre sperrigen Haare hatten sich verwirrt, über die

Stirn, über die Augen, über die Nase geschoben, bis zu den Lippen hinunter. Ihr Gesicht war rot, röter als sonst, erhitzt. Ihre Hände waren in meinem Rücken, ihre Fingernägel krallten sich fest, drangen in meine Haut ein. Sie begann zu zittern. Das Zittern kam plötzlich, lief durch ihren Körper, von der Brust hinab über die Hüften in das Becken hinein, bis dorthin, wo ich im Sommer drei Tage lang vergeblich versucht hatte, ihre Jungfrauenschaft zu beenden. Ich spürte es bis in meinen Körper hinein. Sie flüsterte etwas. Es klang wie »mein Gott« oder »du, mein Gott«. Ich verstand es nicht genau. Ihre Lippen öffneten sich, ihre Augen. Sie flüsterte »Ja, ja« und dann noch einmal »Ja«. Sie bestätigte sich etwas, irgend etwas. Ich wußte nicht, was mit ihr geschah. Ich begriff es nicht. Ich fühlte mich davongetragen, hochgeschoben, hochgehoben. Ich wollte »Gerda, Gerda« sagen, aber ich kam nicht mehr dazu. Etwas geschah, unabhängig von mir. Es gab ein donnerndes, klirrendes Geräusch. Die Decke des Zimmers schien einzubrechen, der Kachelofen auseinanderzufliegen und die Tür des Zimmers einzufallen. Es geschah alles gleichzeitig, am Ende des Endes. Eine leere Stille blieb zurück. Ich dachte: du lieber Gott, die Lönssänger, die Haushälterin, der Krach, der Krach.

»Was war denn das?«

»Dein Kohleneimer.«

Gerda sagte es lächelnd, gelöst, aber es klang in diesem Augenblick prosaisch für mich. Sie sagte es heftig atmend, die Arme ausgebreitet, weit von sich gestreckt. Ich schob mich von ihr weg, von ihrem Gesicht, ihren durcheinander geratenen Haaren, ihren Augen, die mich ansahen, marineblaue Augen, die lächelten, ich schob mich von ihrem erhitzten, rotangelaufenen Körper weg. Ich begriff erst jetzt, was geschehen war. Sie hatte mit ihren langen X-Beinen den Kohleneimer umgestoßen, der am Fußende des Bettes stand. Sie hatte sich vielleicht dagegen gestemmt oder ihn im letzten Augenblick umgetreten, mit ihren sich bewegenden, strampelnden Beinen, mit den etwas zu großen Füßen daran. Ich konnte es mir nicht erklären. Ich sah nur das Wasser, das an der Tür entlanglief, von dem umgestoßenen Eimer weg, von dem Kachelofen weg. Es breitete sich im Zimmer aus. Ich sprang auf.

»Mensch, da war ja Wasser drin.«

Ich hatte es vorher nicht gesehen. Ich wußte nur, daß der Eimer keine Kohlen enthielt. Jeden Augenblick konnte jemand kommen, von dem Lärm herbeigerufen, die Haushälterin oder einer der Lönssänger, einer, der rufen oder sagen würde: »Was macht ihr denn hier? Demoliert ihr hier das Zimmer?« Es konnte peinlich werden. Der Lärm war unerträglich gewesen, ein Höllenlärm, der mir noch immer in den Ohren nachdröhnte. Aber Gerda rührte sich nicht, sie lag da, auf dem schmalen Bett, neben der rosengeschmückten, schmutzigen Tapete, lächelte und sah mir zu, wie ich nackend im Zimmer herumsprang. Das Wasser hatte das auf dem Boden liegende Plumeau erreicht. Die Bettfedern sogen es auf, sogen sich voll. Gerdas schwarzer Schlüpfer schwamm vor der untersten Kachelofentür. Es war nur noch ein schwarzer, nasser Lappen, ohne Reiz. Ich mußte das Wasser auftrocknen, das Plumeau retten. Ein nasses, wasserdurchtränktes Plumeau mußte die Haushälterin zur Raserei bringen. Ich hob das Plumeau auf und warf es auf den einzigen Stuhl, der vorhanden war und auf dem Gerdas Sachen lagen: ihr Samtkleid, ihre Handtasche, ihre schwarze Unterwäsche. Ich fischte ihren Schlüpfer aus dem Wasser vor der Kachelofentür und wrang ihn aus. Ich drückte das Wasser so lange über dem wieder aufgerichteten Eimer aus, bis ich fast nichts mehr in den Händen hatte, nur ein schwarzes Etwas, ein Nichts aus feuchter Seide.

»Laß doch«, sagte Gerda, »ich kann ihn doch nicht mehr anziehen. Ich stecke ihn in meine Handtasche.«

»Erst muß alles trocken sein«, sagte ich, »so feucht kommst du hier nicht heraus.«

»Aber ich muß bald gehen. Die zwei Stunden, die mein Vater mich zu meiner Freundin läßt, sind fast um. Und wenn ich zu spät komme, weißt du doch, was geschieht.«

»Herrgott nochmal, was geht mich jetzt dein Vater an.«

Ich hing ihren Schlüpfer an dem Fensterriegel auf und suchte alle Taschentücher zusammen, die ich fand, um das Wasser aufzutrocknen. Ich kroch auf dem Boden herum von einer Wasserlache zur anderen. Gerda gab mir ihr Taschentuch. Sie warf es mir mit der linken Hand zu. Es war ein zusammengeknülltes, zusammengepreßtes Taschentuch. Sie hatte es während der ganzen Zeit in der Hand gehabt. Ich wunderte mich darüber. Ich hatte es nicht bemerkt. Ich warf die nassen Taschentücher unter den Stuhl, auf dem Gerdas Sachen lagen. Dort war das Wasser nicht hingekommen, bis dorthin hatte es nicht gereicht. Ich begann bei meiner Arbeit zu schwitzen und ärgerte mich über Gerda, die mir nicht half. Sie hatte sich aufgerichtet und saß mit angezogenen Beinen auf dem Bett, die Knie vor der Brust, ihre Haare über den Knien. Sie fielen bis zum Ansatz ihrer Waden hinunter. Ich hätte sie fragen können: warum hast du den Eimer umgestoßen? Ich fragte sie nicht. Ich wollte mir keine Blöße geben. Etwas war geschehen, aber ich wußte nicht was. Ich begann wieder von dem Eimer zu sprechen.

»Der verfluchte Eimer. Wer hat nur das Wasser in diesen Dreckseimer getan?«

»Ach, laß doch den Eimer. Was geht uns jetzt der Eimer an.«

Gerda sagte es leise. Sie flüsterte es in ihre Knie und in ihre Haare hinein. Ich hörte es nur halb.

»Eine schöne Bescherung. Sieh dir das nur an.«

Ich wies auf das Plumeau, auf die nassen Stellen, die sich inzwischen vergrößert hatten. Es sah gemein aus, ein gemeiner Anblick. Ich dachte an die Haushälterin. Ich hörte sie sagen: Sie scheinen mir auch so einer zu sein. Es war eine ungenaue, aber beliebte Bezeichnung. Auch so einer, ein

Auchsoeiner aus dem Kollektiv der Auchsoeinen. Ich mochte den Gedanken nicht. Ich fürchtete mich davor, auch so einer zu sein. Ich setzte mich an das Fußende des Bettes, Gerda gegenüber.

»Es ist kalt. Merkst du es nicht? Zieh dich an.«

Ich sagte es ohne Sentimentalität, sachlich. Auf die Sachlichkeit kam es an. Sachlich sein hieß revolutionär sein, hieß überlegen sein. Gerda blieb so sitzen, den Kopf auf den Knien.

»Gerda, hörst du nicht. Es wird Zeit, du mußt dich anziehen.«

Sie hob den Kopf, schüttelte ihre Haare aus, lehnte sich zurück und stützte sich auf ihren Ellenbogen ab.

»Ja, du hast recht. Es wird Zeit. Wenn ich jetzt nicht gehe, gibt es Krach.«

»Hast du Angst davor?«

»Ja. Kannst du dir vorstellen, wie das ist? Er ist schrecklich.«

Ich konnte mir den Krach des Polizeimajors vorstellen, jedes Wort, jeden Satz. Er und vielleicht auch mein Onkel würden das tun, was sie Krach schlagen nannten, eine moralische Gardinenpredigt ohne Ende. Ein Blick in das unlustige, schlauchartige, kahle Zimmer mit dem alten Kachelofen, dem wieder aufgerichteten Eimer davor, dem Wasser auf dem Boden und dem feuchten Plumeau auf dem Stuhl würde genügen. Eine Umgebung, die der Tochter eines Polizeimajors nicht würdig war. Unwürdig, würdelos, ging es mir durch den Kopf.

»Komm, Gerda, zieh dich an.«

Sie schob ihre langen Beine über den Rand des Bettes und richtete sich auf. Sie streckte sich, als stünde sie auf dem Schulhof vor einer gymnastischen Übung. Ich sah zu ihr empor. Aber sie wich meinen Augen aus und blickte in die Ecke, in der der Kachelofen stand, auf den immer noch nassen Boden und auf das Plumeau mit seinen dunklen, feuchten Stellen.

»Ach herrjeh. Wie haben wir das nur angerichtet?«
»Du hast den Eimer umgestoßen.«
»Ich?«
»Ja, du. Du hast es vorhin doch selbst gesagt. Hast du es schon vergessen?«
»Nein, nein, natürlich nicht.«
»Na also.«
Ich wußte, daß sie es gewesen war. Es gab keinen Zweifel daran. Meine Beine waren zu kurz dazu. Sie hätten den Eimer nicht erreicht. Aber es war gleichgültig, wer es gewesen war. Ich wunderte mich nur, daß sie schon jetzt nicht mehr wußte, was ihre Beine mit meinem Eimer angestellt hatten. Ich sprang auf, nahm das Plumeau von dem Stuhl, auf dem ihre Sachen lagen, und warf es auf das Bett.
»Ziehst du alles wieder an?«
»Nicht alles. Nicht das, was naß ist.«
Ich gab ihr das, was von ihren Sachen nicht naß war.
»Zuerst die Strümpfe«, sagte sie.
Sie zog sich flüchtig an, schneller als sie sich ausgezogen hatte. Sie ließ den Büstenhalter weg. Er hatte am Boden gelegen und war ebenfalls naß geworden. Ich gab ihr das schwarze Hemd. Sie ließ es über ihre ausgestreckten Arme rutschen, über den Kopf, über ihre Kupferhaare, nach unten. Sie nahm ihr Samtkleid, zog es an, und setzte sich auf den Rand des Bettes.
»Jetzt mußt du mir wieder das Kleid zumachen. Du mußt oben anfangen, nicht unten.«
Ich fing oben an, hakte die Ösen des Kleides an ihrem Rükkenhalswirbel ein und schloß die Druckknöpfe.
»So, jetzt bist du fertig.«
Sie hatte alles an, bis auf das, was sie nicht an hatte. Die nassen Stücke stopfte sie in ihre Handtasche. Ich nahm ihren Schlüpfer von dem Fensterriegel. Er war noch immer naß. Sie stopfte ihn als letztes in die Tasche. Die Handtasche war zu klein. Sie schwoll an und bekam einen Bauch.

»Deine Tasche bekommt ein Kind. Sie ist schwanger«, sagte ich.

Ich hätte es nicht sagen sollen. Ich merkte es sofort. Angst war plötzlich im Zimmer, unkontrollierbare Angst. Gerda sah mich erschreckt an.«

»Warum sagst du das?«

»Nur so. Nur aus Spaß.«

»Aber das ist kein Spaß.«

»Nein. Das ist es nicht«, sagte ich.

Ihr Lächeln war unbeholfen, ängstlich.

»Aber es ist ja nur die Handtasche. Mach dir keine Sorgen. Ich mache mir auch keine.«

Sie stand vor der Tür, angezogen, aber ohne Hosen. Ohne Hosen ab zum Polizeimajor. Mir gefiel der Gedanke. Eine höhere Tochter, Tochter eines Polizeimajors, Schülerin der Gerhart-Hauptmann-Schule, ohne Hosen durch die Stadt. Den Polizeimajor mußte es kränken, aber er würde es nie erfahren. Er konnte nicht unter dem Rock seiner Tochter nach ihrer Hose suchen. Auch die Polizei hatte Grenzen, die sie beachten mußte. Dort, wo die Hose fehlte, war nicht der Spittelmarkt.

»Ja, ja, der Spittelmarkt«, sagte ich.

»Was hast du denn mit dem Spittelmarkt?«

»Dort haben wir demonstriert. Ich habe es dir doch erzählt.«

»Ach ja«, sagte sie, »machst du das jetzt immer, demonstriert ihr häufig?«

»Fast jeden Tag«, sagte ich. »Dort auf dem Spittelmarkt habe ich Alex Smirnoff kennengelernt. Ein Russe, der die Sowjetunion verlassen hat, der aber glänzend Deutsch spricht. Ein Anhänger Trotzkis. Den mußt du kennenlernen.«

»Aber wann? Wann denn?«

»Wenn wir gesiegt haben – dann ist es aus mit dem Hausarrest.« Ich versuchte zu lachen, aber es gelang mir nicht.

»Bringst du mich hinaus?« fragte sie.

Ich sah an mir herunter. Ich war noch immer nackt. Ich konnte sie so nicht über den Korridor begleiten, nicht an die Wohnungstür bringen.

»Es ist alles offen hier. Hier brauchst du dich nicht hinauszuschleichen. Es geht niemanden etwas an, wer mich besucht.«

Es klang großspurig. Das Wort eines Mannes, der sich alles leisten kann. Ich bemerkte es sofort. Ich wollte kein Onkel August zweiter Garnitur sein. Es war mir unangenehm.

»Ich komme schon hinaus«, sagte Gerda, »du brauchst mich nicht begleiten. Und ruf mich bald wieder an, nach eins, wenn ich aus der Schule komme. Dann ist mein Vater meistens nicht zu Hause.«

»Ich weiß«, sagte ich.

Sie gab sich Mühe, sachlich zu sein, so wie es immer gewesen war. Ich öffnete die Tür und küßte sie auf den Hals, küßte sie kurz, flüchtig, distanziert. Ihre Schritte entfernten sich über den Korridor. Ich lauschte ihnen nach, bis sich die Wohnungstür schloß.

Das enge Zimmer war wieder kalt und ungemütlich. Das Wasser hatte sich nicht verlaufen. Eine Lache stand immer noch vor dem Kachelofen. Ich stieß mit dem Fuß gegen den Eimer. Er fiel gegen die Kachelofentür. Es gab ein schepperndes Geräusch. Es war ein Aufwischeimer. Die Haushälterin hatte ihn stehenlassen, eine Schlampe, eine Straßensängerschlampe dachte ich, kroch wieder in mein Bett und zog das halbnasse, halbtrockene Plumeau über mich.

In dem großen, geräumigen Wohnzimmer am Ende des langen Korridors begannen ein paar Lönssänger zu singen. Sie übten irgend etwas, anscheinend ein neues Lied.

»Fis, Mensch, Fis«, sagte einer von ihnen, »hast du denn kein Gehör?«

Ich hörte es im Halbschlaf. Die Tür zum Wohnzimmer mußte offenstehen, und ich hatte wohl vergessen, die eigene zu schließen. Aber es war mir gleichgültig, jetzt, wo Gerda gegangen war.

VII

Die beiden Lönssänger, mit denen ich über die Straße ging, stritten sich über das Eigentum. Der eine, seine Gitarre auf der Schulter, war Anarchist und trug ein zerlesenes Exemplar von Stirners *Der Einzige und sein Eigentum* in der Manteltasche, der andere, der Geiger, bestritt ihm seine Ansichten, die Geige unter dem Arm, den Bogen in der Hand.

»Unsinn, Unsinn. Wo soll es denn bleiben, das Eigentum? Irgendwo muß es doch bleiben. Entweder der Staat ist der Eigentümer oder der einzelne. Du hast keine Ahnung vom Kapital und von seinen Eigengesetzen. Marx solltest du lesen statt Stirner.«

»Marx hat nicht recht«, sagte der andere, der Gitarrist.

Ich hatte keine Lust, mich an dem Streit zu beteiligen. Ich fror. Meine Hände waren klamm, meine Fußzehen kalt, die Ballen meiner Fersen leicht angefroren. Ich spürte den stechenden, kitzelnden Schmerz bis zu den Waden hinauf. Der strenge Frost des Januar-Vormittags trieb mich schneller als sonst von Hinterhof zu Hinterhof. Nur meine beiden Mitsänger blieben immer wieder stehen und stritten weiter.

»Hört doch endlich mit eurem Max Stirner auf. Es interessiert sich ja doch niemand für ihn.«

»Du interessierst dich vielleicht nicht für ihn. Aber wir schon. Für dich gibt es ja nur Lenin und sonst nichts. Und Lenin hat die Anarchisten niedergeschlagen. Weißt du das eigentlich?« sagte der Gitarrist.

»Ja, niedergeschlagen«, sagte ich, »aber nicht verraten. Verraten hat sie ein anderer.«

Wir gingen in den achten Hinterhof. Auf sieben Höfen hat-

ten wir schon gesungen. Ich zählte die Höfe. Zwanzig mußten es sein. Unter zwanzig lohnte es sich nicht. Der achte
Hinterhof war ein Hof wie jeder andere, nichtssagend, leer,
mit gardinenverhangenen Fenstern. Wir stellten uns in der
Mitte des Hofes auf. »Jetzt, drei, vier«, sagte der Geiger.
Sie begannen zu spielen. Es war ein dünnes Spiel, ein dünner
Gesang, und ich wußte, es würde auch ein dünnes Kassieren
sein. Wir waren nur noch zu dritt. Der große Verband hatte
sich in kleine Gruppen aufgelöst. Im Massenaufgebot gab
es nichts mehr zu verdienen. Die Konkurrenz war unerträglich geworden. Auf den Hinterhöfen löste eine Arbeitslosen-
Gruppe die andere ab, und jede sang zu den verschlossenen
Fenstern empor, ein Dauergesang mit den immer wiederholten selben Liedern und nur immer wechselnden Stimmen.
Ich sang, ohne zu singen: »Rose weiß, Rose rot«. Ich sah
dabei an den Fassaden hinauf, von einem Stock zum anderen,
an den Fenstern entlang, mit der Bitte um Geld. An einem
der Fenster im zweiten Stock wurde die Gardine beiseite
geschoben und der Fensterriegel geöffnet. Die Fensterflügel
bewegten sich langsam nach innen. Eine Hand erschien, zu-
sammengefaltetes Zeitungspapier zwischen zwei Fingerspitzen. Ein Kopf zeigte sich, ein Oberkörper.
Ich erschrak.
Mein Onkel August sah zu mir herunter und ich zu ihm
hinauf. Unsere Blicke begegneten sich auf halbem Weg, in
der Höhe des ersten Stocks. Dort kreuzten sie sich, ein er-
staunter Blick von oben, ein bittender Blick von unten. Mein
Onkel ließ das Geldstück fallen, blitzartig, mit gespreizten
Fingerspitzen. Ich fing es nicht auf, ließ es auf das Kopfsteinpflaster des Hofes fallen. Ich blieb so stehen, wie ich
stand, mit dem Kopf nach oben, die Kassierermütze in der
rechten Hand, die linke Hand auf meiner alten Gitarre. Mein
Onkel öffnete die Lippen, aber es kam kein Satz heraus. Er
flüsterte etwas in sich hinein. Seine dunklen Augenbrauen
standen wie zwei seiner geliebten, in Rauch und Pulver-

dampf galoppierenden Rappen in seinem Gesicht. Sie sprengten von seiner Nasenwurzel weg nach unten, mir entgegen. In seinen monokelfreien Augen flackerte Fassungslosigkeit. Ich dachte, was er, mein Onkel, nun denken mußte: das ist ja unerhört. Aber mein Onkel sagte, und jetzt verstand ich es: »Das ist doch nicht möglich.«

»Onkel August«, sagte ich.

Ich flüsterte es vor mich hin. Ich wollte nicht begreifen, daß der Kopf dort oben in dem Fensterrahmen der Kopf meines Onkels war, meines nicht geliebten, beliebten, verteufelt reaktionären Onkels August. Ich mußte etwas sagen, guten Tag oder etwas anderes, aber ich bekam kein Wort heraus. Ich stand fassungslos auf dem kopfsteingepflasterten Hof, die beiden Lönssänger hinter mir, die jetzt zu »Es steht ein Soldat am Wolgastrand« übergegangen waren.

Ich hörte eine weibliche Stimme. Sie kam aus dem Zimmer in meines Onkels Rücken. Es war eine klangvolle, laute, junge Stimme, eine klingende Altstimme.

»Was ist denn los, August?«

Mein Onkel gab keine Antwort. Er starrte zu mir hinunter, so, als stehe dort unten der Gottseibeiuns. Meine Mutter hätte es so gesagt: der reine Gottseibeiuns. Sein Gesicht drückte Zorn und Unbehagen aus. Ich sah es ihm an. Diese Begegnung war ein schmutziger Fleck auf dem Revers seines Pyjamas, diesmal ein anderer Pyjama, kein Chinapyjama, dunkelbraun mit Schwarz abgesetzt. Es war ein Fleck, den er nicht wegwischen, nicht mit einer herrischen Handbewegung entfernen konnte.

Ich trat einen Schritt zurück, auf die beiden Lönssänger zu, ohne die Augen von meinem Onkel zu lassen, und flüsterte: »Spielt ›Steige hoch, du roter Adler‹!«

»Ein rotes Kampflied hier in Schöneberg«, sagte der Geiger, »du bist wohl verrückt. Dafür gibt es hier keinen Pfennig.«

»Dann bleibt beim Wolgastrand«, sagte ich.

Mein Onkel sah die Unterhaltung, konnte sie aber nicht

verstehen. Ich mußte etwas sagen, irgend etwas zu ihm hinaufrufen. Ich rief, als sei das Singen auf Hinterhöfen in dieser Zeit auch für den Neffen meines Onkels selbstverständlich.

»Guten Morgen, Onkel August.«

»Blödian«, rief mein Onkel hinunter.

»Guten Morgen«, wiederholte ich.

»Morgen«, sagte mein Onkel.

Die Gardinen rechts hinter seinem Kopf bewegten sich, weiße Tüllgardinen. Eine Hand hob sie an und schob sie ganz beiseite. Ein blonder Frauenkopf erschien, ein Lilian-Harvey-Kopf, ein Puppengesicht mit einem modischen Herzmund, mit schön geschwungenen Lippen zur Mitte hin, mit einem zwischen Kinn und Nase eingeschnittenen Puppenherz.

Ich hatte sie nie gesehen, eine Frau von dreißig, eine Frau in den mittleren Jahren, meines Onkels Geliebte vielleicht oder eine seiner vielen Geliebten. Sie lächelte ihr Herzmundlächeln zu mir hinunter.

»Die armen Jungs. Warum gibst du ihnen denn nichts, August?«

Die Antwort meines Onkels war laut, klar, deutlich. Sie schallte über den Hof. Er wies dabei mit der rechten Hand zu mir hinunter, mit der Geste eines Kommandeurs oder eines Fürsten, der vom Fenster seines Palais seiner Geliebten das Volk zeigt, das arme, bettelnde, singende Volk.

»Darum geht es nicht, Olga. Der da unten ist mit mir verwandt. Ein heruntergekommener Verwandter, wie du siehst.«

Der blonde Herzmund-Frauenkopf nickte ungläubig. Zwei Hände zeigten sich, ringgeschmückte Hände, Mädchenhände. Sie winkten mir zu, zu sich heran, zu sich empor. Es war unmißverständlich. Ich sollte hinaufkommen. Ich zögerte. Was mich dort oben erwartete, war für mich klar: eine Gardinenpredigt meines Onkels im selbst gegebenen Auftrag meiner Mutter. Aber es zog mich plötzlich zu meinem Onkel hin, in seine sichere, gepflegte Welt, in der es keine Kälte, keine Armut, keine Unterdrückung gab, keine singenden Arbeitslosen, die sich nach jedem Pfennig bücken mußten.

Es waren nur ein paar Schritte bis zur Hinterhofhaustür. Ich drehte mich zu meinen beiden Sängern um.

»Ich komme gleich zurück. Wartet draußen auf der Straße auf mich.«

»Was hast du denn mit dem da oben«, fragte der Geiger, »wer ist denn das?«

»Mein Onkel.«

Ich riß die Hinterhofhaustür auf und rannte die Treppenstufen empor. Mit jedem Schritt nahm ich zwei Stufen zugleich. Es zog mich nach oben, mehr unbewußt als bewußt, eine natürliche Regung, verwandtschaftliche Gefühle zu einem Mann, der der Bruder meiner Mutter war. Aber er war mehr für mich, ein Mann, der mich anzog und abstieß, den ich bewunderte und den ich haßte, dessen Lebensphilosophie und Lebensoptimismus ich bejahte und dessen politische Überzeugungen ich bekämpfte und bis zur Vernichtung bekämpfen wollte. Vielleicht war ich doch – ich dachte es einen Augenblick lang auf einem der Treppenabsätze, auf dem ich tiefatmend stehenblieb – aus dem gleichen Holz geschnitzt wie mein Onkel. Ich ärgerte mich über den Vergleich. Wir waren nicht aus Holz geschnitzt und schon gar nicht aus dem gleichen. Es war sentimental, was ich dachte, es paßte nicht zu meiner Gesinnung, zu meiner politischen Überzeugung. Aber es zog mich die Hinterhaustreppe hinauf.

Onkel August stand in der offenen Flurtür der Wohnung. Er empfing mich mit dem Gesicht dessen, der keine Absolution zu vergeben hat. Er lachte nicht, wie ich es trotz allem erwartet hatte, gab mir nicht die Hand. Er stand in der offenen Wohnungstür mit seitlich ausgestreckten Armen, jede Hand gegen den Türrahmen gepreßt. Für mich sah er wie ein männlicher Engel aus, der mir, dem Heruntergekommenen, dem politisch Verlorenen, den Eintritt in seine Welt verwehrt, in das Paradies seiner Welt. Mein Onkel fixierte mich vom Kopf bis zum Fuß und wieder zurück. Ich sah: es mißfiel ihm alles, der einmal weiße, jetzt schmutzige Trenchcoat, die abgelatschten Schuhe, die alte Gitarre. Das Gesicht drückte Widerwillen gegen Menschen dieser Art aus: Bettler, Arbeitsscheue, Gesindel und Gelichter. Ich wußte, was er dachte: Geht mir mit diesem Gesindel vom Hals. Die Republik hatte diesen jungen heruntergekommenen Deutschen nach seiner Ansicht auf dem Gewissen, diese schwarz-rot-mostrich-farbene Republik, diese Sozis und Roten, und der Herr Brüning mit seinen Notverordnungen, diese schwarz-rote Kamarilla von hergelaufenen Nichtskönnern. Sein Blick blieb an meiner Gitarre mit ihren nutzlosen, verstimmten Saiten haften.

»So weit hast du es also gebracht?«

»Ja, Onkel August.«

»Ein Bettler.«

»Kein Bettler, Onkel August.«

»Das ist mir egal, wie du das nennst. Ob Bettler oder nicht Bettler. Das ist mir scheißegal. Aber jetzt ist Schluß damit. Sofort scherst du dich nach Hause. Ich werde dir das Reisegeld geben. Das bin ich deiner Mutter schuldig. Und dann ab mit dir, nach Hause.« Er drehte den Kopf nach hinten, ohne seine Abwehr-Position zu verändern. Er drehte ihn in den dämmerigen, halbdunklen Flur hinein, in die Wohnung des Herzmund-Puppengesichts. Es war eine lässige, herrische Bewegung.

»Hast du Geld da, Olga? Steck zwanzig Mark in einen Umschlag und bring sie bitte.«

Er sagte es im Ton eines Befehls, gegen den es keinen Widerspruch gab.

Ich sah auf das Namensschild an der offenen Tür. Ich las »Olga von . . .« Das andere konnte ich nicht lesen. Den Nachnamen verdeckte der Pyjama meines Onkels. Nur ein

Z war noch erkennbar. Die Stimme der Olga von Z. kam von irgendwoher, aus dem Badezimmer oder aus dem Schlafzimmer.

»Aber August, was ist denn? Wo steckt er denn, dein Neffe? Laß ihn doch herein.«

»Nein«, sagte mein Onkel. »Das ist nicht nötig. Er ist hier. Bring das Geld, bitte.«

Sie tauchte hinter dem Rücken meines Onkels auf, im wattierten, gesteppten Morgenrock, der ihr bis zu den Füßen ging, ein Morgenrock aus Eidottergelb und Himmelblau. Es war ein irritierendes Blau, ein irritierend aufgeplusterter Morgenrock, mit Nachthemdrüschen am Hals, unter einem frisch gemalten Mund. Sie war sympathisch, anziehend. Ich spürte es, eine Frau zu schade für meinen Onkel, zu schade für einen Onkel dieser Art. Ihre Stimme stand im Gegensatz zu ihrem Gesicht. Eine melodische Stimme, eine Altstimme, die Stimme eines der Lönssänger, eine halb männliche Stimme.

»Aber August, warum steht ihr denn hier draußen? Ihr könnt doch reinkommen. Es ist doch dein Neffe.«

»Ein schöner Neffe«, sagte mein Onkel, »sieh dir das an.«

Ihre Augen sahen mich über die Schulter meines Onkels an, blaue, wässrige, verschwimmende Augen, mich neugierig musternd, einen heruntergekommenen Straßensänger. Ich fand Gnade vor ihren Augen, wie ich bemerkte. Sie flüsterte: »Ein netter Junge.«

»Ein Roter«, sagte mein Onkel, »was heißt hier nett. Der ist rot bis auf die Knochen.«

»Ach nein. So was. Das auch. Ein Sozi?«

»Und ob.«

»Aber laß ihn doch herein. Das ist doch interessant.«

»Nein, niemals«, sagte mein Onkel.

Er ließ mich nicht herein, nicht in ihre Wohnung, in seine Welt, in sein Reich. Er stand zwischen ihr und mir, eine Art Erzengel vor dem Paradies. Seine Antwort war ungehalten.

»Der hat hier nichts zu suchen. Der soll sich zurück in seine Familie scheren. Verwandte, die betteln gehen, erkenne ich nicht an. Niemals.«

Ich wußte, daß mein Onkel mich nicht anerkannte und niemals anerkennen würde. Er hätte es nicht sagen müssen, hier, in Gegenwart dieser Frau. Es war eine Beleidigung. Mein Onkel stand auf der anderen Seite der Barrikade, auf der feindlichen Seite. Auch ich würde ihn niemals anerkennen. Auf der Barrikade würde ich ihn erschlagen, erstechen, erschießen, ein selbstverständlicher, revolutionärer Akt, ein Akt revolutionären Hasses.

Jähzorn stieg in mir auf und erstickte das Gefühl, das mich in das Treppenhaus hineingezogen hatte. Ich hätte die alte Gitarre nehmen und sie auf seinem Kopf zerschlagen können. Sie war nicht mehr wert und der Kopf meines Onkels auch nicht. Eine Revolution gegen die Onkels, eine Onkel-Revolution erschien mir in diesem Augenblick notwendig. Ich sah die Schlachtfelder in der Ukraine vor mir, die revolutionären Opfer, die dahinsanken, niedergemäht von Onkel-Armeen. Ich sah den davonlaufenden Alex Smirnoff mit seinen langen Beinen, langen Armen, seinem revolutionären Stockhusten. Er lief durch Schneewehen, über Schneefelder, verfolgt von den Weißen, von Onkel-Pferden, Onkel-Schwadronen, Onkel-Schwertern, Onkel-Lanzen.

Und hier stand einer von ihnen vor mir, mein eigener Onkel, für den Leo Trotzki ein Bluthund war. Ich war mir dessen sicher. Er hätte es sagen können: dieser Bluthund von einem Trotzki. Ich sah auf den Briefumschlag, den mir mein Onkel hinhielt. Er enthielt das Geld, mit dem ich nach Hause fahren konnte, abgeschoben wegen Bettelei und revolutionärer Umtriebe, das Geld der Olga von Z., geliehenes oder geschenktes Geld. Es war mir gleichgültig, woher mein Onkel sein Geld nahm. Nur ich konnte es nicht annehmen. Es waren Almosen, und erst jetzt kam ich mir wie ein Bettler vor.

»Behalt dein Scheißgeld, Onkel August. Ich will es nicht.

Ich brauche es nicht. Und nach Hause fahre ich, wenn ich es will, damit du es weißt.«

Er sah mich an, als hätte er keine andere Antwort erwartet.

»Das habe ich mir gedacht«, sagte er.

Er ließ das »heruntergekommener Lümmel« weg. Er verkniff es sich. Ich sah, wie er es herunterschluckte. Er hörte auf die Stimme hinter sich, auf die Herzmund-Altstimme.

»Was für ein Ton, August. Bitte, beherrsch dich doch. Nein, das ist nicht gut, das ist nicht gut.«

Ich sah wieder ihre Augen. Der Mitleidsschimmer darin gefiel mir nicht. Es war besser, sich ohne Mitleid auseinanderzusetzen. Mein Onkel zog den Briefumschlag zurück und schob ihn in die Seitentasche seines Pyjamas. Es war eine Geste der Zufriedenheit.

»Na gut, wie du willst. Im übrigen werde ich deiner Mutter mitteilen, was du hier treibst. Sie wird dir schon den Kopf waschen. Darauf kannst du dich verlassen.«

Er sagte es ohne Zorn, ohne Bitterkeit. Er lachte dabei, sein siegesgewohntes schadenfrohes Lachen. Die Vorfreude auf die Strafe, die ich nach seiner Ansicht zu erwarten hatte, war ihm anzusehen. Dreißig Hiebe auf das Gesäß, mein Junge. Er hätte es sagen können. Ich empfand es so, Spießrutenlaufen in der Familie an der See, unter dem Gelächter der kommenden Sieger, der Schwarz-Weiß-Roten, der Stahlhelmträger, der Hitleranhänger, seiner Harzburger-Front-Kameraden.

»Mach, was du willst. Es ist mir gleichgültig«, sagte ich.

Ich trat gleichzeitig einen Schritt zurück, an das Geländer der Treppe, des Treppenabsatzes. Ich suchte einen Halt, einen festen Punkt, von dem aus ich gegen meinen Onkel anlaufen konnte, einen Satz, der ihn treffen, kränken und beleidigen mußte. Ich fand den Satz nicht. Mir fiel nur Leo Trotzki ein, den ich gerade las. Trotzki und die permanente Revolution auf den Schneefeldern der Ukraine. Ich glaubte die Melodie des bolschewistischen Trauermarsches zu hören, dahinter die russische Pauke, eine kommunistische Pauke, keine preußische Kesselpauke, wie sie mein Onkel liebte. Sie ging dumpf dröhnend wie der Pulsschlag in meinen Adern, der immer wiederholte Paukenschlag der Revolution.

Ich mußte etwas sagen. Es mußte meinen Onkel in sein konservatives Herz treffen, in sein reaktionäres Unterbewußtsein. Ich sagte, und es kam für mich selbst überraschend:

»Hast du schon mal etwas von Leo Trotzki gelesen, Onkel August? Das täte dir gut.«

Er lachte laut auf. Es war ein verblüfftes Lachen, in dem nach wenigen Sekunden sein Monokel mitlachte und mit in seinem Gesicht herumsprang. Er zog es zu meiner Überraschung unter seinem Pyjama mit einem schnellen Griff hervor. Es hing ihm an einer silbernen Kette um den Hals. Er schob es in sein rechtes Auge, fixierte mich, jetzt mit nachsichtigem Humor, lachte noch dreimal kurz auf, wobei sich seine Stimme beim dritten Mal in einen heiseren Kehlkopfton überschlug, und sagte nicht, wie ich erwartet hatte: der Bluthund oder der rote Bluthund, sondern nur:

»Der Affenarsch.«

Er sagte es ohne jede Betonung. Es war ein Affenarsch, den er fallen ließ, die Treppe des Hinterhofhauses hinunter, der Arsch eines Affen ohne jede Bedeutung. Er drehte sich dabei um, zu dem Herzmundpuppengesicht im Hintergrund, zu seinem Fräulein oder seiner Frau von Z., und zog die Tür heran.

»Entschuldige, Olga, aber jetzt ist es genug!«

»Von wem hat er gesprochen, von Trotzki?«

»Ja, von Trotzki. Und das mir.«

»Nein, so was. Von dem?«

»Ja, von dem«, sagte mein Onkel.

Ich stand vor der sich langsam schließenden Tür. Ich hörte noch einmal seine Stimme.

»Soll er doch mit seinem Trotzki betteln gehen. Was geht es mich an.«

Ich ging die Treppe hinunter, Stufe für Stufe. Die Gitarre schlug gegen das Treppengeländer. Es war mir gleichgültig. Ich hörte es nicht. Ich verwünschte meine verwandtschaftlichen Gefühle, die mich die Treppe hinaufgetrieben hatten, meine plötzliche Zuneigung zu einem Mann namens August, der mein Onkel war. Statt der revolutionären Trauerpauke dröhnte der Affenarsch in meinem Kopf – Leo Trotzki, ein Affenarsch, die permanente Revolution eines Affenarsches in der Sicht von Onkel August. Eine revolutionäre Armee von Affenärschen, das waren sie also, die Revolutionäre, die Matrosen von Kronstadt, die Arbeiter von Petersburg, Lenin, Trotzki, Alex Smirnoff, alle miteinander, jeder der Arsch eines Affen, nicht mehr. So war das für meinen Onkel August.

Die beiden Sänger standen noch immer auf dem Hinterhof, in der strengen Kälte. Sie standen an die gegenüberliegende Wand gelehnt und diskutierten heftig.

»Und wenn«, sagte der Gitarrist, »nun jedes Eigentum in Syndikate übergeht? Alles für alle und alle für alles. Was dann?«

Ich warf die Hinterhofhaustür ins Schloß und ging auf sie zu. Sie sahen verwahrlost aus. Jetzt sah ich es. Heruntergekommene Jugendliche, auf den Hund und auf Löns gekommen in dieser Zeit.

»Was hast du denn so lange da oben gemacht? War das wirklich dein Onkel?«

»Ja«, sagte ich, »ein Fatzke von einem Onkel. Ein Affenarsch.«

Ich bat sie, noch einmal hier auf dem Hinterhof zu spielen, nur noch einmal, die Internationale.

»Spielt die Internationale, für meinen Onkel. Er liebt die Internationale.«

Sie taten es nicht. Sie fragten, ob er denn einen größeren Schein herausgerückt hätte, dieser Onkel, wenn nicht, dann sei es genug.

»Nur die erste Strophe. Das genügt«, sagte ich.
Aber sie gingen vor mir her, aus dem Hof hinaus, gleichgültig gegenüber meiner Bitte und meinem Onkel August.

VIII

Der Zigarren- und Zigarettenladen befand sich in dem Haus am Winterfeldtplatz, drei Schritte von der verfallenen Fünf-stufen-Freitreppe entfernt. Ich betrat ihn um sechs Uhr abends, um mit Gerda zu telefonieren. Sie hatte in einem Rohrpostbrief um meinen Anruf gebeten: Ruf um sechs Uhr abends an. Dann ist mein Vater nicht da. Er kommt erst um sieben. Aber ruf bitte an. Es ist dringend.

Es mußte etwas Unangenehmes sein. Ich empfand es am ganzen Körper. Unbekanntes Unangenehmes reizte meine Magennerven. Der Zigarettenverkäufer hielt mir den Hö-rer hin. Er hatte die Nummer für mich gewählt.

»Bitte, eine Dame.«

Ich hörte Gerdas Stimme. Sie war schnell, leise, eine sich verhaspelnde Stimme.

»Es ist etwas ausgeblieben. Schon seit zehn Tagen. Ich wollte es dir zuerst nicht sagen. Es ist besser, wenn du es nicht weißt. Jetzt sage ich es dir doch. Aber nimm es nicht zu ernst, bitte.«

Sie lachte ihr unbeholfenes Lachen. Es war mehr ein Kichern als ein Lachen. Sie verbarg ihre Unsicherheit, ihre Angst dahinter.

»Du nimmst es doch nicht ernst, nein?«

»Natürlich nicht.«

»Es ist nicht so schlimm.«

»Nein, nein«, sagte ich, »schlimm ist es nicht.«

Ich begriff erst allmählich, was geschehen war. Sie bekam ein Kind, ein Polizistenkind, ein Polizeimajorskind, gezeugt von einem Arbeitslosen und Straßensänger, von einem gottverfluchten Kommunisten, würde der Polizeimajor sagen und seine Tochter auf die Straße setzen, hinausfeuern, wie mein Onkel mich hinausgefeuert hatte. Es war unvorstellbar, nicht glaubhaft, es durfte nicht sein. Mir wurde warm, heiß. Der Laden war plötzlich zu eng. Ich saß eingeklemmt in einer Ecke hinter dem Ladentisch, ich konnte mich nicht bewegen und wäre doch gern hin- und hergelaufen. Gerda war siebzehn, wohlbehütet und dicht vor dem Abitur. Nein, es durfte nicht geschehen, nicht jetzt, nicht heute, niemals. Ich sagte:

»Du lieber Gott.«

Ihre Stimme war wieder leise, weit weg. Sie sagte etwas von Kamillenbad. Ich hörte nur das Wort Kamille. Zwei Kunden hatten den Laden betreten und sprachen mit dem Verkäufer. Ich versuchte leise zu sprechen.

»Was sagst du da? Kamillentee?«

»Ja, Kamillentee.«

»Was willst du denn mit dem Kamillentee?«

»Ein altes Rezept. Ich habe es von meiner Tante.«

Der Verkäufer, der neben mir stand, mischte sich ein. »Kamillentee hilft immer. Gegen alles.«

Ich ärgerte mich über ihn. Was ging den Verkäufer mein Gespräch an? Ich hätte gern etwas Bösartiges gesagt, aber ich sagte nichts. Der Verkäufer kannte mich, den Kassierer der Straßensänger, die das ganze Haus beunruhigten, er ließ mich telefonieren, wenn ich telefonieren mußte. Ich lauschte wieder auf Gerdas Stimme.

»Die Füße in heißem Kamillentee. Dreimal am Tag, bis zu den Knien.«

»Und was sagt dein Vater dazu?«

»Er weiß es ja nicht. Und er darf es auch nicht wissen, um Gottes willen. Ich mache es ja nur, wenn er nicht da ist, dreimal am Tag.«

Sie lachte wieder, leise, verhalten, kichernd, sie lachte über den Kamillentee. Aber es war die Angst, die sie unter Lachen verbergen wollte. Ich spürte es. Eine aufgeklärte Schülerin der Gerhart-Hauptmann-Schule, die Sigmund Freud las, durfte sich keine Blöße geben, keine Angst zeigen. Sie sprach von heißen Bädern. Ich verstand nicht, was sie mit den heißen Bädern wollte. Ich glaubte weder an die Wirkung von Kamillentee noch an die Wirkung heißer Bäder. Ich versprach mir nichts davon. Es war Unsinn. Aber ich wußte nicht, was ich ihr raten sollte. Ich hatte keinen Rat, kam mir hilflos und verloren vor.

»Die heißen Bäder helfen bestimmt. Das kannst du mir glauben.«

Gerda nannte Temperaturen, hohe Temperaturen.

»Da verbrühst du dich ja«, sagte ich.

Sie bestritt es. »Nein, nein, so leicht verbrüht man sich nicht.«

Sie sprach von meinem Onkel, sie nannte ihn Onkel August, als sei sie seine Nichte, Onkel August, ein Lebemann und immer hilfsbereit.

»Wenn es ganz schlimm kommt, gehe ich zu ihm. Er weiß bestimmt einen Arzt.«

»Niemals«, sagte ich, »das tust du nicht. Auf keinen Fall.«

»Aber warum denn nicht? Es ist doch dein Onkel.«

»Ein Reaktionär«, sagte ich.

»Was hat denn das damit zu tun?«

»Alles. Er wird es deinem Vater erzählen, er wird einen Skandal daraus machen.«

»Ach, du kennst ihn nicht, bestimmt nicht. Das tut er nicht. Er ist ganz anders, als du denkst.«

»Und ob ich ihn kenne«, sagte ich.

Was hatte sie bei meinem Onkel zu suchen? Es war meine Angelegenheit und nicht die meines Onkels. Sie hatte den Eimer bei mir umgestoßen, in meinem Zimmer, und nicht in dem Bett meines Onkels, sondern von meinem Bett aus. Ich rief noch einmal mein »Niemals« in den Hörer.

»Das gibt es nicht, Gerda, zu meinem Onkel gehst du nicht. Hörst du?«

Ich sagte es, als sei ich ihr Vater, im Befehlston. Es war der Befehlston meines Onkels, den ich haßte. Befehlen und gehorchen, gehorchen und befehlen lernen. Mein Magen zog sich zusammen. Es war mir, als schnitte jemand darin herum, ein Messer, das die Magenwände in kleine Stücke zerschnitt. Gerdas Stimme wurde leise, entfernte sich, war wieder weit weg für mich.

»Nimm es nicht so ernst, bitte.«

Ich hörte sie schweigen. Sie schwieg beharrlich und vielleicht betroffen, und auch mir fiel nichts ein, was ich noch sagen konnte. Ich war verlegen, eingeschüchtert. Es gab keinen Arzt, den ich kannte und der helfen konnte, ich hatte keine Beziehungen, wie sie mein Onkel bestimmt besaß. Ich hörte noch einmal ihre Stimme.

»Bitte, bitte.«

Ich sollte es nicht ernst nehmen. Sie bat darum. Es war ihre Angelegenheit, und sie wollte allein damit fertig werden. Ich glaubte es aus ihren Bitten herauszuhören. Ich mußte es ihr ausreden. Es war auch meine Angelegenheit. Die Leitung schien jetzt tot, leer. Ich drückte den Hörer ans Ohr.

»Hallo, Gerda.«

Es kam keine Antwort. Sie hatte wohl den Hörer beiseite gelegt, und jetzt hörte ich, wie sie ihn auflegte. Es kam mir vor, als schalte sie mich aus – aus ihren Sorgen, aus ihrer Angst, aus allem, was jetzt geschehen mußte und schon geschah.

In meinem Rücken sprach der Verkäufer mit einem der Kunden. Sie sprachen über eine Kundgebung der Nationalsozialisten im Sportpalast.

»Der hat es ihnen aber gegeben, denen da oben, der Goebbels, ein großartiger Redner. Waren Sie da, im Sportpalast?«

»Nein«, sagte der andere, »aber ein guter Mann, der Goebbels. Er spricht wirklich gut. Und was er gesagt hat, das kann man nur unterstreichen.«

Ich erhob mich und sah dem Verkäufer ins Gesicht, ein schmieriger Goebbelsanhänger, einer, der den Nationalsozialisten nachlief, man sollte ihn über den Tisch ziehen und vertrimmen. Aber ich zahlte, sagte »Besten Dank« und zog die Ladentür auf. Ich fühlte mich in düsterer Stimmung, in einer revolutionären Stimmung. Es war besser, alles zusammenzuschlagen als dies weiter mitzumachen: Singen, Frieren, Betteln, kein Geld und dann vielleicht noch Gerdas Schwangerschaft. Sie war so aufgeklärt oder glaubte es zu sein, und jetzt half sie sich mit Kamillentee! Ich verwünschte den Sonntagnachmittag, an dem sie den Aufwischeimer umgestoßen hatte. Ich hätte mich nicht mir ihr einlassen sollen. Alex Smirnoff stand vor dem Zigarettenladen, im Schatten des Lichtkegels, der aus dem Laden kam, etwas vorgebeugt, nicht klar erkennbar und doch unverkennbar mit seinem zu großen Hut auf dem Kopf, auf einem zu langen und zu dünnen Körper.

»Du warst ja so aufgeregt. Ich habe dich durch das Fenster telefonieren sehen.«

»Ich bin aufgeregt«, sagte ich.

»Ich war oben in eurer Wohnung. Man hat mir gesagt, daß du hier unten telefonierst. Da habe ich gewartet, bis du fertig bist.«

»Ja«, sagte ich, »fertig. Fertig bin ich.«

»Was ist denn los?«

»Nichts Besonderes. Glaubst du, daß Kamillentee gegen eine beginnende Schwangerschaft hilft?«

»Ach, das ist es«, sagte Alex Smirnoff.

Er begann zu lachen. Der Kamillentee amüsierte ihn. Er wiederholte das Wort.

»Kamille«, sagte er.

Er hustete die Kamille weg, in den Winterabend, über den verschneiten Platz, in den schmutzigen, zerfahrenen und zertretenen Schnee. Er sprach gleich weiter, kam von dem Kamillentee auf die Charité und von der Charité auf eine junge Ärztin, seine Freundin, eine fortschrittliche Ärztin, zu sprechen.

»Ihr Vater ist ein alter Landgerichtspräsident, ein engstirniger Bourgeois wie alle diese Leute.«

Er sprach sein »Bourgeois« in einem gepflegten Französisch aus. Er pfiff es aus sich heraus.

»Sie ist erst siebzehn Jahre alt«, sagte ich, »und geht noch zur Schule, und das schlimmste ist, ihr Vater ist Polizeimajor.«

»Ein aktiver?«

»Das weiß ich nicht. Auf jeden Fall ein Polizeimajor.«

»Das macht nichts. Ob Polizeimajor oder Landgerichtspräsident, das ist immer die gleiche Mentalität. Meine Freundin wird ihr trotzdem helfen, wenn es notwendig ist. Sie tut es bestimmt.«

Alex Smirnoff sagte es nebenbei, eine Lappalie, die keine Aufregung verdient. Sein Mantel stand trotz der Kälte offen, er hatte die Hände auf dem Rücken verschränkt und warf die langen Beine vor sich her, von sich weg.

»Mach dir keine Sorgen.«

Er sagte es, wie es Gerda an jenem Sonntagnachmittag gesagt hatte: keine Sorgen machen. Jetzt kam es auch mir wie eine Lappalie vor, eine Kamillenteelappalie. Ich versuchte Gerdas Stimme zu vergessen, das Bitte, Bitte und die Angst dahinter. Es war kein Onkel August mehr notwendig. Ich konnte selbst mit meinen Beziehungen einspringen, mit einer jungen Ärztin aus der Charité. Ich begann von Spanien zu sprechen. Eine Gruppe der Lönssänger wollte nach Spanien gehen, sich durch die deutschen Provinzen über die Schweiz und Frankreich bis Spanien durchsingen. Dort hofften sie noch existieren und leben zu können.

»Verrückte Idee«, sagte Alex Smirnoff.

»Vielleicht ist sie gar nicht so verrückt. Hier ist doch nichts mehr zu holen für sie, und Arbeit gibt es nicht. Vielleicht gehe ich mit. Was soll man denn tun?«

»Ja, was soll man tun? Aber ich würde trotzdem hier bleiben. Morgen kann schon alles anders sein.«

»Wieso morgen? Denkst du an die Revolution?«

»Nein, daran denke ich nicht. Es ist nur besser, bei dem Volk zu bleiben, dessen Sprache man spricht. Und was die Politik angeht, so entscheidet sich alles hier und nicht in Spanien.«

»Und in der Sowjetunion?«

»Nein«, sagte er, »dort hat sich vorläufig alles entschieden.«

Wir gingen quer über den Winterfeldtplatz, dann durch eine Seitenstraße auf ein Café zu, in dem wir uns häufiger mit linken Freunden trafen.

»Ich habe mich mit Liverpool verabredet«, sagte Alex Smirnoff. »Es hat keinen besonderen Grund. Ich streite mich nur gern mit ihm. Er ist ein Dogmatiker.«

»Ich weiß«, sagte ich.

Ich kannte Liverpool nur flüchtig, nur vom nächtlichen Plakatekleben für die Kommunistische Partei, bei dem es vor drei Wochen zu einer Schlägerei mit der SA gekommen war. Liverpool hatte dabei den Anführer gespielt. Er war mutig, aufrecht, ein Schläger und Fanatiker. Ich hatte ihn so erlebt. Sein Spitz- oder Parteiname war Liverpool, eigentlich hieß er Hofmann. In Liverpool hatte er angeblich drei Monate im Gefängnis gesessen, aus politischen Gründen oder aus kriminellen. Niemand wußte es genau. Liverpool sprach nicht darüber, und alle anderen interessierte es nicht.

»Tag, Genossen, setzt euch«, sagte Liverpool, als wir das Café betraten. Es klang wie ein Befehl, den ich nicht beachtete und Alex nicht ernst nahm.

»Tag, Liverpool«, sagte Alex.

Er setzte sich an den Tisch und schob seine Beine so darunter, daß sie die Beine Liverpools fast berührten. Liverpool sprach – wie der Zigarettenverkäufer – von der letzten Sportpalastkundgebung der Nationalsozialisten. Er sprach fast ohne Unterbrechung weiter, gleich nach seinem »Genossen, setzt euch«. Er war umgeben von jungen Funktionären, Parteienthusiasten, Generallinientreuen. Ich kannte sie fast alle.

»Man hätte die Versammlung sprengen müssen, und wären wir taktisch richtig vorgegangen, dann wäre uns das auch gelungen. Der Sportpalast hätte von uns besetzt sein müssen, bevor ihre Anhänger kamen. Das haben wir versäumt. Das wäre notwendig gewesen. Und dann einfach zusammenschlagen. Aber davor beschützt sie ja die Polizei, die Polizei der Republik.«

Er sprach schnell. Er warf die Worte aus dem Mund. Sie flogen wie Steine durch den Raum. Liverpool hob jedes Wort mit seiner scheinbar zu großen Zunge hoch und entließ es dann. Mir kam es wie ein Akt fanatischer Kraftanstrengung vor. Nach jedem gelungenen Satz warf er seine Haare nach hinten, lange schwarze Haare, die ihm in die Stirn hingen, eine Geste revolutionärer Kühnheit. Danton vor dem Konvent, immer Danton, dachte ich. So wollte Liverpool sein, ein kommunistischer Danton. Er hatte es einmal gesagt.

»Kühnheit, Genossen, Kühnheit, nichts als Kühnheit.«

Es war nicht leicht, in jeder Situation kühn zu sein. Ich wußte es. Mir fiel wieder Gerda ein, der Eimer, der Kamillentee, die Tante mit dem Rezept aus dem vorigen Jahrhundert, der Polizeimajor, morgen vielleicht mein nichtgewollter Schwiegervater, mein Onkel, der Draufgänger, erfahren, verschwiegen, und die junge Ärztin, die helfen sollte. Sie irrten durch meine Gedanken, durch meinen Kopf. Es war eine bürgerliche Kalamität für alle, die hier zusammensaßen, für Liverpool, der darüber lachen würde, und für die jungen Genossen, die auf die Revolution hofften.

Aber es hatte mich mehr getroffen, als ich zugeben konnte, vor Gerda, vor Alex Smirnoff und vor mir selbst.

Liverpool sprach über Josef Goebbels. Er verkleinerte ihn, drückte ihn zu einer Maus zusammen, zu einem hilflosen, abhängigen Mäuschen in der Hand der Konterrevolution.

»Ein Lakai des herrschenden Kapitals, das zusammenbrechen muß und wird. Morgen oder übermorgen.«

Ich hörte, wie das Kapital zusammenbrach. Es war nur noch eine Frage von Monaten. Es krachte an seinen inneren Widersprüchen in Liverpools Steinwurfsätzen auseinander, ein morsches Haus auf einem Vulkan, auf dem Vulkan der sich anbahnenden proletarischen Revolution.

»Und Hitler ist nur eine Episode. Er kommt nie zur Macht. Niemals. Er hat keine Chance. Und wenn einer sagt, wenn wir so weitermachen, dann käme er doch zur Macht, dann irrt er sich. Handlanger des Kapitals, wie Hitler einer ist, die läßt man reden, agitieren, aber nicht herrschen, nicht regieren. Seinen Untergang kann man abwarten.«

»Und dann?« fragte Alex.

»Was und dann?«

»Was kommt dann?«

Liverpool starrte Alex Smirnoff an, zögerte, zog sich für einen Augenblick in seine Geste revolutionärer Kühnheit zurück, warf den Kopf leicht nach hinten und strich sich die Haare aus der Stirn.

»Du zweifelst doch nicht an der Zukunft des Proletariats?«

»Aber nein. Wie sollte ich.«

»Gut«, sagte Liverpool.

Seine Stimme wurde lauter. Der spürbare Zweifel, der in Alex Smirnoffs Frage gelegen hatte, hob sie an. Liverpools Zunge verlor ihre Hemmungen. Sie entließ Sätze, die sich zur Sprache der Partei bildeten. Ich kannte sie, Wort für Wort. Nicht Hitler war der wirkliche Feind, er war nur ein Popanz, einer, den die starke Faust des Proletariats jederzeit zerschmettern konnte, wann immer es die Arbeiterklasse für notwendig hielt.

»Der wahre Feind der Arbeiterklasse steht in der Mitte und links von der Mitte, Genossen. Das wißt ihr doch. Daran gibt es keinen Zweifel. Sie sind es, die wir bekämpfen müssen. Sie versuchen den endgültigen Zusammenbruch des kapitalistischen Systems aufzuhalten. Sie sind die Feinde der Revolution.«

»Ja, ja, die Sozialfaschisten«, sagte Alex Smirnoff.

Er lächelte Liverpool ins Gesicht, nahm dabei sein Pincenez ab, putzte es mit seinem Taschentuch und setzte es wieder auf. Es war eine absichtlich umständliche Bewegung. Ich sah ihm seine Langeweile an. Es sah so aus, als wollte er die abgedroschenen Sätze Liverpools von seinem Pincenez wegputzen.

Liverpool sprach von der Einheit zwischen Theorie und Praxis, auf sie komme es an: Praxis im Einklang mit der Theorie.

»Aber Genossen, sie ist von der heutigen Führung der Partei garantiert. Klar und eindeutig. Danach haben wir uns zu richten.«

Alex Smirnoff unterbrach ihn mit seiner leisen, hüstelnden Stimme.

»Und wenn die Theorie nun falsch ist oder sich als falsch herausstellt. Was macht ihr dann?«

Einen Augenblick herrschte gespannte Ruhe. Liverpool warf seine Haare nach hinten, schob seinen Stuhl zurück, die Hände gegen den Tisch gestemmt. In seinem massigen, grobflächigen Gesicht stand der Fanatismus des revolutionären Parteigängers, der das ungeschriebene Gesetz der Revolution auf seiner Seite hat. Für mich sah er wieder wie Danton aus, ein mehr oder weniger gut gespielter Danton. Aber es kam mir wieder der Kamillentee dazwischen. Ich dachte beides gleichzeitig: Danton und Kamillentee und schließlich Dantons Kamillentee. Ich wollte darüber lachen, aber Liverpools Steinwurfsätze hinderten mich daran.

»Die Theorie ist nicht falsch, sie beruht auf gründlicher Analyse. Sie ist das Ergebnis der Dialektik der Entwicklung. Man muß sie nur erkennen. Aus der Krise des Kapitalismus gibt es keinen Ausweg mehr. Es gibt das Gesetz der ökonomischen Entwicklung, die Krisentheorie, die Verelendungstheorie.«

»Und die Klassenarithmetik«, sagte Alex.

Liverpool überhörte die Ironie. Er wollte sie nicht hören.

»Ja, auch die Klassenarithmetik«, sagte er.

Er kam auf die bürgerliche Klasse zu sprechen. Sie sei verschlissen, verbraucht, untergangsreif, nicht mehr fähig, zu herrschen und Macht auszuüben. Sie müsse abtreten und der aufsteigenden Klasse Platz machen, dem Proletariat.

»Auch die Verelendungstheorie bestätigt sich heute. Das Kleinbürgertum wird proletarisiert. Du siehst es ja. Alle objektiven Faktoren sprechen für den Sieg des Proletariats.«

»Ein Sieg, für den niemand zu kämpfen braucht«, sagte Alex Smirnoff, »er ergibt sich ja von allein.«

Mißtrauen war plötzlich in Liverpools Blick. Das Mißtrauen sprang über den Tisch in die Enge des Cafés. Liverpool sah zuerst mich und dann Alex Smirnoff an.

»Was wollt ihr eigentlich?«

»Nichts«, sagte Alex Smirnoff, »wir wollten uns doch unterhalten. Schließlich muß man doch darüber sprechen.«

»Nennst du das unterhalten?«

»Ja, was denn sonst? So klar, wie du glaubst, sind die Dinge nicht. Man kann die Möglichkeiten, die noch bestehen, nicht genug diskutieren.«

Alex Smirnoff hatte wieder sein Pincenez abgenommen. Er hauchte die Gläser an und putzte sie mit seinem Taschentuch. Es ist Unsinn, was wir hier reden, ging es mir durch den Kopf. Die SA ist auf der Straße. Sie marschiert und wir reden. Wir erlebten es jetzt fast jede Nacht, SA-Leute, die aus den dunklen Seitengassen und Seitenstraßen kamen, Schlägerkolonnen, die immer zahlreicher wurden.

»Die SA wird sich einen Dreck um unsere Theorien kümmern«, sagte ich. Liverpool beachtete meinen Einwurf nicht. Er zuckte nur mit den Augenlidern. Auch Alex Smirnoff überhörte meinen Satz. Er schob sein Taschentuch in die rechte Brusttasche seiner Jacke und begann wieder, leise, lächelnd, als spräche er nicht zu Liverpool, sondern zu einem anderen, größeren, weit entfernten Gegenüber.

»Es gibt nicht nur objektive Faktoren. Es gibt auch subjektive, psychologische, die nicht so ohne weiteres zu analysieren sind. Es gibt sogar einen irrationalen Faktor, der unberechenbar ist. Jede Revolution wird von ihm mitbestimmt, auch die proletarische. Es gibt die Psychologie der Massen. Die Masse geht nicht unbedingt dorthin, wo du sie hinhaben willst, wohin das Gesetz der Dialektik sie haben muß, damit das Gesetz seine Gesetzmäßigkeit behält. Wenn sie nun doch zu Hitler laufen, auch die proletarischen Massen? Was tust du dann? Was tut die Partei?«

Liverpool sprang mit einem Ruck auf. Er schleuderte den Stuhl zurück, auf dem er gesessen hatte, und stand über Alex Smirnoff gebeugt, die Hände zu Fäusten geballt, auf den Tisch gestemmt. Er sprach nicht leise, gelassen, wie Alex Smirnoff gesprochen hatte, er schrie:

»Ja, es gibt den subjektiven Faktor, den Faktor des Klassenbewußtseins. Aber er ist eine konstante Größe, auch wenn du nicht daran glaubst, du und andere. Am Klassenbewußtsein der Arbeiterschaft, daran wird Hitler scheitern. Daran wirst du scheitern, du, ihr und alle anderen.«

»Wieso ich?« flüsterte Alex Smirnoff.

Liverpool überhörte es. Er drehte sich zu mir hin, mit einer halben Wendung des Oberkörpers, ein vor Zorn bebender Vulkan, der Überzeugungen ausspie.

»Und du, Genosse, hast gesagt, wenn wir so weitermachen, kommt Hitler zur Macht. Das werden wir dir nie vergessen. In meinen Augen bist du nichts weiter als ein Konterrevolutionär.«

Ich sah ihn betroffen an. Auf den Angriff war ich nicht vorbereitet, hatte ihn nicht erwartet. Ich hatte an Gerda gedacht, an die Möglichkeit, Vater zu werden, ohne es sein zu wollen, ein Polizistenkindvater. Das Wort »Konterrevolutionär« traf mich wie ein Schlag. Es war eine Beleidigung, die schlimmste Kränkung, die es in diesem Kreis gab. Ich wollte aufspringen, aber ich blieb sitzen und starrte Liverpool an.

Mein zweifelnder Satz, in der Parteizelle ohne große Überlegung gesprochen, hatte also auch Liverpool erreicht, ein
Satz, an den ich selbst nicht glauben wollte. Haß stieg in mir
auf, Jähzorn. Alle, die in dem Café saßen, sahen mich an
und warteten auf eine Antwort. Das Wort »Konterrevolutionär« hatte sie elektrisiert. Nur Alex Smirnoff lächelte zu
Liverpool hinauf, in sein erhitztes, unter hohem Blutdruck
stehendes Gesicht, gelassen und ohne jede Erregung.
»Nimm das zurück«, sagte ich.
»Ich nehme gar nichts zurück. Ich habe dir gesagt, was ich
von dir halte.«
»Nimm es zurück.«
»Nein«, sagte Liverpool, »du bleibst in meinen Augen, was
du bist, ein Konterrevolutionär.«
Ich sprang auf. Jähzorn riß mich zu Liverpools Gesicht empor, zu dem verachtenden Haß in seinen Augen. Ich warf
den Stuhl zurück, wie es Liverpool getan hatte, mit derselben
revolutionären Geste des Zorns. Ich schrie noch einmal, jetzt
im Befehlston.
»Du nimmst es sofort zurück. Ja, ich habe gesagt ›Wenn
wir so weitermachen, kommt Hitler zur Macht.‹ Es war nur
eine Überlegung, keine Kritik, keine Abweichung, wie du
es jetzt hinstellen willst. Und ich sage es jetzt noch einmal,
wir dürfen nicht so weitermachen. Aber ich bin kein Konterrevolutionär. Das weißt du. Also nimm es zurück.«
Ich sah dabei auf Liverpools Hals, der steil und straff und
etwas zu dick zu einem massigen Kinn anstieg. Etwas bewegte sich in dem Hals. Es schluckte sich in dem Hals hinauf,
nicht hinunter. Ich kannte den Satz, der jetzt kommen mußte. Liverpool hatte ihn schon einmal gegenüber einem der
Lönssänger ausgesprochen: ein Bürgersöhnchen bist du, weiter bist du nichts. Dann, dachte ich, schlage ich ihm ins Gesicht. Liverpool sagte es nicht. Er begann zu lachen. Es war
ein verächtliches Lachen, das mich an meinen Onkel erinnerte, ein Lachen, das töten sollte.

»Reg dich nicht auf. Was ich gesagt habe, bleibt bestehen.
Du wirst es schon noch erleben.«
Er drehte sich um und ging zu dem Garderobenständer,
der in einer Ecke des Cafés stand. Dort hing sein Mantel.
Er zog ihn nicht an. Er warf ihn über die Schultern, eine
antibürgerliche Geste, die Geste eines Revolutionärs.
»Affenarsch«, sagte ich.
Ich sagte es nicht laut, flüsterte es vor mich hin. Es war das
Wort meines Onkels und gehörte nicht hierher. Liverpool
hatte mir bisher gefallen. Ich haßte ihn nicht. Er war nicht
mein Gegner. Es war trotz allem Liverpool und nicht mein
Onkel August. Ich stand an dem Tisch und sah Liverpool
nach, der mit gespreiztem Mantel das Café verließ. Es sahen
ihm alle nach, die in dem Café saßen. Nur Alex Smirnoff
drehte sich nicht um. Er sah gelangweilt auf seine Fingernägel, und seine Stimme klang wie immer, sachlich, ironisch.
»Laß ihn gehen. Es hat keinen Zweck.«

IX

In der Stadt marschierte die SA. Es waren viele, Hunderte, Tausende. Sturmabteilung folgte auf Sturmabteilung, eine Standarte der anderen.

Ich stand mit den Lönssängern am Straßenrand, die Gitarren umgehängt, die Geigen in den Geigenkästen, die Akkordeons vor der Brust, mit Lappen darüber gegen den leichten Nieselregen. Wir sahen den aufmarschierenden SA-Leuten zu.

Es war Sonntag, ein schmieriger, trostloser April-Regen-Sonntag. Die SA-Leute kümmerten sich nicht um den Regen. Sie waren hart, sie hatten hart zu sein. Sie sangen: »Denn heute gehört uns Deutschland und morgen die ganze Welt.« Sie sangen »gehört« statt »hört uns Deutschland«. Sturm auf Sturm sang es, ein aufgerissener Mund neben dem anderen.

»Ein Kinn geht massig durch die Welt«, sagte ich.

Ich versuchte zu lachen, aber meine Freunde lachten nicht. Sie starrten auf die regennassen Uniformen.

Die Stadt, in der wir uns aufhielten, hieß Neumarkt, eine Kleinstadt, eine Provinzstadt. Eine miese Stadt, sagten die Lönssänger, eine Stadt, in der es nichts zu holen gibt. Es gab auch sonst nicht mehr viel zu holen. Ich hatte es in den letzten Wochen erfahren. Die Provinz war aufgeputscht, sie war braun geworden. Sie sang und marschierte und wollte die Welt erobern. Vor sechs Wochen hatte ich mit den Lönssängern Berlin verlassen.

»Zu kassieren gibt es immer etwas. Komm nur mit.«

Aber die Lönssänger hatten mich nur aus Solidarität mitgenommen. Sie brauchten mich nicht, ich war überflüssig. Die Gelder, die sie sich Tag für Tag zusammensangen, von morgens bis abends, wurden weniger, die Hotels kleiner, dürftiger, schmieriger. Einer betrog den anderen, einer verkaufte heimlich, was dem anderen gehörte.

Ich sehnte mich nach Berlin zurück, nach Gerda, nach Alex Smirnoff, weg von den kopfsteingepflasterten Straßen, auf denen die SA marschierte. Von Gerda hatte ich nicht mehr viel erfahren, nur dies: es wird alles wieder gut werden, denk nicht weiter darüber nach, am Telefon mehr geflüstert als gesprochen. »Komm bald zurück. Bleib nicht zu lange dort unten in Spanien.« Ich würde nicht lange dort unten bleiben. Spanien war weit. Seit sechs Wochen sangen wir uns von einer Kleinstadt zur anderen durch und kamen nicht von der Stelle. Das zusammengesungene Geld reichte nicht aus. Die Lönssänger bestätigten es mir jeden Abend, wenn sie das Geld teilten. »Das reicht doch hinten und vorn nicht. Wie sollen wir damit nach Spanien kommen.«

Ich sah auf die Uniformrücken, Uniform an Uniform. Die Beine hoben sich im Gleichschritt, im Rausch ihrer Zahl. Sie marschierten nicht für Alex Smirnoff und dessen permanente Revolution, nicht für Liverpool und die Kommunistische Partei, nicht für die Diktatur des Proletariats. Es war Onkel August, für den sie marschierten. Er hatte in Harzburg das eiserne Einmaleins dieser Sturmkolonnen mitgeschmiedet.

Ich hatte die SA noch nie in solchen Massen gesehen. Ein Heerwurm, der sich durch die Straßen bewegte, ein SA-Treffen des Kreises oder der Provinz.

»Laßt uns hier weggehen. Es reicht. Wenn wir noch lange hier stehen, pöbeln die uns noch an.«

Aber wir blieben stehen. Wir starrten auf die marschierenden Stiefel, auf die im Gleichschrittakt schwingenden Arme, auf die unter dem Druck der Sturmriemen vorgeschobenen Kinnladen. Es machte Eindruck. Ich ärgerte mich darüber und war doch selbst beeindruckt.

»Kommt, laßt uns gehen. Die siegen ja doch nicht. Die siegen nie.«

»Da bin ich nicht mehr so sicher«, sagte der lange Bariton, der neben mir stand, »aber heute vormittag ist nichts mehr drin. Also gehen wir.«

Wir gingen die Straße hinunter, zurück zum Hotel, in dem wir seit drei Nächten wohnten. Wir hatten noch keine Welle gedreht, kein Lied gesungen, wir hatten nicht den Mut gefunden, unter den SA-Leuten zu singen, gegen Lieder anzubrüllen, die wir nicht singen wollten, Parteilieder, in denen morsche Knochen zitterten oder zusammengeschlagen wurden. Neben mir ging der lange Bariton und auf der anderen Seite der Anarchist, der noch immer den *Einzigen und sein Eigentum* in der Manteltasche trug, und hinter uns der Geiger, der mit mir auf dem Hinterhof der Olga von Z. gesungen hatte. Wir waren noch zwölf, zwei Geigen, eine Flöte, eine Klarinette, drei Akkordeons und fünf Gitarren, von denen die meine eine »tote Fliege« war. Eine tote Fliege nannte sie der Bariton.

»Aber, was machst du denn heute abend mit deiner toten Fliege? Die merken doch, daß du weder spielen noch singen kannst.«

»Die werden es schon nicht merken«, sagte ich.

Am Abend sollten wir vor Industriellen, Herstellern von Musikinstrumenten, in einem Restaurant oder in einem Bierkeller singen. Ein Stadtrat hatte uns auf der Straße angesprochen und dazu eingeladen.

»Mensch«, sagte der Geiger hinter uns, »das Restaurant ist heute abend bestimmt voll von SA-Leuten. Darauf könnt ihr euch verlassen.«

»Ach was. Irgend etwas wird es schon zu essen geben«, antwortete der Bariton.

Ich dachte an Bockwürste, Bouletten, an helles Bier. Das Essen beschäftigte mich mehr als alles andere, mehr als die sich in der Stadt breitmachende SA.

Es wurde ein armseliger Tag. Wir lagen auf den Betten in unseren Zimmern herum, stritten uns, warteten auf den Abend und sahen in den unablässigen Nieselregen hinaus.

Der Anarchist, den sie Flöte nannten, stritt sich wieder mit Körbis, dem Geiger, über die Frage des Eigentums, und ich dachte an die Streitgespräche zwischen Liverpool und Alex Smirnoff. Sie lagen für mich weit zurück, aber auch ich sprach von den objektiven und den subjektiven Faktoren, warf meine Erkenntnisse dem Geiger an den Kopf, um ihn zu verblüffen, und der Geiger starrte mich an, und sagte:

»Woher hast du das? Karl Marx hat das nicht gesagt. Von ihm kannst du es nicht haben.«

»Es gibt ja nicht nur Karl Marx.«

»Aber auf ihn kommt es an. Es geht nicht nur um das Eigentum, wie Flöte es sieht. Flöte ist dumm. Der ganze Anarchismus ist dumm. Es geht nur um das Eigentum an Produktionsmitteln. Sie müssen verstaatlicht werden. Aber nicht so, wie Flöte es sich vorstellt.«

»Ich weiß nicht, ob es darum im Augenblick geht«, sagte ich, »jetzt geht es um ganz etwas anderes. Jetzt geht es um Sieg oder Niederlage. Glaubst du, daß die Massen dorthin laufen, wo die Theorie sie hinhaben will oder muß? Sieh dir doch diese SA-Massen an. Es werden immer mehr. Sie beherrschen die Straße.«

»Aber du hast doch gesagt, sie werden nie siegen. Heute vormittag hast du es gesagt.«

»Ja, heute vormittag. Aber es gibt nicht nur objektive Faktoren, es gibt auch subjektive. Wer siegen will, muß sie berücksichtigen. Sonst siegt er nie.«

»Was meinst du denn mit deinen subjektiven Faktoren?«

»Die Psychologie der Massen. Ihre seelische Einstellung, ihre psychische Abhängigkeit, die Tradition, in der sie aufgewachsen sind. Das sind subjektive Faktoren, die vielleicht viel stärker sind als alle anderen, als ihre ökonomische Abhängigkeit und ihre Klassenzugehörigkeit.«

»Unsinn«, sagte der Geiger, »das ist fast derselbe Unsinn, den Flöte verzapft.«

Ich wurde mir plötzlich bewußt, daß ich wie Alex Smirnoff sprach, es war dieselbe Diktion, dieselbe leicht ironische Überheblichkeit. Es störte mich. Ich wollte nicht wie Alex Smirnoff sein. Smirnoff war ein anderer, einer, den die russische Revolution in ihren Sog gezogen und wieder ausgespuckt hatte, ein Revolutionär in Permanenz, ein Gegner der gerade gültigen Parteilinie. Ich wollte das nicht sein. Aber ich sehnte mich nach ihm, nach seiner leisen Stimme, nach seinem Stockhusten, nach seinen skeptischen Zweifeln, nach seiner Hilfsbereitschaft. Ich hatte die junge Ärztin der Charité noch kennengelernt, hager wie Alex Smirnoff, von überraschender Ähnlichkeit mit ihm, eine Schwester mehr als eine Geliebte. Sie hatte versprochen, Gerda zu helfen und sie anzurufen. Ich hatte es Gerda am Telefon gesagt.

»Und jetzt ist Onkel August überflüssig.«

»Das war er sowieso«, hatte Gerda geantwortet, »nimm doch nicht jedes Wort ernst. Ich meine es doch nicht so. Und mach dir keine Sorgen, bitte, tu es nicht.«

Mir fiel es wieder ein, jetzt, in dem Augenblick, in dem der großsprecherische Geiger von dem Unsinn sprach, den ich und Flöte verzapften.

»Und außerdem«, sagte ich, »ist der Anarchismus nicht dumm. Jedenfalls nicht so dumm wie manches andere.«

»Welches andere?« fragte der Geiger.

»Alles«, sagte ich, »laß mich in Ruh.«

Ich wollte nicht mehr diskutieren. Ich war müde, hungrig, abgespannt. Es konnte nicht so weiter gehen, Tag für Tag auf den Straßen betteln. Ich war Mitglied der Kommunistischen Partei, und es galt, trotz aller Zweifel, für die Revolution zu kämpfen, für die große proletarische Revolution, und nicht auf den Straßen zu singen. Ich legte mich aufs Bett und hörte dem Gespräch der beiden anderen zu, die sich weiter stritten, bis der lange Bariton hereinkam.

»Los, macht euch fertig. Es wird Zeit. Wir müssen pünktlich sein.«

Wir betraten das Lokal um acht Uhr abends. Wir schoben uns mit den Gitarren, Geigen, Akkordeons durch die Tür, einer nach dem anderen, der große, etwas zu lang geratene Bariton voran. Betrunkene SA-Leute standen an der Theke herum. Sie sangen: »Schwarzbraun ist die Haselnuß.« Sie sangen es gröhlend, im Lotterbaß. Ich sah, was ich nicht sehen wollte, aber doch vermutet hatte: ein SA-Lokal, ein Sturmlokal. Es sah alles danach aus. Ein SA-Mann schlug mir auf die Schulter. »Na, mein Junge, ihr kommt gerade recht. Jetzt singt mal einen.«

Ich antwortete nicht. Ich sagte nicht »Heil Hitler«, als einige der SA-Leute uns »Heil Hitler« zuriefen. Ich ging hinter den anderen her, an der Theke vorbei, in das Lokal. In einer Ekke wurde ein Tisch für uns frei gemacht. Wir setzten uns an den Tisch, elf Sänger und Spieler und ein Kassierer. Die SA-Leute saßen an den Tischen herum oder standen an der Theke. Es mußte ein ganzer Sturm, vielleicht sogar ein Sturmbann sein. Sie waren meine Feinde, Feinde mit Stahlruten und Schlagringen. Jeden Augenblick konnte ihre johlende Fröhlichkeit in Haß umschlagen. Sie brauchten nur zu entdecken, wer die Lönssänger waren und zu welcher Partei einige von ihnen gehörten. Die SA-Leute unterhielten sich laut.

»Wo habt ihr denn die aufgegabelt, diese Typen?« und »Wo kommen denn die her?« und »Die sollen sich mal die Haare schneiden lassen« und schließlich kam einer von ihnen an den Tisch und wiederholte, was der erste schon gesagt hatte, »Na, Jungs, jetzt singt mal einen.«

»Schwarzbraun ist die Haselnuß«, flüsterte der Bariton, »das können wir besser als die. Drei, vier.«

Wir sangen es als Volkslied, nicht als Marschlied. Es klang fröhlich, nicht gewalttätig. Es gefiel den SA-Leuten. Sie riefen »Bravo« und »Gut gemacht« und »Mensch, sieh dir das an, diese Typen, die können ja singen« und »Noch mal dasselbe«.

»Die erste Strophe nochmal«, sagte der Bariton, »mehr nicht. Dann singen wir was anderes. Drei, vier.«

Wir sangen die erste Strophe. Die SA-Leute gröhlten mit, sie dröhnten mit, sie schrien wieder »Bravo, gut gemacht« und dann:

»Bier her, Bier für die Jungs. Eine Lage, dalli, dalli.«

Sie wurden neugierig, kamen von der Theke herüber und standen von den Tischen auf.

»Wer seid ihr denn? Wo kommt ihr denn her?«

»Werkstudenten«, sagte ich.

»Aus Berlin?«

»Ja, Werkstudenten aus Berlin.«

»Sieh mal einer an. Aus Berlin. Studenten.«

Ich sah in ihre fragenden, neugierigen Gesichter. Ich log sie an, aber sie glaubten, was ich sagte: Werkstudenten, die sich ihr Geld verdienen mußten, um weiterstudieren zu können.

»Ja, ja, eine beschissene Zeit, auch für die Studenten. Aber es dauert nicht mehr lange. Bald ist es vorbei. Dann könnt ihr wieder studieren. Dann braucht ihr nicht mehr singen zu gehen.«

Sie schimpften nicht auf die Republik, wie es Onkel August getan hätte, sie erwähnten sie nicht. Die Republik war schon tot in ihren Augen, abgetan und erledigt. Es war nur noch eine Frage der Zeit. Der Sieg von morgen gehörte ihnen, den Sturmkolonnen. Ich sah es ihnen an, es stand in ihren Gesichtern, es war in ihrem Lachen.

»Eine Lage Schnaps für die Herren!«

Sie prosteten den Lönssängern zu, sie schrien: »Ex« und »Hoch die Gläser, meine Herren«. Jetzt waren die Löns-sänger keine Typen mehr, jetzt waren sie Herren, die Herren Studenten, die sich ihr Geld mit Singen verdienen mußten. Ich trank das Bier hinunter, das Glas bis zum Boden leer.

»Und jetzt der Schnaps, hoch die Tassen!«

Ich goß den Schnaps hinterher, in den leeren Magen. Die Lönssänger begannen wieder zu singen. Ich machte den Mund auf und zu, ohne mitzusingen. Sie sangen »Rose weiß, Rose rot«. Die SA-Leute wurden still, sentimental. Der Mädchenmund rührte sie an, die wartende Rose, das »Dein denk ich alle Stund«. Die Lönssänger sangen: »Alle Stund bei Tag und Nacht, hat dein Mund mir zugelacht, dein roter Mund.«

Ich sah auf die Schlösser der Koppel, die an der Garderobe hingen, Koppel an Koppel, Schloß an Schloß. Sie hingen in einem offenen Vorraum: Koppel, mit denen man schlagen konnte, Schlösser, die gefährlich waren, wenn sie den Kopf trafen. Die Lönssänger sangen: »Rose weiß, Rose rot, wie schön ist doch dein Mund.«

Ich sah von den Koppelschlössern wieder in die Gesichter der SA-Leute. Sie saßen vornübergebeugt, die Ellenbogen auf den Knien, die Köpfe in die Hände gestützt, oder sie standen still an der Theke, die Biergläser vor den Bäuchen. Sie schrien wieder »Bravo«, sagten »Mensch, könnt ihr singen« und stritten sich, wer die nächste Lage bestellen sollte. Es kamen gleich zwei Lagen, halbe Liter, es kam eine neue Lage Schnaps, bestellt in einer entfernten Ecke des Lokals. Ich starrte auf die Schnapsgläser, auf die Biergläser, auf die Koppelschlösser im Vorraum und in die Gesichter dieser Männer. Sie waren betrunken und guter Laune. Ich hörte sie durcheinander reden.

»Da sieht man es wieder. Berlin bleibt doch Berlin.«

Sie prosteten uns wieder zu.

»Auf ein Neues« und »Hoch die Tassen« und »Zicke, zacke noch einmal«. Sie setzten die Gläser an und riefen: »Ex, meine Herren.«

Ich goß alles in mich hinein, Bier und Schnaps. Ich trank, obwohl ich nichts im Magen hatte. Wir mußten »Ex« trinken. Alles andere hätten die SA-Leute nicht verstanden.

»Noch ein Lied, ein schönes. Singt mal was von Adolf.«

Wir überhörten es. Wir taten, als wüßten wir nicht, wer Adolf sei. Wir sangen: »Es steht ein Soldat am Wolgastrand.«

Die Tränen des einsamen Soldaten am Wolgastrand stiegen in die Augen der SA-Leute. Ich glaubte es zu sehen, ihre rührselige, augenfeuchtmachende Sentimentalität. Es war ihr Soldat, der da um Mitternacht Posten stand, auf der Wacht in einem fremden Land und mit der Sehnsucht nach dem fernen Zuhause. Sie schrien wieder »Bravo« und »Weiter so«. Jeder wollte jetzt ein anderes Lied haben: »Argonnerwald« und »Annemarie« und »Westerwald«.

Die Lönssänger spielten »Argonnerwald«. Die SA-Leute sangen mit. Sie sprangen auf, schoben ihre Stühle zurück und dröhnten den Argonnerwald aus sich heraus. Ich machte den Mund nicht mehr auf und zu. Es war nicht mehr nötig, Mitsingen vorzutäuschen. Ich hatte die Ellenbogen auf dem Tisch und starrte die betrunkene, singende Menge an.

»Was ist los?« flüsterte der Bariton neben mir, »was hast du?«

»Das geht nicht gut. Wo steckt denn der Stadtrat, der uns eingeladen hat? Du hast die Einladung doch angenommen.«

»Vielleicht ist es einer von denen, vielleicht sind wir auch im falschen Lokal. Warum soll es denn nicht gut gehen?«

»Sieh dir die doch an«, sagte ich.

»Ach was. Die sind prima. Mit denen werden wir schon fertig.«

»Ich weiß nicht«, sagte ich. Ich sah die SA marschieren, wie ich sie am Vormittag gesehen hatte, Kinn an Kinn, Sturmriemen an Sturmriemen, Arm an Arm, Hand an Hand, ein unübersehbarer Heerwurm. Sie marschierten über mich hinweg, über Alex Smirnoff, über Liverpool, über unsere Freunde, unsere Genossen. Ich war betrunken, ich spürte es, ich sah die singenden, aufgerissenen Münder, sah die Koppelschlösser in der Garderobe und hörte sie brüllen: »Westerwald« und »Da pfeift der Wind so kalt«.

Die Lönssänger waren kaum noch zu hören. Die SA-Leute überschrien sie, zum Westerwald schlugen sie den Takt auf Stühlen und Tischen mit Biergläsern, mit Stiefelabsätzen, mit den Fäusten. Die Lönssänger verstummten. Sie waren erschöpft. Eine neue Lage kam auf den Tisch, Bier und Schnaps. Die SA-Leute schrien wieder »Ex« und »Hinein, die Sachen« und »Prost, die Herren! Singen könnt ihr ja, das muß man sagen«.

Plötzlich wurde es still. Jemand kam herein, der die Stille verursachte. Ich sah ihn eintreten. Er trug eine SA-Uniform, sah aber nicht wie ein SA-Mann aus. Er war klein, drahtig, elegant. Sein braunes Hemd war heller als das der anderen, seine Breecheshosen saßen straff, das Leder seiner Stiefel war schwarz, glänzend, weich. Die SA-Leute drehten sich alle zu ihm hin. Er beachtete sie nicht, er sah an ihren Gesichtern vorbei auf die Lönssänger.

»Was sind das für Kerle?«

Seine Stimme, eine Befehlsstimme, hatte einen unangenehmen, quäkenden Überton, sie klang heiser, gepreßt. Er wiederholte seine Frage, aber er bekam keine Antwort. Die SA-Leute schwiegen. Seine Augen waren auf die Lönssänger gerichtet, sein Blick lief prüfend von Gesicht zu Gesicht und blieb bei mir hängen. Ich versuchte ihn offen anzusehen.

»Wie kommt ihr hierher?«

»Wir sind aus Berlin. Werkstudenten. Man hat uns eingeladen.«

»So. Werkstudenten. Ihr seht nicht so aus.«

»Wir sind es aber.«

»Das werden wir sehen«, sagte er.

Er wandte sich von mir ab und sah die herumstehenden, jetzt schweigenden SA-Leute an.

»Habt ihr die eingeladen?«

»Nein, Sturmführer.«

»Wer hat sie denn eingeladen?«

»Niemand, Sturmführer.«

Er setzte sich an einen der Tische, wenige Schritte von unserem Tisch entfernt. Er sagte:

»Gut, weitermachen.«

Sofort setzten sich alle und begannen, wie befohlen, weiterzumachen.

»Also, Leute, was ist mit denen da?«

Die SA-Leute wurden wieder lebhaft.

»Los, Jungs, singt noch mal einen«, und »Noch mal ›Rose weiß, Rose rot‹ für den Sturmführer.«

Die Lönssänger stimmten ihre Instrumente. Alle waren betrunken. Sie stimmten zu lange, zu ausführlich, einer der Akkordeonspieler fand nicht den richtigen Ton.

»Na, wird's bald«, sagte der Sturmführer.

Sie begannen zu singen. Es war ein betrunkener Gesang. Die Rose schwamm auf Schnapsstimmen, auf zerquetschten, gepreßten, jetzt unordentlichen Stimmen, die sich überschlugen und durcheinander gerieten.

Der Sturmführer sah mich unverwandt an. Abneigung und Verachtung standen in seinem Gesicht. Das Lied mißfiel ihm. Es war ein ziviles Lied, kein Sturmlied. Bei »Dein denk ich alle Stund« sprang er auf und rief: »Aufhören!«

Die Lönssänger sangen weiter. Sie waren es nicht gewohnt, mitten im Lied unterbrochen zu werden. Der Sturmführer wiederholte seine Aufforderung.

»Aufhören, habe ich gesagt!«

Es klang scharf, unmißverständlich, drohend. Die Stimmen der Lönssänger setzten aus. Die Instrumente verstummten, ein Instrument nach dem anderen. Einer der Lönssänger sang noch: »Wie rot ist doch dein Mund.« Es klang ironisch, unehrerbietig.

Der Sturmführer stand an dem Tisch, an dem er gesessen hatte, befehlsgewohnt, straff, kleiner als die anderen. Er sah sich seinen Sturm an, seine jetzt schweigsamen Männer.

»Ich weiß nicht, mir gefallen diese Jungs nicht. Was meint ihr, Leute?«

Niemand widersprach. Sein Mißfallen sprang auf die SA-Leute über, sein Mißtrauen auch. Jetzt stand in allen Gesichtern Mißtrauen, derselbe Zweifel, dieselbe Abneigung.

»Die sollen mal das Horst-Wessel-Lied spielen. Los, ihr da, spielt das Horst-Wessel-Lied.«

Ich spürte Haß in mir aufsteigen. Ich kannte diesen Haß. Es war ein Haß, der töten konnte, ich hatte ihn in den letzten zwei Jahren kennengelernt. Ich haßte diesen Haß, aber war wehrlos gegen ihn. Ich konnte ihn nicht unterdrücken.

Die SA-Leute sprangen auf.

»Jawoll, Sturmführer, das Horst-Wessel-Lied. Das sollen sie spielen.«

Ich sah die Lönssänger an. Sie saßen um den langen rechteckigen Tisch herum, die Gitarren auf den Knien, die zwei Geigen auf dem Tisch, neben den leeren Biergläsern, den Schnapsgläsern. Sie waren betrunken, müde, hungrig.

»Das singe ich nicht«, flüsterte Flöte, der Anarchist, »das können wir nicht. Die sollen ihren Mist allein singen.«

Sie stimmten ihre Instrumente, lange, anhaltend, laut, die Köpfe gesenkt, an den Hälsen ihrer Gitarren, ihrer Geigen, über die Akkordeons gebeugt. Der Sturmführer betrachtete sie aufmerksam. Er spürte ihre Unsicherheit, ihre Unschlüssigkeit.

»Singt nicht«, flüsterte ich.

»Warum nicht?« sagte der Bariton. »Was gehen uns ihre Lieder an?«

»Nein«, sagte ich.

»Los. Singen wir, sonst kommen wir hier nicht mehr raus.«

Ich sah auf die Schlösser der Koppel, die in der Garderobe hingen. Angst kroch von dort zu mir herüber, Angst vor den Schlagringen, den Stiefelabsätzen, den zuschlagenden Koppelschlössern. Einige der Lönssänger begannen zu singen, der Bariton, der Tenor, drei andere. Es klang zerfahren, nicht abgestimmt, unsicher. Es war kein Marschlied mehr, kein Sturmlied. Sie sangen »Kameraden, die Rotfront und

Reaktion erschossen«. Es klang weich, melodisch. Sie sangen »Die Fahne hoch, die Reihen fest geschlossen«. Die Fahne schwankte, ihr Tuch wölbte sich nicht im Sturmwind, die Reihen waren nicht fest geschlossen, sie zerflossen.

Der Sturmführer hob die Hand. Es war ein Zeichen des Unmuts, der kleinen, kalten Empörung. Ein Kleinstadtgoebbels, dachte ich, ein Provinzgoebbels: intelligent, gerissen, verschlagen. Er wandte sich seinen Männern zu.

»Merkt ihr nicht, daß die das noch nie gesungen haben? Die singen das zum erstenmal.«

Er drehte sich auf dem Stiefelabsatz um, eine elegante, militärische Bewegung. Er schrie, jetzt im Kommandoton. »Aufhören. Es reicht mir. Ihr habt das Lied nur gesungen, weil ich es von euch verlangt habe. Ihr seid Feiglinge. Weiter seid ihr nichts.«

Er machte eine Pause, als erwarte er eine Antwort, ein Zurückweisen seiner Beschimpfung. Ich sah das kalte Abwarten in seinen Augen: Na, jetzt kommt schon aus euch heraus, damit ich euch fertigmachen kann. Niemand antwortete. Der Sturmführer wartete vergebens. Alle nahmen den Vorwurf hin. Ich wollte sagen: Wir sind keine Feiglinge, Herr Sturmführer, aber ich sagte es nicht. Ich starrte auf die SA-Leute, in die jetzt feindlichen Augen des ganzen Sturms. Liverpool hätte vielleicht widersprochen, sich gewehrt und sich dann zusammenschlagen lassen, eine Geste hoffnungsloser, revolutionärer Kühnheit. Ich aber schwieg. Ein Gefühl dumpfer, zorniger Scham machte mich stumm, ließ mich nicht aufspringen und schreien: ›Nehmen Sie das sofort zurück‹. Die Lönssänger hätten das Horst-Wessel-Lied nicht singen dürfen, sie hätten schweigen müssen, einer wie der andere.

Jetzt sprach der Sturmführer wieder. Er hatte lange genug gewartet.

»Macht, daß ihr rauskommt. Und zwar dalli, dalli. Los, macht schon!«

Wir standen von unseren Stühlen auf, einige etwas zu eilig,

wenige gelassen. Ich erhob mich als letzter. Ich versuchte ruhig zu sein, so zu tun, als hätte ich Zeit. Ich wollte dem Sturmführer meine Verachtung zeigen, die widerborstige Langsamkeit dessen, der auf Befehle nicht hört. Der Sturmführer winkte ab.

»Na, lauf schon, Mensch!«

Es wurde ein Spießrutenlaufen. Die SA-Leute standen bis zur Tür. Es war ein höhnisches Spalier, eine Gasse johlenden Gelächters. Jetzt waren die Lönssänger wieder Typen: »Seht euch mal die Typen an«, und »Nein, was für Typen.«

»Wenn die nicht von der Kommune sind, dann fresse ich einen Besen«, sagte einer der SA-Leute hinter mir. Jemand stieß mich in den Rücken. Ich fiel fast durch die Tür. Ich taumelte noch auf der Straße. Draußen war es dunkel, eine Kleinstadtnacht ohne Straßenbeleuchtung. Es mußte weit nach Mitternacht sein. Ich ging nach rechts, die Straße entlang. Es war mir gleichgültig, wohin ich ging. Ich war betrunken, ein betrunkener Feigling, ein betrunkener Kassierer. Alle waren sie Feiglinge, die neben mir und hinter mir gingen. Ich konnte sie nicht sehen, es war zu dunkel. Ich erkannte sie nur an den Stimmen. Sie stritten sich. Einer warf dem anderen das Horst-Wessel-Lied vor.

»Wir hätten das Horst-Wessel-Lied nicht singen dürfen, niemals.«

»Aber du hast doch mitgesungen.«

»Ich? Ich habe nicht mitgesungen. Du vielleicht, ich nicht.«

»Und wenn wir nicht gesungen hätten, dann hätten sie uns zusammengeschlagen.«

»Wir hätten uns ja wehren können.«

»Wehren? Womit denn?«

»Also hast du aus Feigheit mitgesungen?«

»Ich bin kein Feigling. Vielleicht bist du es?«

Die Stimmen hinter mir wurden lauter, zorniger. Jeder machte den anderen für das verantwortlich, was geschehen war. Ihr Streit artete in Schimpfereien aus. Ich hörte nur

noch Schimpfworte: Idiot, Scheißkerl, Nichtskönner. Ich lief
gegen einen Baum. Wir mußten in einen Park geraten sein.
Bäume standen um uns herum. Der Streit hinter mir wurde
immer lauter.
»Faß mich nicht an«, schrie einer der Gitarristen, »sonst
schlage ich dir die Gitarre auf den Kopf.«
Ich hörte eine Gitarre splittern. Ich drehte mich um und
schrie:
»Laßt doch den Quatsch!«
Alle schlugen sich jetzt. Sie schlugen sich stumm. Nur die
Instrumente gaben Laute von sich, die Geigen, die Klarinet-
te, die Flöten, Gitarren, Akkordeons. Holz splitterte. Ein
Akkordeon spielte drei Takte: Rose weiß, Rose rot. Ich hör-
te: »Die Rosen hoch, die Fahnen dicht geschlossen.« Meine
Gedanken verwirrten sich. Ich lief in die Schlägerei hinein,
in das Krachen und Splittern der Instrumente.
»Schluß! Sofort Schluß damit!«
Ich hörte die Stimme des langen Baritons über mir, eine hei-
sere, wütende, betrunkene Stimme.
»Ah, der Kassierer. Diese nutzlose Tasse. Der hat uns ge-
rade noch gefehlt.«
Ich schrie auf. Der Bariton hob seine Gitarre und schlug sie
mir über den Kopf bis auf die Schultern. Ich wackelte, wank-
te und schwankte in den Knien.
»Hau ab, du blöder Heini!« sagte der Bariton.
Er ließ seine Gitarre los. Er gab sie auf. Und meine Beine
liefen von selbst, irgendwohin. Sie wackelten wie auf dem
Spittelmarkt. Ich sah wieder Polizeipferde über mir, ge-
schwungene Gummiknüppel. Sie tanzten durch meinen
Kopf. Ich fiel gegen einen Baum. Ich versuchte mich festzu-
halten, umarmte den Stamm und rutschte an der harten Rin-
de herab. Die zersplitterten Holzteile der Gitarre schnitten
in meinen Hals, in mein Gesicht. Ich sah die Schneefelder
der Ukraine vor mir. Alex Smirnoff lief darüber hin und
der Sturmführer hinter ihm her. Sie liefen schnell. Der Sturm-

führer schrie: Feigling. Er wiederholte es immer wieder. Es kam aus seinem Mund wie das Knattern eines Maschinengewehrs: Feigling, Feigling, Feigling.

Onkel August kam durch den Park. Es war hell, ein sonniger Morgen. Sein Monokel blitzte in der Morgensonne, sein Spazierstock drehte sich elegant in der rechten Hand. Er pfiff vor sich hin. Er war guter Laune.

»Bester Laune«, sagte er, »die Dinge stehen gut, mein Junge. Der Angriff rollt.«

Er ging um mich herum, berührte mich mit der Spitze seines Spazierstocks, berührte den Kopf, den Rücken, das Gesäß, stocherte an meinen Körperteilen herum und schlug zweimal kurz auf die Gitarre. Es gab einen hohlen Klang. Er nahm sein Monokel aus dem Auge und klemmte es wieder ein, ein Augenblick der Besinnung und des Nachdenkens.

»Schade«, sagte er.

Dann ging er wieder davon, durch den hellen Park. Der Spazierstock drehte sich in seiner rechten Hand. Die Vögel sangen ihm zu, und er pfiff zu ihnen zurück: Die Fahne hoch, die Reihen fest geschlossen.

X

Die Frau des Jugendherbergsvaters war klein, straff, beweglich. Sie trug das schwarze Haar gescheitelt, glatt gekämmt und zu einem Zopf gebunden, der kranzähnlich auf ihrem Hinterkopf lag.

Ich nannte sie eine sprudelnde sächsische Parteizeitung. Ihre Sätze bestanden aus Schlagzeilen und Schlagworten. Ich konnte die Sätze in den Zeitungen der Kommunistischen Partei nachlesen, wenn ich wollte. Die *Rote Fahne* lag jeden Morgen auf dem Küchentisch neben dem *Völkischen Beobachter*, den ihr Mann, der Leiter der Jugendherberge, las. Er war ein Anhänger Hitlers, und sie gehörte der Kommunistischen Partei an. Sie stritten sich jeden Tag, und ich saß mit ihnen in der Küche der Jugendherberge, hörte ihrem Streit zu und versuchte mich nicht einzumischen.

»Er ist ein Idiot«, sagte sie, wenn ihr Mann gegangen war und ich ihr allein gegenüber am Küchentisch saß, »jeden Morgen liest er seinen *Völkischen Beobachter*, nur um mich zu ärgern.«

»Und du liest die *Rote Fahne*.«

»Das ist etwas anderes.«

»Aber das muß ihn doch auch ärgern.«

»Das soll es auch. Er soll sich zu Tode ärgern.«

Ich kannte diese Redensarten schon seit einer Woche, sie kamen immer wieder und wurden mit jedem Tag heftiger.

Sie war meine Genossin, und ich sprach sie so an: Genossin oder Genossin Irene. Sie hatte mich darum gebeten. »Sag Genossin zu mir oder auch Genossin Irene.« Es bereitete ihr

Freude und Genugtuung, in Gegenwart ihres Mannes zu mir Genosse zu sagen: »Genosse Karl, was sagst du dazu?« Ich sagte fast nie etwas dazu. Der Streit der beiden war mir peinlich. Es war mir gleichgültig, wer von beiden den *Völkischen Beobachter* und wer die *Rote Fahne* las. Es war ein politischer Ehestreit ohne Ende, der jeden Morgen von vorn begann.

Genossin Irene schlief allein im Wohnzimmer. Sie haßte ihren Mann nicht, sie gab vor, ihn zu verachten. »Mit ihm teile ich nicht mehr das Bett. Kannst du das verstehen, Genosse?« Ich verstand es, ein Mann, der von den Kommunisten zu den Nationalsozialisten übergelaufen war, mit dem, so sagte ich, könne man auch nicht mehr zusammen schlafen, das gehe zu weit. »Schlaf doch allein, du schläfst ja doch nur mit deiner Partei.« Ich hatte es von ihrem Mann gehört, er hatte es ihr über den *Völkischen Beobachter* hinweg ins Gesicht gesagt. »Deine Partei, dein Teddy Thälmann, daraus wird doch nichts mehr.« Ich schlief in dem großen Saal der Jugendherberge, neben Jugendlichen, die auf Fahrt waren, und mit herumwandernden Arbeitslosen, die sich nirgends mehr zu Hause fühlten. Ich hatte mich bis hierher, bis in diese Jugendherberge in Leipzig durchgeschlagen, ohne Geld und ohne jede Aussicht, etwas zu verdienen. Jetzt wartete ich auf das Reisegeld nach Berlin, um das ich Gerda in einem postlagernden Brief gebeten hatte.

Tag für Tag saß ich in der Küche der Jugendherberge bei der Genossin Irene herum. Sie hatte mich aufgenommen, aus Mitleid, aus Solidarität einem Genossen gegenüber, den die SA zusammengeschlagen hatte, und jeden Tag fragte sie erneut nach der Schlägerei mit der SA.

»Und da haben sie euch einfach so zusammengeschlagen, nur weil ihr nicht das Horst-Wessel-Lied singen wolltet?«

»Ja, deswegen. Der Sturmführer hat es verlangt, aber wir haben es nicht gesungen. Und da ging es los, da haben sie uns hinausgeprügelt.«

»Und ihr habt euch nicht gewehrt?«

»Doch, doch, so gut es ging mit unseren Instrumenten und mit allem, was wir hatten, aber es war ein ganzer Sturm, und sie schlugen mit ihren Koppeln, mit Stahlruten und Schlagringen, kannst du dir das vorstellen?«

»Mein Gott, da wäre ich gern dabei gewesen. Dem Sturmführer hätte ich die Augen ausgekratzt.«

Ich log, um nicht die Wahrheit zu sagen, und je öfter ich ihr von der nächtlichen Auseinandersetzung erzählte, um so mehr wurde es auch für mich zu einer Schlägerei mit der SA. So hätte es sein müssen, eine männliche Schlägerei unter politischen Feinden. Ich wollte das Wort des Sturmführers »Ihr seid Feiglinge, weiter seid ihr nichts« vergessen und die moralische Niederlage.

Ich trug noch immer einen Kopfverband. Jeden Abend pflegte mich die Genossin Irene. Sie wickelte den Kopfverband ab, wusch ihn und legte ihn wieder an. Ich erzählte dabei von den Lönssängern, die nach der nächtlichen Schlägerei auseinandergelaufen waren, ich erzählte von der Arbeit in der Partei und von Alex Smirnoff, der in der großen russischen Revolution dabeigewesen war.

»Wahrscheinlich«, sagte ich, »hat er zum Stab Trotzkis gehört.«

Sie glaubte mir, was ich sagte, aber sie lehnte Leo Trotzki ab, ein Verräter auch für sie, einer, auf dessen Thesen und Theorien man nicht hören durfte. »Und dein Freund Alex ist ein Verirrter. Aber er wird sich schon wiederfinden. Die Partei entläßt keinen, der zu ihr gehört. Jeder kommt wieder zurück.«

Ich widersprach ihr nicht. Sie glaubte an die richtige Politik der Partei, an die Generallinie. Aus ihrem Mund kamen die Theorien der Partei wie fertige Sprüche, Transparente über dem Küchentisch, Spruchbänder über dem Kopf ihres Mannes. Jeden Abend saß sie mit ihrer Gitarre mir gegenüber auf einem Stuhl neben dem Spülstein der Küche und sang

mir revolutionäre Lieder vor, die sie »Eisbrecherlieder« nannte, Lieder der deutschen Jugendbewegung, die auch die Lönssänger gesungen hatten. Sie erzählte mir von der linken
Jugendbewegung, der sie noch immer anhing.
»Weißt du, es war eine schöne Zeit. Aber jetzt gehe ich nur
noch manchmal hin. Jetzt bin ich zu alt dazu.«
Sie war etwa dreißig, zu alt für mich, eine Genossin von
dreißig Jahren. Ihr Gesicht war klein, eng und wurde fana-
tisch, wenn sie von der Partei sprach oder sich mit ihrem
Mann stritt. Ihre dunklen Augen sahen wie Stecknadelköpfe aus, schwarze Stecknadelköpfe.
Ich sah sie prüfend über mir, wenn sie mir den Kopfverband
abnahm. Sie stand dann über mich gebeugt neben dem Küchenstuhl, auf dem ich saß, und riß das letzte Stück des verkrusteten klebenden Verbandes von meiner Stirn.
»Sei still, Genosse, ich tu dir nicht weh.«
Sie sagte es jeden Abend: »Still, Genosse«, und ich ant-
wortete: »Ich bin ja still, Genossin.« Ich sah ihre dunklen
Stecknadelkopfaugen dann schwärzer werden, zärtlich und
sentimental. Ich versuchte ihren Augen auszuweichen, ich
wollte sie nicht verletzen. Ohne sie hätte ich hier nicht bleiben und warten können, und sie hatte mich aufgenommen
wie einen Bruder.
»Wie? Sie sind Genosse?«
»Ja.«
»Und von der SA zusammengeschlagen?«
»Ja.«
»Karl heißen Sie?«
»Ja, Karl.«
»Gut, Genosse Karl, dann kannst du bleiben, solange du
willst. Ich heiße Irene, Genossin Irene. Es ist selbstverständ-
lich, daß wir dich aufnehmen.«
Sie hatte mir ein Bett in dem großen Saal angewiesen und
mich aufgefordert, zu ihr in die Küche zu kommen. Seitdem
saß ich an dem Küchentisch, morgens, mittags, abends, aß,

was sie mir kochte, las die Zeitungen der Nationalsozialisten, die ihr Mann mitbrachte, und die Zeitungen der Kommunistischen Partei, die sie abonniert hatte, und hörte dem Streit der Eheleute zu. Abends war ich mit der Genossin Irene allein. Ihr Mann verschwand kurz nach dem Abendessen irgendwohin, zu politischen Versammlungen, und fast jedesmal, wenn er die Tür öffnete, rief sie ihm nach: »Ja, geh nur zu deinen Nazis. Das wirst du noch einmal bitter bereuen.« Oder: »Na, gehst du schon wieder zu deinem Hitler?« »Ja, wie du siehst.« – »Und du schämst dich nicht?« – »Warum soll ich mich denn schämen. Denk du nur an deinen Thälmann, diesen aufgeblasenen Frosch, diesen Luftballon!« – »Mach, daß du rauskommst.« – »Ja, ich geh ja schon. Heil Hitler!«

Kaum hatte ihr Mann die Tür hinter sich geschlossen, setzte sie sich an den Küchentisch mir gegenüber, und ich sah in ein leeres, verzweifeltes Gesicht, abgehärmt und ohne Farbe.

»Glaubst du nicht, daß er verlieren wird? Hitler muß doch verlieren, und dann kommt mein Mann vielleicht zurück zur Partei. Meinst du nicht, Genosse?«

»Er kann nur verlieren«, sagte ich dann und sprach von der Revolution, von der großen proletarischen Revolution, vor der es kein Ausweichen gab, und sie hörte mir zu, schwor der Partei eiserne Standhaftigkeit und verwarf jede Abweichung. Sie war stark in ihrer Überzeugung, und mit jedem Tag zog sie auch mich weg von der Theorie der permanenten Revolution, von Trotzki und Alex Smirnoff, zurück zur Generallinie der Partei. Für sie gab es keinen anderen Weg, der zum Sieg führen konnte. Ich dachte dabei an Liverpool, an seine Überzeugungskraft, seine Beharrlichkeit, seine revolutionären Gesten. Ich erzählte ihr davon.

»Liverpool?« fragte sie. »Wer ist denn das? Liverpool, das ist doch eine Stadt.«

»So heißt auch ein Genosse. Einer, für den die Generallinie

alles ist, die Einheit zwischen Theorie und Praxis, ein Danton der Partei. Für ihn bin ich ein Konterrevolutionär.«

Sie begriff den »Konterrevolutionär« nicht. Für sie war das ihr Mann, einer, der ins Lager der Gegenrevolution übergelaufen war, einer, mit dem sie das Bett nicht mehr teilen konnte. Ich aber war für sie ein Genosse, dessen Zweifel nicht einmal Abweichungen für sie waren.

»Ich bin mit der Konterrevolution verheiratet. Ja, stell dir das vor, mit der Konterrevolution verheiratet sein. Weißt du, was das heißt? Aber du, Karl, du bist doch ein Genosse. Du gehörst doch zu uns. Da hat sich dein Liverpool geirrt.«

Ich bestätigte den Irrtum Liverpools. Ich sagte ihr, daß ich Mitglied der Kommunistischen Partei und kein Konterrevolutionär sei. Liverpools Wutausbruch war nur eine Episode gewesen, eine Nebensächlichkeit, die man vergessen konnte. Das Reisegeld kam an einem Sonnabend. Gerda erwartete mich Sonntag. Sie wollte mich auf dem Bahnhof abholen. Ihr Vater war unterwegs zu einer Polizeiführerbesprechung. Sie schrieb: »Gott sei Dank, daß du nicht nach Spanien gekommen bist.« Ich fand diesen Satz überflüssig. Ich saß auf dem Küchenstuhl in der Jugendherbergsküche und sah auf den Rücken meiner Genossin, die am Küchenherd stand. Sie hatte mir den Brief gegeben, einen Eilbrief, der erst am Abend gekommen war.

»Du reist also. Es ist doch so? Dein Mädchen hat dir das Geld geschickt?«

Sie sprach zur Wand, ohne sich umzudrehen.

»Ja, morgen nach Berlin. Es wird auch höchste Zeit.«

»Und was ist das für ein Mädchen? Eine Genossin?«

»Nein, keine Genossin.«

Ich sah Gerda vor mir, die Tochter eines Polizeimajors unter roten Fahnen, hinter einer Schalmeienkapelle, mit ihrem latschigen Gang, die Internationale singend – eine Vorstellung, über die ich lachen mußte.

»Warum lachst du? Darüber gibt es doch nichts zu lachen. Sie könnte doch eine Genossin sein. Warum soll sie es denn nicht sein?«

»Weil sie es nicht sein kann. Sie ist keine Genossin.«

Meine Antwort genügte ihr nicht. Sie wollte mehr wissen, Alter, Beruf, Aussehen, Gerdas Anschauungen.

»Denkt sie wie du? Ich meine politisch.«

Ich begann von der Kameradschaftsliebe zu sprechen, von der Revolution der modernen Jugend, von der Sachlichkeit und der Aufklärung aller Sexualbeziehungen. Ich bezeichnete Gerda als ein modernes Mädchen.

»Also ein bürgerliches Mädchen?«

Ich ging nicht darauf ein. Ich ließ eine Gerda entstehen, die es nicht gab. Mit jedem Satz wurde sie aufgeklärter, intelligenter, eine Frauenrechtsvorkämpferin in jugendlichem Alter.

Genossin Irene hörte mir zu, als spräche ich von ihrem eigenen Leben, einem erhofften, erträumten Leben, in dem es keine Jugendherberge gab und keinen Mann, der Adolf Hitler nachlief. Sie hatte sich umgedreht, war näher gekommen und stand jetzt dicht vor meinen Knien. Ich sah zu spät ihre Augen.

»Mein Gott, Karl.«

»Was ist?«

»Und ich?«

»Und was?«

»Und ich? Was soll aus mir werden?«

Ich verstand ihre Frage nicht. Sie war verheiratet, sie wartete auf die siegreiche Revolution, nach der ihr Mann in ihre Arme und in ihr Bett zurückkehren würde, ein Geschlagener, ein Bekehrter, ein Reumütiger. Daran gab es keinen Zweifel. Auch nicht für mich. Sie stand neben mir, über mich gebeugt, ihre Lippen bewegten sich über meine Stirn, am Haaransatz entlang, zärtlicher als Gerdas Lippen. In meiner Nase war der Geruch ihrer Kleider, ein Genossinnengeruch, ein herber Geruch. So mußte die Revolution riechen, nach frisch gegerbtem Leder, so hatten vielleicht die Matrosen von Kronstadt gerochen, nach Leder und Stiefelfett, und jetzt ein weiblicher Geruch, der Geruch einer Revolutionärin. Sie setzte sich auf meine Knie, mit einer Bewegung ohne Scheu, schnell, selbstverständlich, und so, daß ich es nicht verhindern konnte.

»Ach, du verstehst so vieles nicht.«

Sie flüsterte es vor meinem Gesicht, die Arme um meinen Hals. Ich wußte nicht, was ich darauf antworten sollte. Mir fiel nur die Revolution ein, die einzige, große, siegreiche Revolution.

»Was soll aus dir werden? Die Revolution wird siegen, und wenn sie gesiegt hat, dann hast du doch auch gesiegt, über alle, auch über deinen Mann.«

Sie sah mich an, als sei ich noch sehr unerfahren, zu jung, um alles zu verstehen. Ihre Arme schlossen sich enger um meinen Hals. Ich hatte mein Gesicht nicht mehr frei, meine Nase saß im Ausschnitt ihrer Bluse, oberhalb ihrer Brust, an ihrer Haut, die nach Kernseife roch, vermischt mit dem Geruch nach frischgegerbtem Leder. Sie schüttelte ihren streng gescheitelten Kopf.

»Die kommt nie.«

»Was kommt nie?«

»Die kommt nie, die Revolution.«

Ich erschrak. Jetzt stand wieder alles Kopf, wie seinerzeit auf dem Spittelmarkt. Auch sie zweifelte also, zweifelte wie Alex Smirnoff und andere, auch sie war kein Liverpool, kein weiblicher Liverpool, für die ich sie doch gehalten hatte. Ich griff nach ihren Handgelenken und zog ihre Arme auseinander, von meinem Hals weg zur Seite.

»Aber, das ist doch nicht möglich, Genossin?«

Ich sagte Genossin, aber sie überhörte es, sie flüsterte »Irene, ich heiße Irene« und dann:

»Alles ist möglich, Karl. Glaub es mir.«

»Aber du hast doch die ganze Zeit von dem Sieg der Revolution geredet?«

»Ja, natürlich. Wovon soll ich denn sonst reden?«

»Und du hast nicht daran geglaubt?«

»Nein, nicht mehr. Schon lange nicht mehr.«

Ich lehnte mich zurück, soweit es die Stuhllehne zuließ, und schob sie von mir weg, bis auf den äußersten Rand meiner Knie. So konnte ich ihr Gesicht sehen, ihr enges Gesicht, ihre kaum ausgeprägten Backenknochen, ihr etwas zu spitzes Kinn, den schweren Haarkranz auf ihrem Kopf, ihre dunklen Augen, die sich verschleierten und feucht wurden.

»Nicht weinen. Warum weinst du denn, Genossin?«

Ihre Tränen kamen schnell. Sie liefen bis zu ihren Mundwinkeln hinunter und tropften von ihrem Kinn auf den Halsansatz. »Gib mir dein Taschentuch, schnell.«

Ich zog mein Taschentuch umständlich aus der Hosentasche. Ich war froh, daß ich etwas tun konnte, daß ich Zeit gewann. Ich hatte eine weinende Genossin auf den Knien, eine weinende Parteizeitung. Ich dachte: eine weinende Rote Fahne. Sie fuhr mit meinem Taschentuch über ihr Gesicht und deckte es ganz damit zu, als schäme sie sich. Sie sprach unter dem Taschentuch heraus.

»Ach, du verstehst es nicht. Du bist viel zu jung dazu. Du begreifst ja nichts.«

»Also hat Trotzki doch recht?«

»Nein, der hat auch nicht recht.«

»Oder die Generallinie der Partei ist falsch für dich. Genauso falsch wie für Alex Smirnoff.«

»Nein, nein, das ist es ja nicht.«

»Was ist es denn?«

»Es ist mein Mann.«

»Dein Mann? Aber wieso denn dein Mann?«

»Ja, mein Mann.«

Sie nahm mein Taschentuch von ihrem Gesicht, zerknüllte es in ihrer Hand und stieß mir damit vor die Brust.

»Verstehst du das denn nicht? Er soll nicht recht bekommen.
Er darf nicht recht bekommen. Niemals. Ich hasse ihn.«
Ich wußte nicht, was ich mit ihrem Haß anfangen sollte.
Ihr Haß interessierte mich nicht. Er hatte nichts mit Politik
zu tun, weder mit der einen noch mit der anderen Partei.
Er hatte andere Ursachen, tiefere vielleicht, Eifersucht, Be-
trogensein, Vernachlässigung. Ich wußte es nicht. Es ging
mich nichts an. Ich wollte es nicht wissen. Ihre Tränen waren
mir lästig, jetzt, wo es nur noch um ihren Mann ging. Alles
störte mich, ihr Kernseifen-Ledergeruch, ihr Körper auf meinen Knien, ihre Arme, die wieder um meinen Hals lagen, ihr
verweintes Gesicht. Ich schob meine Hände unter ihre Achseln
und hob sie an. Sie war leicht. Ich versuchte dabei aufzustehen und sie auf den Boden der Jugendherbergsküche zu
stellen. Sie widersetzte sich.
»Bleib doch hier. Fahr nicht weg. Laß mich nicht allein.«
Ich wußte nicht, was ich ihr sagen sollte. Es gab keine Antwort, die sie zufriedenstellen konnte. Gerdas Brief lag auf
dem Küchentisch. Er enthielt das Reisegeld, das Zurück nach
Berlin. Meine Genossin Irene nahm den Brief auf, drehte
ihn vor meinen Augen herum und warf ihn wieder auf den
Tisch.
»Du liebst sie also, dieses Mädchen da in Berlin?«
»Ja, vielleicht.«
»Du liebst sie wirklich?«
»Ich weiß nicht, ob ich sie wirklich liebe. Es ist auch nicht
wichtig.«
Sie rutschte von meinen Knien herunter. Ihr Rock schob
sich dabei bis zu ihrem Strumpfbandgürtel zurück. Ich sah
es und sah es nicht. Ich wollte es nicht sehen. Ich hatte
plötzlich Angst, hierzubleiben, in dieser Küche, in dieser
Jugendherberge, in dieser zerstrittenen Ehe, die ich nicht begriff. Ich nahm Gerdas Briefumschlag vom Küchentisch,
schob ihn in meine Hosentasche und lauschte auf die Schritte im Flur, die schnell näherkamen. Es waren die Schritte

ihres Mannes, wie immer um Mitternacht. Ihr Mann würde hereinkommen und Gute Nacht sagen. Er tat es nach jeder Versammlung, die er besuchte. Es war eine Geste gehässiger Höflichkeit gegenüber seiner Frau.

»Jetzt kommt der auch noch. Er soll sich ins Bett scheren. Ich will ihn nicht sehen. Bitte, bleib hier, Karl.«

Ich blieb am Küchentisch stehen. Der Kopf ihres Mannes tauchte in der halbgeöffneten Tür auf. Aber er sagte nicht »Gute Nacht«, wie er es immer tat, er öffnete die Tür ganz, kam herein und setzte sich an den Tisch. Er hatte Durst und bat um etwas zu trinken. Er sah müde aus, ein erschlafftes blondes Gesicht, ein Jugendführergesicht, ein Turnergesicht, wässrigblond und idealistisch. Seine Frau gab ihm nichts zu trinken. Ihr Gesicht zeigte wieder die alte Strenge.

»Jetzt gibt es nichts mehr zu trinken. Du hättest ja bei deiner SA trinken können, bei deinen Heilschreiern.«

Er versuchte abzuwinken, sie zu beruhigen.

»Hör damit auf. Ich bitte dich.«

Sie hörte nicht auf. Seine Bitte verfiel ihrem Redeschwall.

»Da gibt es doch immer was zu trinken bei denen. Die werden doch dafür bezahlt, bestochen mit Bier und Schnaps und wer weiß, mit was noch. Dafür, daß sie Heil Hitler schreien. Du läßt dich doch auch bestechen. Dich haben sie doch auch gekauft gegen die Arbeiterschaft, gegen deine eigenen Leute.«

Ihre Stimme wurde lauter, schärfer, hysterischer. Für mich war es die Stimme einer Enttäuschten, Zurückgesetzten, einer Klassenkämpferin, die keine war. Ihr Mann, das blonde Turnergesicht, mußte dafür bezahlen, jeden Tag. Vielleicht war er deswegen zu den Nationalsozialisten gegangen. Ich dachte es, als ich die Tür öffnete. Ich hatte sie mit zwei Schritten erreicht. Das streitende Ehepaar bemerkte es nicht. Sie waren wieder befangen in ihrer Welt, Gefangene ihrer Enttäuschungen, die sie in Politik übersetzten. Ihre Stimmen kamen hinter mir her.

»Und was hast du mit diesem Jungen, mit diesem heruntergekommenen Bengel, diesem angeblichen Kommunisten, mit seinem dreckigen Verband um den Kopf?«

»Daran ist deine SA schuld. Sie hat ihn zusammengeschlagen. Das weißt du ja.«

»Immer die SA, die SA. Und ihr, ihr seid wohl die reinsten Engel?«

Ich verstand die Antwort der Genossin Irene nicht mehr. Ich betrat den Schlafsaal der Jugendherberge. Ich schlich mich hinein, ohne das Licht einzuschalten. Mein Bett war wenige Schritte von der Tür entfernt, das dritte Bett. Der Schlafsaal war voll besetzt, jedes Bett hatte seine Schläfer, wandernde, vagabundierende Arbeitslose. Sie schliefen in ein Morgen hinein, das ihnen nichts zu bieten hatte. Ich zog meinen kleinen, abgestoßenen, ramponierten Pappkoffer unter dem Bett hervor und warf meine Sachen hinein. Meinen schmutzigen, einmal weißen Trenchcoat, den ich gegen ein zweites Paar Schuhe von einem der Lönssänger eingetauscht hatte, warf ich mir über, ohne die Ärmel zu benutzen. Es blieb nur noch der Kopfverband. Ich wollte mit ihm nicht auf die Straße gehen und nach Berlin fahren. Ich riß ihn herunter und warf ihn unter das Bett.

Die Hausschlüssel hingen an ihrem Platz, hinter der Tür, wo sie immer hingen. Es war eine ordentliche, straff geführte Jugendherberge. Ich schloß die Tür, ließ den Hausschlüssel von innen stecken und ging hinaus auf die Straße. Es mußte weit nach Mitternacht sein. Es war helldunkel, ein klarer Himmel über der Stadt. Mein Zug fuhr erst am Vormittag. Gerda hatte mir die Abfahrt des Zuges und seine Ankunft in Berlin mitgeteilt.

Ich ging die Straße hinunter, dem Bahnhof zu. Ich dachte an Gerda, aber ich konnte sie mir nicht vorstellen. Mein Onkel war da, sein militärisches Lachen und die Stimme der Genossin Irene dazwischen: »Daran ist die SA schuld. Sie hat ihn zusammengeschlagen.« »Unsinn«, sagte mein

Onkel, »Unsinn, meine Liebe, er hat doch nur gelogen, weil er nicht weiter wußte. So etwas schlägt keine SA zusammen.« Ich versuchte schneller zu gehen, ich mußte von hier wegkommen, weg von der Jugendherberge, weg von der Genossin Irene und weg von allem, was mit ihr zusammenhing.

XI

Gerda stand auf dem Bahnsteig im Potsdamer Bahnhof. Ich
sah sie von meinem Abteilfenster aus. Sie begann zu laufen,
auf das Abteil zu, aus dem ich stieg. Ihre nach außen ge-
worfenen Füße bildeten zwei Halbkreise. Sie trug einen hellen Gabardinemantel, mit einem breiten Gürtel in der Taille
– eine höhere Tochter, eine Dame. Ich kam mir ihr gegenüber verloren vor mit meinem abgestoßenen Pappkoffer,
meinem dreckigen Trenchcoat, meinen ausgetretenen Schuhen und der zerkratzten Stirn, die der Kopfverband so lange
verdeckt hatte. Sie stand vor mir und lächelte ihr Rotwerde-
lächeln. Sie vermißte meine Gitarre.
»Wo hast du deine Gitarre? Hast du sie nicht mehr?« Es war
eine Verlegenheitsfrage. Ich hatte die Gitarre in der Jugendherberge stehenlassen, ein altes, verbrauchtes, jetzt nutzlo-
ses Instrument. Ich sagte ihr, daß ich nie mehr singen würde,
das sei nun vorbei. Sie schüttelte den Kopf, wiederholte mein
›Nie mehr‹ und ging neben mir her, dem Bahnhofsausgang
zu.
»Wohin gehen wir denn?« fragte ich.
Gerda wußte es nicht. Sie schlug den Tiergarten vor, irgendeine Bank im Tiergarten, sie lächelte dabei etwas verlegen:
irgendeine freie Bank im Tiergarten gibt es doch immer.
Ich hatte keinen anderen Vorschlag. Wir gingen die Straße
entlang, die über den Potsdamer Platz zum Tiergarten führte, ich mit meinem Koffer in der linken Hand und Gerda
mit einer weißen Handtasche unter dem rechten Arm. Sie
fragte nach Spanien.
»Und warum seid ihr nicht weitergereist?«

»Wir haben uns geschlagen. Sieh dir doch die Stirn an. Das ist der Rest.«

»Ach herrjeh. Und warum habt ihr euch geschlagen?«

»Weil«, sagte ich, »ja, weil jeder von sich behauptete, er könne besser singen als der andere.«

Gerda sah auf meine Stirn. Die Schlägerei beschäftigte sie.

»Aber du hast ja überall Schrammen?«

»Nur im Gesicht und am Hals. Es ist nicht schlimm. Sie gehen bald weg.«

»Und warum bist du in die Schlägerei gekommen, wo du doch gar nicht singen kannst?«

»Eben darum. Weil ich nicht singen kann. Ich wollte sie auseinanderbringen und Frieden stiften.«

Der Tiergarten nahm uns auf. Wir gingen an einem Reitweg entlang. Ich sah flüchtig zu den Pferden hin, die unter den grünen Bäumen vorbeitrabten. Ich kam mir merkwürdig vor in meinem Aufzug, schmutzig, ungewaschen, ein gescheiterter Straßensänger und Arbeitsloser, einer von Millionen Arbeitslosen. Was wußten die Reiter auf ihren gepflegten Pferden davon? Sie kannten nur die Statistiken, die täglich in den Zeitungen zu lesen waren, die Kurven der Arbeitslosigkeit, die senkrecht nach oben stiegen. Ich dachte an Onkel August. Für mich waren diese Leute alle wie er, deutschnational bis auf die Knochen und neuerdings Hitler begünstigend, gegen die Arbeitslosen und gegen alle, die ihr Recht forderten und sich am Leben erhalten wollten. Gerda bemerkte die Reiter nicht. Sie ging neben mir, mit ihrem etwas latschigen Gang, mit ihrem Lächeln und ihrer Freude vielleicht. Ich fragte nach ihrem Vater und nach dem Hausarrest.

»Der ist schon lange aufgehoben«, sagte sie, »dein Onkel hat dafür gesorgt.«

Es gefiel mir nicht, daß mein Onkel dafür gesorgt hatte. Vielleicht hatte er auch für den Kamillentee gesorgt und für alles, was damit zusammenhing. Ich wollte die Frage unterdrücken, aber es gelang mir nicht.

»Hat er auch für den Kamillentee gesorgt, mein Onkel?«
»Aber nein. Du bist dumm!«
Sie versuchte zu lachen, sie blieb stehen und sah mich an,
und auch ich blieb stehen und versuchte, sie zu mir heranzu-
ziehen. Der Koffer störte mich dabei, ich wollte ihn auf den
Kiesweg stellen, aber ich ließ ihn fallen. Die lädierten Ver-
schlüsse sprangen auf, und der Koffer klappte auseinander.
Meine schmutzige Wäsche sah zu den Bäumen empor, in den
Frühlingshimmel, zu den sonntäglichen Reitern auf dem
Reitweg hinter uns. Gerda kam meiner Umarmung zu-
vor. Ihr Entgegenkommen gab mir meine Sicherheit wieder.
Es waren nicht die Lippen einer Genossin, es waren Gerdas
Lippen, meine Lippen, sie gehörten mir. »Dein Koffer ist
aufgegangen«, flüsterte sie, aber ich beachtete es nicht. Ich
wollte es nicht hören. Der Koffer war wertlos, ein Arbeits-
losenkoffer, den man in irgendeinen Bach des Tiergartens
werfen konnte, in einen Tiergartensee oder sonst wohin.
»Pardon«, sagte jemand hinter uns.
Es war eine männliche, erstaunte Stimme. Sie kam von oben,
aus den Kronen der Bäume heraus, unterlegt mit dem Geräusch von knarrendem Sattelzeug, und mit einem Pferde-
schnauben, das ich in diesem Augenblick wie das Wiehern
einer ganzen Eskadron empfand. Ich hätte mich gern umgedreht und etwas zu dem Reiter hinaufgeschrien: »Scheren Sie
sich weg« oder »Mach, daß du wegkommst, sonst ziehe ich
deinem Gaul eins über, daß dir Hören und Sehen vergeht«,
aber Gerdas Arme lagen um meinen Hals, ihr Gesicht an
meinem Gesicht, ihre Lippen auf meinen Lippen. Sie zog ihr
Gesicht zurück und verbarg ihren Kopf an meiner Schulter,
glitt mit ihm weiter hinunter, bis zur Höhe meiner Brust und
flüsterte etwas, das ich nur halb verstand: »Bleib so stehen,
bitte« oder »rühr dich bitte nicht« oder etwas Ähnliches.
Ich blieb so stehen. Ich stand festgewurzelt auf dem Kiesweg,
Gerdas Kopf in meinen Armen, an meiner Brust, an meinem
schmutzigen Trenchcoat. Ihre frisch gewaschenen Haare wa-

ren an meinem Mund, an meinem Kinn, sie rochen nach Shampoon oder einem anderen Haarwaschmittel, sie hatte sich für mich zurechtgemacht, nur für mich, einen Straßensänger und Arbeitslosen, und nicht für einen der Herrenreiter, zu denen auch Onkel August gehörte. Sie flüsterte etwas in meine Arme hinein: »Der soll mich nicht sehen.« Sie sagte »der« statt »er«, es klang wegwerfend. Ich hörte das Pferd hinter mir wieder antraben, die Geräusche entfernten sich, das knarrende Sattelzeug.

Gerda nahm ihren Kopf aus meinen Armen und sah dem Reiter nach, der unter den tiefhängenden grünen Zweigen der Tiergartenbäume verschwand.

»Ich dachte, es sei ein Bekannter meines Vaters, ein Polizeioffizier, aber ich glaube, er ist es nicht.«

»Immer die Polizei«, sagte ich.

Ich bückte mich, kniete neben meinem Koffer nieder, stopfte die schmutzige Wäsche fest hinein und versuchte den Koffer zu schließen. Er schloß schlecht und sprang immer wieder auf.

Ich wagte nicht, Gerda noch einmal zu umarmen. Die sonntäglichen Spaziergänger hinderten mich daran, die Sonne, der Spätnachmittag, der reitende Polizeioffizier. Ich ging neben Gerda her, den Pappkoffer wieder in der Hand, und erzählte von den Lönssängern, von den SA-Aufmärschen in den Kleinstädten, von Hitlers Anhängern, die immer zahlreicher wurden. Sie fragte nach der Kommunistischen Partei.

»Gehörst du noch immer dazu?«

»Ja, natürlich. Warum fragst du?«

»Alex Smirnoff hat davon gesprochen. Er sagte, sie würden dich vielleicht hinauswerfen, aus der Partei und aus allem.«

Ich erschrak. Ich hatte nicht mehr daran gedacht, ich hatte es unterdrückt, die Auseinandersetzungen, den Konterrevolutionär, Liverpools Andeutungen über die Möglichkeit eines Parteiausschlusses. Aber ich fragte nicht. Ich hörte Gerda zu, die von Alex Smirnoff und seiner jungen Ärztin erzählte, die sie in dem bewußten kleinen Café in der Nähe des Winterfeldtplatzes getroffen hatte. Sie hatten sich also um sie gekümmert, die beiden. Ich hatte auch daran nicht mehr gedacht.

»Und hat dir die Ärztin geholfen?«

»Nein. Es war nicht mehr notwendig.«

»Und wer hat geholfen?«

»Niemand. Ich hatte es mir wohl nur eingebildet. Es war nichts.«

Ich sah zu ihren Beinen hinunter, auf ihre Füße und wie sie sie setzte. Es kam mir vor, als ginge sie noch latschiger als sonst.

»Man bildet sich ja oft etwas ein«, sagte sie. Es klang wie eine Entschuldigung. Sie sagte es mit einem Schulterzukken, sah mich dabei an und lächelte. Ich lächelte auch, ironisch, skeptisch, mit dem Versuch, mich überlegen zu geben, als sei das, was vielleicht gar nicht geschehen war, nur eine Lappalie gewesen, nicht der Rede wert.

Wir setzten uns auf eine Bank, abseits der Spaziergänger, die jetzt weniger wurden. Ich legte den Koffer neben mich und begann von Liverpool zu sprechen. Die Andeutung, die Alex Smirnoff über einen möglichen Parteiausschluß gemacht hatte, beunruhigte mich.

»Liverpool ist verrückt«, sagte ich, »er bildet sich ein, er sei die Partei. Das ist sein Irrtum. Er allein ist nicht die Partei. Das sind auch wir, ich und alle anderen.«

Gerda hörte mir zu, die Hände in den Taschen ihres Gabardinemantels, den Rücken etwas gekrümmt an der Banklehne, die X-Bein-Knie übereinander gelegt. Ich versuchte ihr den Unterschied zwischen Liverpools Ansichten und den meinen zu erklären, hier der Sozialismus in einem Land und dort die permanente Revolution. Ich sprach, ohne mich unterbrechen zu lassen, mit gestikulierenden Händen, ein diskutierender Redner vor einem imaginären Publikum. Ich sprach von Dingen, die ich selbst nicht ganz verstand: Determinis-

mus und Dialektik, Akkumulation und Spontaneität, ange-
lesene und andiskutierte Theorien, die ich zu beherrschen
glaubte.

»Ja, spontan«, sagte ich, »der Aufstand der Massen kann
nur spontan sein. Die Revolution läßt sich nicht herbeibeten
und von oben regulieren. Sie ist kein Fluß, den man mit
Parteidoktrinen einbetten kann, wie es sich Liverpool vorstellt.«

»Und Alex Smirnoff? Was sagt er?« fragte Gerda.

»Ich weiß nicht, ob er recht hat. Was heißt schon Revolution
in Permanenz? Ich stehe zwischen Liverpool und Smirnoff,
ich bin weder für Stalin noch für Trotzki, ich bin für das
Proletariat. Jede Revolution muß von unten kommen, wird
von uns gemacht, nicht von den Theoretikern. Auf die revolutionäre Bewegung der Massen kommt es an. Rosa Lu-
xemburg wußte das genau, besser als alle anderen. Hast du
sie gelesen?«

»Ja«, sagte Gerda, »ihre Briefe aus dem Gefängnis. Ein
schönes Buch.«

»Schön ist es nicht, aber eindrucksvoll. Doch hat es nichts mit
ihren Ideen zu tun. Es sind die Briefe einer empfindsamen
Frau, die im Gefängnis sitzt, lyrische Briefe.«

»Hast du etwas dagegen?«

»Wogegen?«

»Gegen empfindsame Frauen?«

Gerda lächelte mich an. Es war ein halbes, ein verstecktes
Lächeln. Ich bemerkte es, ohne es zu beachten. Ihre Frage
störte mich. Ich hatte nichts gegen empfindsame Frauen, aber
hier ging es um grundsätzliche Fragen der proletarischen Revolution, es ging um die Frage: spontane revolutionäre Bewegung von unten oder Befehlszentrale von oben, wie sie in
einer revolutionären Kaderpartei notwendig war. Rosa Lu-
xemburg hatte die eine und Lenin die andere These vertre-
ten. Ich versuchte es Gerda zu erklären.

»Lenin«, sagte ich, »hatte nicht immer recht.«

»Wollte er denn immer recht haben?«

»Ich weiß es nicht. Woher soll ich das denn wissen?«

Ich fand ihre Frage naiv und begann wieder von Rosa Luxemburgs Ideen zu sprechen. Gerda unterbrach mich, als ich gerade mit meiner eigenen Auslegung der Spontanitätstheorie beginnen wollte.

»Du kommst doch mit zu mir, ja?«

»Mit zu dir? Du meinst in die Wohnung deines Vaters?«

»Ja, zu mir. Mein Vater ist nicht zu Hause. Er ist für fünf Tage in Danzig, fast eine ganze Woche. Er kommt bestimmt nicht zurück.«

»Und wenn nun jemand anders kommt, mein Onkel vielleicht? Der kommt doch auch alle Augenblicke bei euch vorbei.«

»Nicht, wenn ich allein bin. Das wagt er nicht. Darauf kannst du dich verlassen. Du schläfst bei mir, ja? Wo willst du denn sonst bleiben? Oder hast du Angst?«

»Nein, Angst nicht. Wovor sollte ich denn Angst haben?«

Sie stand auf und nahm den Koffer von der Bank. Sie wollte ihn tragen, bis zur U-Bahnstation am Potsdamer Platz, von dort aus, sagte sie, fahren wir nach Steglitz, es geht niemanden etwas an und es wird uns niemand sehen. Ich ging hinter ihr her, einen Schritt zurück, die plötzliche Veränderung war mir unangenehm, die Wohnung des Polizeimajors kam mir wie eine Burg vor, in die einzudringen für mich verhängnisvoll werden konnte. Der Schloß- und Riegel-Ausspruch des Polizeimajors fiel mir wieder ein: Ich werde ihn hinter Schloß und Riegel bringen.

»Gib mir den Koffer, Gerda. Du sollst ihn nicht tragen«, sagte ich.

Sie gab mir den Koffer nicht zurück, sie wollte ihn tragen, den abgestoßenen Pappkoffer, als Ausdruck ihrer Verbundenheit. So saß sie neben mir in der U-Bahn, den Koffer auf den Knien, auf ihrem hellen Gabardinemantel. Ich kannte die Straße, in der die Wohnung ihres Vaters lag. Eine stille

Nebenstraße. Das Treppenhaus des wilhelminischen Hauses war dunkel, als wir es betraten. Gerda zog mich an der Hand hinter sich her, ohne das Treppenlicht einzuschalten.

»Wir kommen auch so hinauf. Du hast doch keine Angst mehr, nein?«

Ich schüttelte den Kopf. Ich wollte keine Angst haben. Angst war nicht angebracht. Ich kam mir nur unsicher vor, in eine Umgebung versetzt, die ich nicht kannte und nicht kennen wollte. Die Wohnung lag im dritten Stock, drei Zimmer, durch Flügeltüren miteinander verbunden, ein Balkon, ein langer Korridor, an dem zum Hof hinaus Küche, Bad und ein paar kleinere Zimmer lagen.

Ich ging hinter Gerda her durch die Wohnung, sie zeigte mir ihr Zimmer am Ende des langen Korridors, ein dunkles, schlecht aufgeräumtes Zimmer, ein altmodisches Bett, eine Nachttischlampe, ein abgetretener Teppich mit Büchern darauf, als habe Gerda sie gerade fallenlassen. Sie ging mit mir durch die drei großen Zimmer, die zur Straßenseite lagen, und auf den Balkon, der hoch über der Straße hing. Pferdedecken lagen neben einem Feldbett, das unmittelbar an dem gußeisernen Balkongitter stand.

»Hier schlafe ich manchmal«, sagte sie, und dann mit einem schüchternen Lächeln, als sei dies ihre Wohnung allein: »Mach es dir bequem. Ich gehe nur schnell in die Küche.«

Ich wußte nicht, wie ich es mir bequem machen sollte. Ich trug noch immer meinen Trenchcoat. Ich sah mir das Wohnzimmer an, das Eßzimmer und das Herrenzimmer des Herrn Polizeimajors, das Rauchzimmer, wie Gerda es genannt hatte. Ich glaubte den Offizierszigarrengeruch meines Onkels wahrzunehmen: den Geruch kalten Zigarrenrauchs. Hindenburg in Öl sah auf mich herab, der Reichspräsident in der Uniform des Feldmarschalls, ein Verteidiger der Republik, der es nicht sein wollte. Er hing über einem dunkelbraunen Ledersofa neben einem kleineren Bild, auf dem ein Matrose auf dem Kiel eines untergehenden Kreuzers stand, die Reichs-

kriegsflagge in der nervigen Faust zum Himmel gereckt, dem
Feind entgegen. Ich kannte das Bild, ein schlechter Druck
mit dem Titel: »Der letzte der Falklandinseln.« Unter dem
Matrosenbild hing eine Photographie. Ich ging einen Schritt
näher heran. Vielleicht eine Photographie des Polizeimajors, der mich hinter Schloß und Riegel bringen wollte? Aber
er war es nicht, es war mein Onkel, Onkel August auf Feld-
postkartenformat, in einem dünnen Goldblattrahmen ge-
faßt, an der Front, auf einen langen, breiten, unten leicht
geschwungenen Säbel gestützt, die Hände über dem Säbelkorb übereinandergelegt. Ich kannte das Bild. Meine Mutter
besaß es auch. Der Muschkote, der neben meinem Onkel
stand, war mein ältester Bruder, der bei Paschendaale ge-
kämpft hatte. Neben meinem Onkel sah er aus, als sei er
gerade durch ein Trommelfeuer gelaufen, abgerissen, dünn,
ein eingefallenes Gesicht, eine elende Figur.
Ich drehte mich nach Gerda um. Sie stand hinter mir in der
offenen Tür zum Eßzimmer.
»Wie kommt denn mein Onkel hierher?«
Gerda errötete leicht, ein Rot der Verlegenheit. Sie versuchte
meine Frage mit einer Handbewegung abzuwehren.
»Ach, immer dein Onkel August. Er ist doch jetzt unwich-
tig.«
»Aber der hat hier doch nichts zu suchen.«
»Nein, vielleicht nicht. Aber es ist nicht meine Sache. Mein
Vater ist mit ihm befreundet, eine Soldatenfreundschaft, eine
Frontkämpferfreundschaft. Verstehst du das nicht?«
Ich hielt nichts von Frontkämpferfreundschaften und Front-
kämpferbünden. Ich glaubte zu wissen, was dort an der
Front wirklich geschehen war, mein Bruder hatte es mir oft
genug erzählt. Es hatte nichts mit den jetzigen Frontkämp-
ferbünden zu tun, die sich in meiner Vorstellung aus ehemaligen Etappenhengsten zusammensetzten und nur für ein
politisches Ziel eingesetzt wurden: die nationale Wiedergeburt.

Gerda zog mich von der Photographie weg, durch das Eßzimmer und das Wohnzimmer nach hinten in die Küche.

»Ich erzähl dir später von deinem Onkel, wenn es dich interessiert. Aber nicht jetzt.«

»Es interessiert mich nicht«, sagte ich.

»Gut, wenn es dich nicht interessiert, dann nicht.«

Ich aß, was sie mir vorsetzte, ich schlang es hinunter. Jetzt
spürte ich den Hunger, den ich so lange unterdrückt hatte.
Ich wusch mich anschließend im Badezimmer. Es war ein
unordentliches, altes Badezimmer, Gerdas Sachen lagen
überall herum, durcheinander, ein flusiges Mädchen, dachte
ich, ein Mädchen, das alles liegen läßt, alles vergißt. Ich
hängte meinen schmutzigen Trenchcoat über einen schwarz-
weißen Bademantel, den Bademantel des Polizeimajors. Der
Korridor war dunkel, als ich das Badezimmer verließ. Gerda
hatte das Licht abgeschaltet, hatte vielleicht vergessen, es
für mich anzulassen. Ich fand den Lichtschalter nicht.

»Gerda, wo steckst du denn?«

Es kam keine Antwort. Ich öffnete eine Tür. Es war die
Tür zum Rauchzimmer. Das Zimmer war dunkel. Es brannte
kein Licht mehr in der Wohnung. Ich sah es im Durchgang
vom Eßzimmer, zum Wohnzimmer. Ich rief wieder Gerda.
Ihre Antwort kam von draußen. Die Türen des Balkons standen weit offen, zum Wohnzimmer hin. »Ja, ich bin
hier auf dem Balkon.«

Sie lag auf dem Feldbett, das rechte Bein angezogen, hoch-
gestellt. Für mich waren es nur zwei Schritte bis zu ihrem
Feldbett hin. Aber ich blieb in der offenen Balkontür stehen
und sah zu ihr herunter. Sie hatte die Hände hinter dem
Kopf verschränkt. Sie war nackt. Ich sah es im Halbdunkel
der Nacht. Ich begriff nicht, wie sie sich so schnell hatte ausziehen können. Es waren erst wenige Minuten vergangen,
seitdem ich sie in der Küche allein gelassen hatte.

»Warum kommst du nicht«, sagte sie. »Was hast du denn?«

Sie sprach es irgendwohin, nicht zu mir gewandt, ein Satz

für die Straße draußen, für den Himmel, in die Nacht gesprochen, vielleicht auch für einen anderen, für meinen Onkel vielleicht, aber nicht für mich. Ich wollte nicht an meinen Onkel denken, aber er drängte sich mir auf. Er stieg aus seiner Photographie heraus in den hohen Reitstiefeln eines Artillerieoffiziers mit den langen Sporen daran. Ich glaubte sie klirren zu hören, als er auf den Fußboden des Herrenzimmers sprang. Es war der Sprung eines Reiters, schwerfällig elegant, in den Knien wippend, den Säbel in der rechten Hand. Er trug ihn vor sich her, die Hand unter dem Säbelkorb, ein deutscher Artillerie-Offizierssäbel, er trug ihn durch das Eßzimmer, das Wohnzimmer, mit rasselnden Sporen, ein Mann der Tat. Er baute sich hinter mir auf, den Säbel wieder auf den Boden gesetzt, den Säbelkorb vor dem Bauch, an der Schnalle seines Offizierskoppels, die Hände darauf, übereinander liegend gekreuzt. Ich empfand ihn so hinter mir, so in dem nachtdunklen Wohnzimmer. Ich ging zwei Schritte nach vorn, von meinem Onkel weg, auf den Balkon hinaus und setzte mich auf das Feldbett zu Gerdas Füßen, neben ihr hochgestelltes Knie. Ich sagte, was ich nicht sagen wollte, ein Satz, der sich nicht verdrängen ließ.
»Was ist mit Onkel August? Was hast du mit ihm?«
Gerda sagte nichts. Sie schwieg, die verschränkten Hände hinter dem Kopf, hinter ihren Haaren, die sich nach oben hin bis an den Rand des Feldbetts ausbreiteten. Mein Satz schien sie nicht zu erreichen. Ich wußte, es war ein schlechter Satz, ein unangebrachter Satz. Trotzdem fragte ich weiter.
»Wolltest du mir nicht von Onkel August erzählen?«
»Ach«, flüsterte sie.
»Was ach?«
»Er interessiert dich also doch. Ausgerechnet jetzt?«
»Ja«, sagte ich, »jetzt.«
Sie bewegte sich. Ich glaubte ihr hochgestelltes Knie zittern zu sehen, ein zitterndes Knie, zwei Zentimeter von meinen

Haaren, von meinen Augen entfernt. Ich nahm es als Beweis für die Notwendigkeit meiner Frage. Gerda stellte ihre unter dem Kopf verschränkten Hände hoch, hob den Kopf an und sah von dem Nachthimmel weg.

Sie lächelte, unmerklich, für mich kaum wahrnehmbar.

»Ja, ja, der Onkel August.«

Es war ein hingehauchtes »Onkel August«. Ich fragte noch einmal.

»Was ist mit ihm?«

Sie wich meiner Frage aus. Sie war ihr lästig. Ich spürte es. Sie wollte meinen Onkel wohl abschütteln, um nicht über ihn sprechen zu müssen.

»Es wird kalt, Karl.«

»Aber es ist doch nicht kalt.«

»Doch, es wird kalt. Gib mir eine Decke. Dort in der Ecke liegen welche.«

Ich wunderte mich. Es war nicht kalt, es war warm, eine warme Nacht Ende Mai. Ich hob eine der Pferdedecken in der Ecke des Balkons auf. Gerda nahm mir die Decke aus der Hand. Ihr Körper verschwand darunter, ihre Brust, ihr Bauch, ihre X-Bein-Knie, ihre grobkörnige, blonde Haut, er verschwand bis zum Hals. Ich sah nur noch ihr Gesicht und die Pferdedecke in der heller werdenden Nacht. Sie begann von meinem Onkel zu erzählen, sachlich, gleichgültig. Etwas war aus ihrer Stimme verschwunden, der Nachmittag im Tiergarten, die Freude des Wiedersehens. Es hatte sich mit meinem Onkel davongemacht, mit seinem geschwungenen Säbel, seinen Sporen und mit seinem Geruch nach überlegener Liebhaber- und Soldatenmännlichkeit. Ich sah ihn nicht mehr hinter mir, er war für mich in seine Photographie zurückgesprungen und hing wieder im Herrenzimmer neben dem flaggenschwingenden, im Ozean versinkenden Matrosen. Jetzt wollte ich nichts mehr von ihm hören.

»Lassen wir ihn. Es ist ja gleichgültig.«

»Es ist nicht gleichgültig.«

»Aber vorhin war es dir doch gleichgültig.«

»Ja, vorhin«, sagte sie, »aber jetzt, jetzt werde ich dir von ihm erzählen.«

Sie erzählte von den wöchentlichen Besuchen meines Onkels bei ihrem Vater, von den abendlichen Unterhaltungen.

»Wovon sprechen sie denn?« fragte ich.

»Meistens von Politik.«

»Das kann ich mir vorstellen. Von ihrer Politik.«

»Er ist ein Konservativer, dein Onkel. Das weißt du ja. Aber es ist nicht das, was du denkst. Er ist kein Nationalsozialist. Das ist er nicht.«

»Und warum ist er dann heimlich in der SA? Das ist er doch.«

»Weil er glaubt, aus der SA wird einmal eine neue große kaiserliche Armee, mit einem Hohenzollern als Oberbefehlshaber und Kaiser und mit Hitler als Reichskanzler.«

»Das könnte ihm so passen. Daraus wird nichts.«

»Nein, das glaube ich auch.«

»Hat mein Onkel wirklich so etwas gesagt?«

»Ich weiß es nicht genau«, sagte sie, »aber so etwas Ähnliches. Es ist sein Lieblingsthema, wenn er mit meinem Vater spricht. Ich höre es immer, wenn er hier ist.«

Ich fragte nicht weiter. Sollte mein Onkel ein politischer Zwitter sein, ein Harzburger zwischen Stahlhelm und SA, zwischen Kaiserkrone und Hakenkreuz, zwischen feinen Hohenzollern und nationalen Revolutionären. Der Sturmführer aus dem Lokal in Neumarkt fiel mir ein, ein Mann, zu allem bereit, mit dem fanatischen Gesicht eines Totschlägers. Er war anders als mein Onkel. Sie hatten nichts miteinander zu tun und gingen doch denselben Weg, nur um die Linke niederzuschlagen. Für mich war es nichs weiter als Taktik, die verwerfliche Taktik meines Onkels.

Ich sah auf die Pferdedecke, unter der Gerda lag. Ihre Stimme war leise, weit weg, eine fast lispelnde Stimme.

»Ich mag ihn trotzdem«, sagte sie, »er ist nett, er ist hilfsbereit. Du kannst sagen: ein Kavalier von gestern. Aber das ist er nicht. Er ist mehr, und er weiß auch mehr. Er ist nicht nur für meinen Vater ein faszinierender Mann. Seine Ansichten muß man ja nicht teilen. Die teile ich auch nicht. Und das weißt du ja.«

Sie sprach von meinem Onkel wie von einem Liebhabergegenstand, von einem Buch, von ihrer schwarzen Unterwäsche oder von sonst etwas. Alles klang gleichgültig leise, fast teilnahmslos gesprochen. Er sei, sagte sie, mit vielen seiner Ansichten sicher ein Mann des neunzehnten Jahrhunderts, mit glorreichem Kaiserreich und Tschingderassabumderrassasa, mit einer nicht verständlichen Anhänglichkeit an die Hohenzollern, die sich aber aus seinem preußischen Lebenslauf erklären lasse, nur lebensfremd und lebensfern, das sei er nicht. Sie lobte seinen Charakter, seine Verschwiegenheit, seine Männlichkeit, seine Energie, mit der er sich aus dem Arbeiterstand hochgebracht habe.

»Er behandelt mich wie eine Tochter. Das gibt es doch. Ich bin mit ihm befreundet, anders als mit dir, ganz anders.«

Ich verstand sie nicht. Ich wollte sie nicht verstehen. Die Absichten meines Onkels waren für mich unmißverständlich. Es ging um ihr Bett, um nichts anderes, um einen Eroberungsprozeß, zäh, langwierig und mit taktischen und strategischen Finessen. Das sah ihm ähnlich. So sah ich ihn: ein schneller Sieger bei geringfügigem Widerstand, ein geduldiger Eroberer, wenn es um eine Festung ging, die nicht leicht zu nehmen war.

Ich ärgerte mich über Gerdas Leichtgläubigkeit. »Und von dir hat er auch erzählt«, sagte sie, »daß du nach Spanien gegangen bist, eine haltlose Existenz, die irgendwo in Spanien an ihrer kommunistischen Gesinnung zugrunde gehen wird.«

Sie richtete sich auf und zog die Knie an, die Pferdedecke immer noch am Hals, vor ihrer Brust. Sie hielt sie mit der linken Hand dort fest.

»Aber ich kann jetzt machen, was ich will, und hingehn, wohin ich will. Das verdanke ich deinem Onkel.«

»Und wenn jetzt herauskommt, daß ich zurück bin? Was dann?«

»Das darf nicht herauskommen«, sagte sie.

Ich kam mir wie ein Ausgestoßener vor, aus ihrer Gesellschaft verfemt, wie einer, der irgendwo in Spanien unterzutauchen hatte. Es gab mir das Gefühl des Besonderen, des Überlegenen, des Andersgearteten. Ich war ein Außenseiter, ein Revolutionär. Das zog auch Gerda an, meine Verachtung gegenüber ihrer Welt, dieser bürgerlichen Welt, die ich mit zerschlagen wollte. Das liebte sie an mir mit ihrer Kameradschaftsliebe. Für sie durfte nicht herauskommen, daß ich von meiner mißglückten Spanienreise zurück war, aber mein Onkel würde es sehr schnell erfahren, von meiner Familie, meiner Mutter, zu der ich morgen zurückkehren mußte. Es gab keine andere Möglichkeit mehr für mich. Von Gerdas Taschengeld konnte ich nicht leben, auch, wenn ich es angenommen hätte. Sie hatte mir das Reisegeld bis nach Hause gegeben. Mehr besaß sie nicht. »Mein letztes«, hatte sie gesagt. Ich hatte es trotzdem genommen.

Gerda sprach jetzt nicht mehr von meinem Onkel. Sie ließ ihn fallen, wie sie mitten im Gespräch vieles fallen ließ.

»Und jetzt erzähl mir von dir, von deinem Spanien, von eurer Schlägerei und von allem.«

»Nein, nicht jetzt, später«, sagte ich.

Mein Onkel spazierte für mich über den Balkon wie in dem Park von Neumarkt, jetzt in die Nacht hinein, dem fernen erleuchteten Großstadthorizont zu, in Zivil, elegant, mit blitzendem Monokelauge, ein Liebhaber der Frauen und ein Frauenliebling. Er durfte Gerda nicht haben, nicht so sehen, wie ich sie sah. Ich beugte mich vor und berührte ihr Gesicht, ihr Haar, und sie kam mir mit ihrem Gesicht entgegen.

»Niemals mit Onkel August. Versprich es mir.«

Ich sagte es vor ihren Lippen, die sie mir hinhielt, und vor ihren Augen, die unmittelbar vor den meinen waren, mich anzogen, jetzt dunkel, nicht mehr so hell wie am Nachmittag. Ihr Gesicht fuhr erschreckt zurück.

»Was meinst du denn?«

»Nicht mit ihm, mit meinem Onkel.«

»Aber was denn?«

»Das«, sagte ich.

Gerda rutschte von ihrem Feldbett herunter, schob die Pferdedecke beiseite und stand auf. Sie nahm die Pferdedecke und legte sie sich bis zur Hüfte um, sie bedeckte ihren Unterleib für mich oder für jemand anders, es geschah alles schnell, ärgerlich, ohne ein Wort. Ich wußte nicht, was ich sagen sollte. Sie ging in die dunkle Wohnung auf ihren langen, etwas schlacksigen Beinen unter der Pferdedecke. Ich sah nur den weiß schimmernden Mädchenrücken in der Dunkelheit. Hinter der offenen Balkontür in der Mitte des Wohnzimmers drehte sie sich um. Es war nur eine Kopfbewegung, eine halbe Drehung des Kopfes.

»Du kannst hier draußen schlafen, wenn du willst. Ich schlafe in meinem Zimmer.«

»Gerda, was ist?« sagte ich.

Aber sie war schon verschwunden, in der dunklen Wohnung, über den Korridor. Ich stand auf und ging ihr nach. Ich tastete mich an den Wänden entlang, suchte die Lichtschalter und fand sie nicht. Ich lief gegen einen Stuhl, stieß mich an einem Tisch, kam in die Küche. Die Wohnung war leer, still, die verlassene Wohnung eines Polizeimajors. Ich fand eine verschlossene Tür. Es war Gerdas Zimmer. Ich klopfte, rüttelte an der Türklinke.

»Gerda, mach doch auf.«

Ich lauschte auf ein Geräusch, auf Atemzüge, auf irgendein Zeichen, daß sie hinter der Tür war. Ich hörte nichts. Angst und Ärger überfielen mich gleichzeitig, Angst vor dem Polizeimajor, der vielleicht doch zurückkommen konnte, und Ärger, daß ich mit in diese Wohnung gegangen war, in der ich nichts zu suchen hatte. Ich hätte gern die Tür zu Gerdas Zimmer eingetreten, aber ich tat es nicht. Ich ging zurück auf den Balkon.

Die späte Nacht war dort, der halbhelle, erleuchtete Himmel über Berlin. Die Straßenbahnen fuhren noch, die Stadtbahnen. Ihre Geräusche waren fern, weit weg. Noch konnte ich das Haus verlassen, diese Wohnung, irgendwohin fahren, aber ich wußte nicht wohin. Ich nahm Gerdas Pferdedecken auf, die in einer Ecke des Balkons lagen, legte mich aufs Feldbett und deckte mich mit ihnen zu. Ich verstand nicht, was ich getan hatte, ich hatte sie nicht verletzen, nicht kränken wollen. Ich flüsterte ihren Namen vor mich hin: Gerda, Gerda. Niemand flüsterte den meinen zurück. Es waren viele Stunden vergangen, seitdem ich die Jugendherberge in Leipzig verlassen hatte, eine Zeit von Mitternacht zu Mitternacht. Jetzt schlief ich erschöpft ein.

XII

Für mich hatte sich fast nichts verändert. Der Bahnhof war klein, leer, von preußischer Kargheit. Auf dem Platz davor blühte das Gras zwischen dem Kopfsteinpflaster. Man hatte es noch nicht beseitigt. Es war noch vor dem Beginn der Saison. Es wartete keine Droschke auf mich, es wartete niemand.

Ich ging an der Molkerei vorbei. Sie lag links an der Straße, die zum Bahnhof führte. Milchkannen standen wie immer auf dem Hof, nebeneinander und übereinander gestellt. Der Landgendarm, der im ersten Stock der Molkerei wohnte, kam mir entgegen, seinen Schäferhund an der Leine, auf der dunkelgrünen Uniform ein Fernglas vor der Brust. Ich grüßte ihn, aber der Gendarm grüßte nicht zurück. Er nahm keine Notiz von mir.

Ein leichter Wind kam vom Meer herüber, über den rechts unten liegenden See von der bewaldeten Küste herauf. Die Ostsee lag unverändert unter der Nachmittagssonne, das »mare nostrum« meines Onkels August, der mir die vergangene Nacht mit Gerda verdorben hatte. Ihr letzter Satz, auf dem Bahnsteig gesprochen, kurz bevor sich mein Zug in Bewegung setzte, ging mir nicht aus dem Kopf: »Sag es nie wieder, bitte, nie.«

Sie hatte mich am Morgen auf dem Balkon geweckt und zum Bahnhof gebracht, ohne auf das nächtliche Zwischenspiel zurückzukommen, bis auf diesen letzten Satz: »Sag es nie wieder.«

Ich wollte nie wieder davon anfangen. Ich hatte es ihr versprochen, es war eine Dummheit gewesen, ich begriff es jetzt. Mein Onkel war nur eine Begleiterscheinung in meinem Leben, nicht mehr, ein reaktionärer Schatten auf dem Weg, der nach meiner Überzeugung zum Sieg der Revolution führen mußte, zu meinem revolutionären Sieg.

Ich ging langsam, Schritt für Schritt, ich hatte Angst, meiner Mutter so unter die Augen zu treten, mit meinem zerkratzten Gesicht, den abgelatschten Schuhen, dem dreckigen Trenchcoat. Ich wußte, warum mich der Gendarm nicht gegrüßt hatte, ich sah verwahrlost, heruntergekommen aus.

Meine Mutter empfing mich in der Kellerküche, mein Ankunftstelegramm vor sich auf dem Tisch. Sie saß dort, kleiner als sonst, gebeugter und krummer. Ich blieb in der offenen Kellerküchentür stehen. Ich wollte etwas sagen, sie begrüßen, aber ich wagte es nicht. Meine Mutter hob nicht den Kopf, sie sah in ihre Kaffeetasse vor sich, ohne mich zu beachten. Es vergingen Sekunden, Minuten. Ich wußte, was mir bevorstand: Mein Onkel hatte ihr also doch geschrieben, wie er es in der Wohnungstür der Olga von Z. in Schöneberg angekündigt hatte. Er hatte mich denunziert als Bettler und Sänger auf Berliner Hinterhöfen. Das also war seine Art, sich zu rächen für alles, was ich ihm an den Kopf geworfen hatte.

»Mach die Tür zu und stell dich dort in die Ecke.«

Meine Mutter sagte es, ohne mich dabei anzusehen.

Ich setzte den Pappkoffer ab, schloß die Tür hinter mir und stellte mich in die Ecke, die sie mir angewiesen hatte. Es blieb mir keine andere Möglichkeit, als nachzugeben, zu gehorchen, obwohl ich nicht gehorchen wollte.

Meine Mutter hob den Kopf und sah mich an, mit ihren ironischen grauen Augen, ihrer zu großen Nase, mit ihrem ganzen Gesicht. Ich versuchte nur auf ihre Nase zu sehen, die sich mit ihren Augen hob und senkte, von den Jimmyschuhen bis zu meiner Stirn hinauf und wieder zurück. Ihre Augen notierten alles, jeden Fleck, es entging ihnen nichts.

»Und so was ist mein Sohn.«

Sie sagte es zu sich selbst, eine Feststellung, die ihr mißfiel. Es bereitete ihr Mißvergnügen, Ärger, Kummer. Ich sah
den Unmut in ihr Gesicht steigen. Mein Onkel hatte mehr
angerichtet, als ich erwartet hatte. Es war leichter zu demonstrieren, gegen die Polizei, gegen die Feinde von rechts, als
hier in der Kellerküche in der Ecke zu stehen, es war ein-
facher, auf Hinterhöfen zu singen, vor der Polizei davonzu-
laufen und einem SA-Sturmführer zu widerstehen. Hier
gab es kein Widerstehen, keinen Widerspruch. Ich kam mir
hilflos vor, gescheitert. Ich versuchte trotzdem einen Widerspruch.
»Aber ich bin doch wieder da.«
»Ja, da bist du wieder.«
Meine Mutter schob sich von ihrem Tisch hoch. Mit der
linken Hand sich abstützend richtete sie sich auf, wurde
größer, und jetzt begann, was mein Onkel das »große Donnerwetter« nannte.
»Meine Söhne gehen nicht betteln, niemals. Merk dir das,
ein für allemal. Ich will das nicht, und das gibt es nicht. Noch
kann ich euch ernähren. Und wenn ich die ganze Nacht
durcharbeiten und wieder für fremde Leute waschen muß.
Aber bettelnde Söhne, die will ich nicht.«
Sie sagte es scharf, aber fast ohne Zorn. Jeder Satz
kam auf mich wie ein selbstverständlicher Befehl zu, über
den zu reden keinen Sinn hatte. Sie sprach dabei über mich
hinweg, irgendwohin, als sähe sie ein Heer bettelnder Söhne
vor sich, die durch ein verwüstetes Land zogen. Es entstand
eine Pause, sie ließ mir Zeit, ihren Befehl hinunterzuschluk-
ken. Ich ließ die Pause vergehen, ohne zu widersprechen. Ich
hätte sagen können: »Ich bin kein Bettler«, ich sagte es
nicht.
»Was soll aus euch bloß werden. Daraus wird doch nichts.«
Ich hätte sie jetzt fragen müssen, was soll denn aus uns
werden, aber ich dachte an Onkel August. Aus Revolutionären und Straßensängern hatte er Bettler, aus Arbeitslosen

Vagabunden gemacht, dieser Fatzke von einem Onkel. Ich sah meine Mutter an, und sie sah mich an. Sie erriet meine Gedanken und ich die ihren. Wir dachten beide an Onkel August, aber wir nannten seinen Namen nicht.

»Das Herumstreunen hört mir auf. Jetzt lasse ich dich hier nicht mehr weg. Jetzt bleibst du hier, bis du Arbeit gefunden hast. Und damit basta.«

Ich kannte ihr »basta«, es schloß jeden ernsten Teil einer Unterredung ab. Mit dem »basta« war er zu Ende. Sie klopfte mit einem harten Knöchelschlag ihrer linken Hand auf den Tisch.

»Und jetzt setz dich dahin.«

Ich nahm ihr gegenüber am Küchentisch Platz. Es gab keine Umarmung, wie sie nach längerer Abwesenheit sonst üblich war, eine distanzierte Umarmung. Meine Mutter ließ sich erleichtert auf ihren Stuhl fallen, als müsse sie ausruhen. Das große Donnerwetter hatte sie angestrengt. Sie war, ich sah es ihr an, ihrem eigenen Ärger nicht gewachsen. Ihre zu große Nase verschwand hinter der Kaffeetasse, nur ihre grauen Augen sahen mich über den Rand der Tasse an.

»Du hast also auf der Straße gesungen! Stimmt das?«

»Ja, das stimmt.«

»Aber du kannst doch gar nicht singen. In der Schule hast du eine Fünf in Gesang gehabt. Seit wann kannst du denn singen?«

»Ich habe ja nur kassiert.«

»Ach was. Kassieren kannst du auch nicht. Du verstehst nichts vom Geld. Du hast noch nie etwas vom Geld verstanden. Du bist auch ein schlechter Kassierer.«

Ich gab es zu. Es hatte keinen Zweck, ihr zu widersprechen. Ich verstand nichts vom Geld, so wie sie es meinte: Geld als Basis des Lebens. Ich verachtete es. Aber es war sinnlos, ihr meine Anschauungen klarzumachen: Geld als Basis des Kapitalismus, als Ausdruck des Gewinnstrebens, der Profitgier, als Lohn des Mehrwerts und somit der Ausbeutung.

Sie wußte nicht, wer Karl Marx war, und das Wort Sozialismus sagte ihr nichts.

»Du hast recht. Ich war ein schlechter Kassierer.«

»Du wirst es auch immer bleiben. Von mir hast du gar nichts mitbekommen. Nicht das Geringste. Ich kann zwar auch nicht singen, aber Kassieren, davon verstehe ich etwas. Was wäre wohl aus euch sonst geworden? Verhungert wäret ihr alle miteinander.«

Sie sah auf meine Stirn, auf mein Kinn, sie prüfte die Kratzer dort, die Reste der Schlägerei.

»Was hast du denn da? Das sieht ja aus, als wärst du in Stacheldraht gefallen und dann darauf lang gerutscht.«

»Stacheldraht war es nicht.«

»Was war es denn sonst?«

»Eine Gitarre. Jemand hat mir seine Gitarre auf den Kopf geschlagen, bis zum Hals hinunter.«

»Und da lebst du noch?«

»Wie du siehst«, sagte ich.

Ich begann von meinem Leben in Berlin zu erzählen, von dem Singen in den Kleinstädten der Provinz, von der Reise nach Spanien. Sie unterbrach mich.

»Was wolltest du denn in Spanien?«

»Arbeit suchen. Was denn sonst?«

»Ausgerechnet in Spanien. Gibt es denn da keine Arbeitslosen?«

»Ich weiß nicht. Vielleicht gibt es da keine. Genau weiß ich es nicht.«

Ich erzählte ihr die Vorgänge in dem SA-Sturmlokal, die vom Gesang der Lönssänger begeisterten SA-Leute, dann den Sturmführer und unsere eigene Niederlage mit dem Singen des Horst-Wessel-Liedes. Ich verschwieg nichts, entstellte nichts. Hier in der Kellerküche konnte ich die Wahrheit erzählen. Meine Mutter war keine Genossin Irene, die auf Solidarität angewiesen war, keine Gerda, vor der ich mich aufspielen mußte. Hier hatte es keinen Sinn zu lügen.

Meine Mutter würde doch die Wahrheit erfahren. Die Familie war zu groß für eine solche Lüge. Ich schilderte den Park, die Nacht in Neumarkt, die Schlägerei als Folge der moralischen Niederlage, und meine Mutter hörte mir aufmerksam zu, die verarbeiteten Hände im Schoß, auf ihrer schwarz-blauen Küchenschürze.

»Hier herrscht ja jetzt auch Mord und Totschlag. Mord und Totschlag überall. Was soll nur daraus werden? Das kann doch nicht gut gehen. Was ist das nur für ein Leben? Alle, die früher miteinander befreundet waren, jetzt sind sie es nicht mehr. Keiner grüßt mehr den anderen. Statt dessen schlagen sie sich die Köpfe ein. Verstehst du das? Ich verstehe es nicht.«

»Es ist der Beginn der Revolution«, sagte ich.

Sie sah mich an, als sei ich nicht ganz klar im Kopf, als hätte die Gitarre mein Gehirn, mein Denkvermögen beeinträchtigt.

»Was für eine Revolution?«

»Unsere Revolution. Die proletarische.«

»Jetzt kommst du wieder mit deinem Proletariat. Das hast du schon öfter gesagt. Und die anderen, deine Brüder, der Max, der Willi und der Ernst, sie alle sagen es auch. Aber ich glaube nicht daran. Arbeiten müssen wir doch alle.«

»Aber wenn es keine Arbeit mehr gibt? Was dann?«

»Ja, das ist richtig. Was dann?«

Sie begriff nicht, daß es keine Arbeit mehr gab. Die fünf Millionen Arbeitslose, die ich erwähnte, waren für sie nicht mehr als eine unübersehbare, nicht realisierbare Zahl von Menschen, die irgendwo auf den Straßen und in den Arbeitsämtern herumstanden. Es war auch für sie ein Elend, und sie nannte es so, aber nur die Arbeitslosigkeit ihrer Söhne bereitete ihr Sorgen.

»Früher sind wir nach jedem Stück Brot herumgelaufen, aber Arbeit hat es immer gegeben, mehr als genug. Vielzuviel Arbeit. Immer haben wir arbeiten müssen, von morgens bis abends, Tag für Tag. Und jetzt ist es umgekehrt. Jetzt gibt es Brot, aber keine Arbeit.«

»Arbeit ist Brot«, sagte ich, aber ich ärgerte mich sofort über diesen Satz. Es war ein Wahlkampfspruch der Nationalsozialisten, ein in diesem Zusammenhang sinnloser Satz. Es war mir peinlich. Meine Mutter überhörte meinen Einwurf. Es besagte ihr nichts, daß Arbeit Brot sein sollte, für sie gab es ohne Arbeit kein Brot, Arbeit setzte sich für sie in Brot um, und nur Arbeit und sonst nichts. Ich versuchte ihr die Zusammenhänge zu erklären, die Widersprüche des Kapitalismus, die Weltwirtschaftskrise als Folge dieser Widersprüche, die Überproduktion an Waren, die dadurch notwendige Freisetzung von Arbeitskräften und das damit verbundene Absinken der Kaufkraft, was wiederum zu neuer Freisetzung von Arbeitskräften führen mußte, ein Grundgesetz des Kapitalismus, sagte ich, ein Weg ohne Ausweg, an dessen Ende nur die Revolution stehen kann. Ich sprach wieder wie auf der Bank im Tiergarten vor Gerda, mit gestikulierenden Händen vor einem imaginären Publikum und ohne Rücksicht auf das Verständnis meiner Mutter. Sie unterbrach mich nicht, sie sah mich nur immerfort mit prüfenden Augen an. Erst als ich wieder bei der Revolution angekommen war, bei den großen Aufgaben des Sozialismus, begann sie zu fragen.

»Ja, ja, das mag ja alles richtig sein, und vielleicht hast du recht. Aber wie wollt ihr das besser machen?«

Ich ließ meine gestikulierenden Hände sinken und sah sie verdutzt an. Ich konnte ihr nicht die sozialistische Planwirtschaft erklären, ich hatte selbst zu wenig darüber nachgedacht, und weder meine Genossen in Berlin, weder Alex Smirnoff noch Liverpool hatten davon gesprochen. Für mich war es selbstverständlich, daß sie reibungslos funktionieren und mit ihrem verteilten Mehrwert Wohlstand und Gerechtigkeit für alle bringen würde. Für meine Mutter schien das nicht so selbstverständlich zu sein.

»Muß dann keiner mehr arbeiten?«

»Wieso soll dann keiner mehr arbeiten müssen?«

»Na ja, wenn ich dich so reden höre, dann hätten wir ja den Himmel auf Erden, das reinste Schlaraffenland, keiner muß mehr arbeiten, und jeder lebt auf Deubel komm raus.«

Ich gab es auf, ihr den Sinn meiner politischen Arbeit zu erklären. Ich sah auf meine Hände, von ihrem Gesicht weg, und schwieg. »Das reinste Schlaraffenland«, war eine Zumutung, ein Märchen, das nichts mit einer kommenden sozialistischen Ordnung zu tun hatte. So konnte man nicht diskutieren. Meine Mutter fragte nicht weiter, sie begann wieder von den Zuständen im Ort zu erzählen. Es beunruhigte sie mehr als alles andere.

»Alle sind gegen uns. Sie nennen uns die rote Familie. Und deine Brüder sind immer dabei, wenn es irgendwo Krach gibt, auf jeder Versammlung. Keiner hört mehr auf mich. Bei jeder Schlägerei sind sie dabei. Und du treibst dasselbe. Du bist auch nicht besser.«

Ich gab es zu, ich wollte nicht besser sein. Ich nickte und sah ihr dabei ins Gesicht, in ihre besorgten grauen Augen, über den Küchentisch und über die darauf liegende blau-weiße Wachstuchdecke hinweg.

»Wir sind im Recht. Glaub es mir.«

»Das sagen alle. Das sagen die anderen auch. Und was ist mit Onkel August? Er ist doch nicht dumm, das weißt du doch. Vielleicht ist er auch im Recht, genau wie du.«

»Der ist auf der falschen Seite.«

»Und woher weißt du, daß du nicht auf der falschen Seite bist? Du kannst doch auch auf der falschen Seite sein, oder etwa nicht?«

»Nein«, sagte ich. »Hitler will wieder Krieg. Und das will Onkel August auch. Aber der Krieg ist keine Lösung.«

Meine Mutter saß auf dem Küchenstuhl, leicht nach vorn gebeugt, mit gespanntem, unruhigem, sorgenvollem Gesicht. Bei dem Wort Krieg zuckte sie zusammen. Ich hatte es mit

Absicht gesagt. Krieg war für sie eine unmittelbare Gefahr, Gefahr für ihre Familie.

»Nein, nur das nicht. Krieg will ich nicht. Das darf es nicht mehr geben, nie mehr. Es war genug das eine Mal. Das war genug.«

Sie erhob sich und stützte sich dabei von dem Küchentisch ab. Ich sah, wie müde sie war. Sie schüttelte den Kopf, ihre große Nase, sie schüttelte mit dieser Bewegung den Rest des bereits verrauchten Zorns ab. Es hatte ihr nicht gepaßt, zornig zu sein.

»So, jetzt ist es wieder gut.«

Sie sah auf meinen Trenchcoat. Die Farbe gefiel ihr nicht, das Weiß, das in ein schmutziges Gelb übergegangen war, in eine milchig-verschwommene Farbe von Dreck und Staub.

»So läuft man doch nicht herum, Karl, so doch nicht, auch wenn du ein Kommunist sein willst. Laufen denn Kommunisten so herum?«

Ich sah auf meinen Trenchcoat, sie hatte recht, so konnte man nicht herumlaufen. Gerda hatte es nicht bemerkt. Vielleicht war es ihr gleichgültig gewesen. Es fiel mir jetzt ein, daß sie kein Wort zu meinem Aussehen gesagt hatte. Aber sie war auch nicht meine Mutter. Trotzdem war es mir unangenehm, daß ich so mit ihr durch den Tiergarten gegangen war.

»Geh nach oben«, sagte meine Mutter. »Du schläfst bei Max auf dem Boden. Und zieh den Dreck aus. Ich will das nicht mehr sehen, was du da an hast. Das kann man doch nur verbrennen.«

Ich nahm meinen Pappkoffer auf und ging über den Hof, die Bodentreppe hinauf. Das Bett in der kleinen Kammer unter dem Dach war mein Bett. Es stand am Fußende des Bettes, in dem mein Bruder Max schlief. Ich stellte den Koffer ab, zog den Trenchcoat aus, die Jacke, die Jimmyschuhe, die Hose, das Hemd, ließ alles neben meinen Koffer fallen und kroch unter die Bettdecke. Ich hörte meinen ältesten Bruder

Willi, den Volksschullehrer, über den Vorboden kommen. Ein vertrautes Geräusch, das Gehen mit einem etwas verkürzten Bein, einem verstümmelten Fuß.

»Nanu, du bist schon im Bett, jetzt am Nachmittag. Du bist doch gerade erst angekommen?«

»Das bin ich. Aber ich bin auch müde. Berlin war anstrengend, alles war anstrengend.«

»Na ja«, sagte mein Bruder, »singen kann ja auch nicht jeder. Du auch nicht.«

»Nein, ich auch nicht.«

»Weißt du schon das Neueste? Brüning ist gestürzt. Ich habe es gerade gehört. Es soll durchs Radio gekommen sein.«

»Und was kommt jetzt? Hitler vielleicht?«

»Nein, ein Kabinett der nationalen Konzentration, ein Herr von Papen, ein Herrenreiter, sagt man.«

»Also ein Onkel August?«

»Nein, das wohl nicht«, sagte mein Bruder.

Ich hörte ihn die Tür schließen und über den Vorboden davongehen. Brüning war mir in diesem Augenblick gleichgültig. Es war nur ein Kanzler, einer unter vielen Kanzlern. Es würde ein anderer kommen, irgendein anderer, jetzt also ein Herr von Papen. Ich empfand die Sensation nicht, die kommende Veränderung. Ich war zu müde, zu abgespannt.

Alex Smirnoff ging durch meine Gedanken, und Liverpool kam hinter ihm her. Sie stritten sich. Eines Tages würden sie die Sieger sein, zwei sich streitende Sieger, und ich selbst ein Konterrevolutionär, wie Liverpool mich genannt hatte. Aber zu einem Konterrevolutionär gehörte die Revolution, und sie mußte noch kommen, und wenn sie kam, würde Liverpool seine Beleidigung längst zurückgenommen haben.

Meine Mutter kam herein. Sie nahm die Sachen auf, die ich ausgezogen und auf den Boden hatte fallen lassen.

»So, und jetzt werde ich den Dreck verbrennen«, sagte sie, hob den alten Pappkoffer auf, nahm alles unter den Arm und ging wieder hinaus.

XIII

Ich versuchte, meinem Onkel aus dem Weg zu gehen. Er war Anfang Juli gekommen, mit dem Beginn der Hochsaison, war mit der Droschke vorgefahren wie immer und hatte wieder sein nationalbewußtes Ferienleben begonnen. Das Hakenkreuz wehte über seiner Strandburg, darunter die Reichskriegsflagge und die schwarzweißrote Fahne.

Ich hatte ihn bei seiner Ankunft begrüßt, obwohl ich ihm nicht die Hand geben wollte, aber meine Mutter hatte es von mir verlangt.

»Du gibst ihm die Hand. Ob du es willst oder nicht. Hier in meinem Haus gibt es keinen Streit. Und von Politik wird nicht gesprochen, das sage ich dir, kein Wort von Politik.«

Mein Onkel hatte sich jovial gegeben, mit einem Händedruck und einem leichten Schlag auf meine Schulter, von Mann zu Mann, und mit einem Anflug familiärer Sympathie.

»Na, Karl, auch wieder da?«

»Wie du siehst, Onkel August.«

»Hat wohl nicht mehr geklappt in Berlin. Na ja, bei der Arbeitslosigkeit kann man auch nicht viel erwarten.«

»Erwarten kann man gar nichts«, hatte ich gesagt.

Seitdem waren drei Wochen vergangen. Das Kabinett der nationalen Konzentration, die Regierung der Barone, war zurückgetreten oder gestürzt worden, und eine neue Reichstagswahl stand bevor.

Ich kümmerte mich nicht darum, was mein Onkel trieb, es war nicht mein Leben und entsprach nicht meinen Überzeugungen. Für ihn gab es keinen Zweifel an dem kommenden Sieg Hitlers. Er hatte es zu meiner Mutter gesagt: »Diesmal fällt die Entscheidung, und dann gibt es kein Pardon mehr.«

Ich fuhr Abend für Abend ins Hinterland, in die Dörfer und in die kleinen Städte, ich klebte Plakate, sprach in Versammlungen, demonstrierte unter roten Fahnen für den Sieg meiner Partei, der Kommunistischen Partei. Onkel August ging anderen Abenteuern nach. Er tanzte im Café »Asgard«, ritt wieder durch den Buchenwald auf der Steilküste entlang, und im Damensattel neben ihm hoppelte und schwankte immer wer, irgendwer, Damen der Gesellschaft, die er vormittags am Strand wiedertraf und mit denen er am Abend auf der Promenade promenierte, in Smoking und Lackschuhen, das Monokel im Auge oder auf dem weißen Smokinghemd an einer schwarzen Seidenschnur baumelnd. Für ihn bumste die Marineartillerie jeden zweiten oder dritten Tag wieder ihre Granaten aus den Hafengeschützen von Swinemünde aufs Meer hinaus, und für ihn, so schien es mir, trug die immer noch ungeschlagene, wenn auch nicht siegreiche Marine ihr Bestes zur militärisch-politischen Unterhaltung bei, mit ständigen Übungen, mit Besuchen ihrer Torpedoboote und Zerstörer unmittelbar vor der Küste und mit flanierendem Marine-Offiziers-Blau auf der abendlichen Promenade. Es war wieder seine Marine, unsere Marine, unsere blauen Jungs, sie hatten nach seiner Ansicht mit der nationalen Konzentration, dem Angriff der Harzburger Front auf das »System« wieder Anschluß an das gesellschaftliche Leben und damit an das Leben der Nation gefunden.

Ich gönnte ihm den Triumph nicht, aber es war mir auch gleichgültig. Die Ansichten meines Onkels waren trotz Hitlers scheinbaren Erfolgen zum Tode verurteilt. Davor stand die Revolution, meine proletarische Revolution. Das Rad der Geschichte ließ sich nicht rückwärts drehen, es drehte sich vorwärts, vorwärts.

Gerdas Telegramm kam am Wahlsonntag. Es enthielt nur wenige Worte: »Hol mich in Heringsdorf ab. Komme mit der ›Odin‹«, dazu die Uhrzeit der Ankunft, aber keine weitere Mitteilung. Ich wunderte mich über das Telegramm. Es kam aus Saßnitz auf Rügen. Ich hatte Gerda nicht erwartet und seit meinem Besuch in ihrer Wohnung nichts mehr von ihr gehört. Ich fuhr ihr auf einem alten Fahrrad entgegen. Der Ostseedampfer »Odin« tauchte schon am Horizont auf, steil standen die schwarzen Rauchfahnen in der sommerlich-sonntäglichen Badesaisonluft, die Spitzen der Rauchfahnen wehten leicht nach hinten, dem Westen zu. Es war Wahlwetter, Kaiserwetter, Hindenburgwetter. Die zur Wahl ungeduldig aufmarschierten SA-Leute nannten es Adolf-Hitler-Wetter.

Ich sah sie überall herumstehen, mit Plakaten vor der Brust: »Deutschland erwacht. Wählt Liste 2 Nationalsozialisten.« Auf allen Bretterwänden, an Zäunen und Litfaßsäulen klebte der deutsche Adler, auf einem Hakenkreuz sitzend. Ich sah die Terrorstimmung in den Gesichtern der SA-Leute, sie glaubten an ihren Sieg, Hitler hatte ihn für sie prophezeit mit dem Satz: »Ich werde die zweiunddreißig Parteien aus Deutschland hinausfegen.« Sie glaubten an seinen großen Hinausfege-Besen.

Ich schob mein Fahrrad durch den Strandsand, stellte es neben der Landungsbrücke ab und lief zum Kopf der Brücke hinauf. Die »Odin« schwamm heran, wimpelgeschmückt und weißen Dampf ablassend. Kein Hakenkreuz wehte über die Toppen, kein deutscher Säbelkrallenadler saß auf der Reling. Gerda stand dort unter anderen Passagieren und winkte mir zu, schüchtern, verlegen, nur mit einer leichten Bewegung der Hand, und ich winkte zurück. Ich sah die anderen nicht, die winkenden, lärmenden Passagiere, die von Bord gingen. Für mich kam Gerda allein über die Gangway, über das an den rotgestrichenen Kielwänden der »Odin« und den bemoosten Brückenpfählen des Landestegs grünlich hochglucksende Wasser. Gerdas Lachen glich dem Geräusch des Wassers, ein dunkles, kullerndes Lachen. Sie sagte »Tag« und »Da bin ich« und »Da staunst du, was?« und endlich »Freust du dich nicht«?

»Ja, natürlich freue ich mich. Aber wo kommst du denn her?«

»Aus Saßnitz. Aber ich muß gleich wieder zurück, spätestens morgen früh, nein, vielleicht schon heute abend. Mein Vater ist aus seinem Urlaub nach Berlin zurückgerufen worden, nur für den Wahltag. Man erwartet ja etwas.«

»Was erwartet man denn?«

»Ich weiß nicht. Irgend etwas.«

»Ja, ja, Hitler erwartet man. Aber daraus wird nichts.« Ich nahm mein Fahrrad und schob es neben ihr her durch den Strandsand, dann die Strandpromenade entlang, die das eine Bad mit dem anderen verband.

SA-Leute standen am Weg: »Wählt Liste 2. Wählt Nationalsozialisten. Wählt Adolf Hitler.«

Ich ging mit Gerda von der Strandpromenade weg zu einem Nebenweg, der unterhalb der Promenade entlanglief. Dort hoffte ich keine SA-Leute zu treffen. Ich wollte ihren Provokationen aus dem Weg gehen, ihren gehässigen Anwürfen: »Aha, da ist ja einer von den Roten, nehmen wir ihm doch gleich die Jacke, diesem Achtgroschenjungen.« Ich wollte es mir und Gerda ersparen. Sie erzählte von Saßnitz, dort gab es noch mehr Nationalsozialisten, noch mehr SA-Uniformen.

»Dort siehst du nur noch Hakenkreuzfahnen am Strand«, sagte sie.

Ich dachte an meinen Onkel. Vielleicht wußte sie nicht, daß er hier war, es konnte gefährlich für sie werden und zu einem zweiten, noch längeren Hausarrest führen. Ihr Vater würde einen nochmaligen Besuch bei mir nicht durchgehen lassen.

»Weiß dein Vater, daß du hierhergefahren bist, zu mir?«

»Um Gottes willen, nein, wie kommst du darauf? Offiziell bin ich auf Bornholm, für einen Tag. Er hat es mir erlaubt. Für ihn bist du in Spanien, eine heruntergekommene Existenz, längst verloren und vergessen.«

Sie sah mich an und lachte über die »heruntergekommene Existenz« und über das »längst verloren und vergessen«. Ihr Lachen war kindlich naiv, das Lachen einer gerade Achtzehnjährigen über den eigenen Vater, den zu belügen das Recht der modernen Jugend war, einen Vater, der nie begreifen würde, um was es dieser Jugend ging.

»Aber mein Onkel ist hier, weißt du das?«

»Ich weiß. Mein Vater hat es mir erzählt. Aber dein Onkel verrät mich nicht. Das tut er nicht. Damals ist das nur durch Zufall geschehen. Jetzt ist es anders, ganz anders.«

Ich fragte nicht weiter nach meines Onkels Diskretion und Verschwiegenheit. Ihr »ganz anders« störte mich. Sie hätte auch sagen können: jetzt bin ich mit ihm befreundet, wie sie es auf dem Balkon in der Wohnung ihres Vaters gesagt hatte. Ich wollte meinen Onkel nicht treffen und hatte mich deshalb mit Gerda bei meinem ältesten Bruder in der Schule über dem See hinten im Land angemeldet. Aber da kam mein Onkel uns schon entgegen auf der Straße, die zum Meer und zu dem Wahllokal führte. Er war nicht im Bademantel, nicht im Badedress, er trug einen hellen Sommeranzug, den Spazierstock in der Hand, das Monokel im rechten Auge. Es gab keine Möglichkeit, ihm auszuweichen. Mein Onkel sah überrascht auf Gerda, wechselte seinen Spazierstock von der rechten Hand in die linke Hand, nahm das Monokel aus dem Auge und ließ es in die Spazierstockhand fallen.

»Ja, das ist ja reizend, Gerda. Wo kommen Sie denn her? Von Rügen? Aus Saßnitz? Das ist ja eine Überraschung. Wie geht's denn dem Herrn Papa?«

»Er mußte nach Berlin zurück.«

»Und warum? Ist denn etwas los? Heute am Wahlsonntag?«

»Ich weiß nicht. Man erwartet wohl etwas.«

Gerda sagte es, wie sie es bereits zu mir gesagt hatte: man erwartet etwas. Es klang nach Aufstand, nach Putsch, nach Revolution. Es gab also eine Art Alarmbereitschaft. Die Gerüchte waren wahr: Hitler würde bei einem Wahlsieg marschieren, seine um Berlin zusammengezogene SA stand zum Einmarsch bereit, zur Machtübernahme. Ich sah es so, und mein Onkel verstand es nicht anders.

»So, so. Man erwartet also etwas. Nun ja, bei den Zuständen. Aber die Dinge sind wohl klar. Sehr klar sogar.«

Ich ärgerte mich über die Gelassenheit meines Onkels, für den alles klar und selbstverständlich war, der Weg nach rechts und zurück mit Adolf Hitler ins Kaiserreich, in die politische Welt von gestern. Er lachte sein bewährtes blitzendes Männerlachen, tat, als habe er nie etwas von den vielen Gerüchten gehört, als wisse er von nichts. Gerda stand vor ihm, etwas kleiner als er, und er sah sie an, und sein Lachen ging in ein Lächeln über, in ein verhaltenes, amüsiertes Lächeln. Etwas von seiner lebensfrohen Großmut war in seinem sonnengebräunten Gesicht: Optimismus, Zukunftsgläubigkeit, strahlende Selbstsicherheit. Es gab keine Zweifel für ihn, kein Angekränkeltsein von den Ideen der Gegenwart. Das Leben war lebenswert in jedem Augenblick. Es machte ihm Spaß, Gerda zu sehen, die etwas verlegene, wieder rot gewordene Gerda, die wie auf Abwegen ertappt zu ihm aufblickte. Ich sah ihm den Spaß über die unvermutete Begegnung an.

»Wie lange bleiben Sie denn, Gerda?«

»Nur bis heute abend.«

»Also eine Stippvisite, ein Kurzbesuch, nur so lange der Herr Papa in Berlin ist, nicht wahr?«

»Er weiß von nichts. Für ihn bin ich auf Bornholm«, sagte Gerda.

»Ich verstehe«, sagte mein Onkel.

Ich fand das Einvernehmen zwischen beiden unerträglich,

es war für mich ein Einvernehmen sonderbarer Art, eine Vertraulichkeit, die ich nicht erwartet hatte. Für Gerda war es selbstverständlich, daß mein Onkel ihre Geheimnisse bewahrte und ihren Besuch bei mir für sich behielt. Sie brauchte ihn nicht darum zu bitten. Ich kam mir überflüssig neben den beiden vor, einer, der zuhören durfte, der aber nichts zu sagen hatte und kein Wort fand, ihr Gespräch zu unterbrechen.

Gerda erzählte jetzt von Saßnitz, von den Ferienwochen dort, von ihrem Vater, für den die Erholung am Meer dringend notwendig gewesen sei.

»Das ist richtig«, sagte mein Onkel, »er war etwas übernervös in den letzten Wochen. Aber das ist verständlich. Die Polizei ist ja überfordert, weit überfordert. Besonders jemand, der wie er an verantwortlicher Stelle steht.«

Gerda bestätigte die Überforderung der Polizei, das Zuviel an Arbeit auch für ihren Vater, ein Zuviel, das sich aus der ständig zunehmenden politischen Unruhe ergab, aus dem Zuviel an Versammlungen, Demonstrationen, Saalschlachten, politischen Verbrechen – sie nannte es so, politische Verbrechen, sagte sie. Mein Onkel nahm auch das gelassen hin.

»Verbrechen sind das nicht, Gerda. Es handelt sich nur um Notwehr. Notwehr der SA gegen politische Verbrecher.«

Ich wollte etwas erwidern, aber er verabschiedete sich mit einer leichten Verbeugung, einem Neigen des Kopfes, wobei er seinen Spazierstock wie einen Degen anhob und vor Gerda salutierte. Er wollte zur Wahl gehen, er sagte: »Gewählt muß werden. Es wird höchste Zeit.«

»Was wählst du denn?« fragte ich, nur um ihn zu ärgern.

»Genau das, was dir nicht paßt«, sagte mein Onkel.

Ich ging schweigend neben Gerda her. Die Begegnung mit meinem Onkel war mir unangenehm, sie hatte etwas Peinliches an sich, ein peinliches Versteckspiel mit einem Mann, den mein Leben nichts anging, der mein politischer Gegner war. Mein Onkel hatte Gerda einmal während des Gesprächs

»mein Kind« genannt, sein Kind, als sei sie seinem Schutz und seiner überlegenen Männlichkeit unterstellt. Aber ich wagte nicht zu fragen. Gerdas Satz »Sag es nie wieder« hinderte mich daran. Ich schob mein Fahrrad neben ihr her, durch die sandigen Waldwege, und so gingen wir unter den Buchen entlang, den Seen im Hinterland und der Schule zu, in der Gerda in der Nacht aus dem Fenster gesprungen war. Mir kam es vor, als lägen Jahre dazwischen, Jahre, die alles verändert hatten. Aus den Anfängen von damals war der Sturm geworden, der jetzt die Republik schüttelte, eine Republik, die vielleicht an diesem Tag schon zugrunde gehen konnte. Der Abend würde es zeigen, die Wahlergebnisse, die ich mit meinem Bruder Willi und mit ein paar Genossen in der Schule abhören wollte, würden es offenbaren. Auch ich hoffte auf Erfolg, auf Sieg und auf die Niederlage der anderen, für deren Sieg mein Onkel arbeitete.

Mein Bruder sprach fast nur von der Wahl. Gerdas Besuch interessierte ihn nicht, er war nebensächlich angesichts der Hochspannung, die der Wahltag mit sich brachte. Auch er war der Meinung, dieser Tag werde die Entscheidung bringen. Ich erzählte ihm von dem Polizeimajor, Gerdas Vater, der seinen Urlaub abbrechen mußte: zurückbefohlen nach Berlin. Mein Bruder wußte von der Alarmbereitschaft. Für ihn lagen Umsturz und Veränderung in der Luft, es gab keine Sicherheit mehr. Nur an die Abwehrkraft der Arbeiterschaft glaubte er noch, an das Proletariat, an den Generalstreik. »Dann kommt es wie beim Kapp-Putsch.«

Daran klammerte er sich, an die Möglichkeit, jeden Putsch Hitlers mit Hilfe des Generalstreiks niederschlagen zu können. Er glaubte daran und zweifelte zugleich. Es gab zu viele Arbeitslose, die an die Stelle der Streikenden treten konnten. Er wußte es, wie ich es wußte. Aber wir sagten es nicht, wir sprachen es nicht aus. Wir konnten uns eine weitere Entwicklung nach rechts nicht vorstellen, ein Sieg der Nationalsozialisten war für uns unvorstellbar.

Gerda saß neben mir, als der Abend über den See herauf-
zog. Wir saßen auf dem Rasen vor dem Schulhaus unter
denen, die gekommen waren, die Wahlergebnisse mitzu-
hören, meine Brüder, ein paar Fischer, Arbeiter und Bauern
aus dem Dorf unten am See, ein paar linke Freunde, Sozialdemokraten, Kommunisten, Pazifisten. Willi hatte seinen Radioapparat in das offene Fenster des Schulhauses gestellt, das Fenster, aus dem vor einem Jahr Gerda gestiegen
war, um über den See davonzufliegen, ein nackter X-Bein-
Engel im Mondlicht.

»Weißt du das noch damals, das mit dem Mond?«

»Ja, ich war verrückt.«

»Nein, verrückt warst du nicht.«

»Aber fast«, flüsterte sie.

Sie hatte die Beine angezogen, die Hände darüber gefaltet.
Ihre Drahthaare hingen ihr ins Gesicht. Sie sah über das
Kleefeld hinweg, in dem sie gelegen hatte, auf den See, über
dem der Mond noch nicht hing. Kein Wind, kein Luftzug
kam herauf. Die anderen, die um sie herum saßen, auf dem
Rasen, auf Stühlen, die sie aus dem Schulhaus geholt hatten,
erzählten von den politischen Auseinandersetzungen der
letzten Wochen, von Schlägereien mit der SA, von Saalschlachten. Es hatte sie überall gegeben, selbst in den Dörfern. Sie machten sich lustig über SA-Leute und SA-Sturmführer, die sie kannten, kleine Handwerker, Kaufleute,
Drogisten, über diese oder jene fragwürdige Gestalt, die in
Konkurs gegangen und nun bei den Nationalsozialisten als
Ortsgruppenleiter oder Sturmführer gelandet war.

»Und jetzt reißt er das Maul auf«, sagten sie oder: »Aus dem
wird doch nichts, nicht einmal bei Hitler«, und: »Stell mal
deinen Kasten an, jetzt muß es doch bald losgehen.«

»Gleich geht es los«, sagte mein Bruder.

Er war nervös. Aufgeregt lief er in sein Schulhaus hinein,
kam zurück und lief wieder hinein. Ich kannte seine Nervo-
sität. Er hatte sie aus dem Weltkrieg mitgebracht.

»Warum ist er denn so durcheinander?« fragte Gerda.

»Er ist es immer.«

»Nein, damals vor einem Jahr war er nicht so.«

»Damals ist auch nicht heute. Wenn wir jetzt verlieren, bringt er sich um.«

Ich sah auf ihre Knie und auf die Hände, die darauf lagen, ich wußte, sie wollte mit mir allein sein. Die Wahl interessierte sie nur am Rand, denn es gab nach ihrer Ansicht doch nichts anderes als einen Vormarsch der Harzburger Front. Sie hatte es am Nachmittag angedeutet: mein Vater glaubt daran, dein Onkel und alle, die ich kenne. Ich nahm es nicht ernst.

»Bleiben wir eigentlich hier, die ganze Nacht?«

»Nicht die ganze Nacht«, sagte ich.

»Wie lange denn?«

»Bis das vorläufige Endergebnis durch ist.«

»Ach«, flüsterte sie, »ich bin nur heute hier. Morgen bin ich schon wieder weg.«

Ich gab ihr keine Antwort. Ich wußte, daß ich sie morgen wieder auf die »Odin« bringen mußte, damit sie noch vor ihrem Vater, der jetzt in Berlin für Ruhe und Ordnung zu sorgen hatte, in Saßnitz sein konnte. Mir war das in diesem Augenblick nicht wichtig. Morgen konnte schon alles anders sein. Ich hörte meinen Bruder sagen: »Jetzt geht es los, die ersten Ergebnisse.«

Die ersten Ergebnisse kamen aus kleinen Städten und Dörfern. Die Nationalsozialisten waren überall im Vormarsch. Mein Onkel hätte es einen schwungvollen Vormarsch, einen rollenden Angriff genannt. In vielen Städten überschritten sie die Grenze zur absoluten Mehrheit. Ich hatte meinen Arm um Gerdas Schulter gelegt.

»Das ist ja trostlos.«

»Hast du etwas anderes erwartet?«

»Ja und nein. Ich weiß es nicht.«

Es kam Musik, Marschmusik und Tanzmusik, und dann

wieder Zahlen, Städte, Teilergebnisse. Der Mond zeigte sich über der Motormühle im Osten. Ich sah ihn nicht, ich bemerkte ihn nicht. Nur Gerda flüsterte:

»Jetzt ist er wieder da.«

»Wer? Wer ist da?«

»Mein Mond«, sagte sie.

Ich ärgerte mich, daß sie jetzt von ihrem Mond sprach, es war albern, unangebracht, aber sie war nicht beunruhigt wie ich, nicht betroffen. Sie hatte sich nach hinten fallenlassen und lag jetzt neben mir auf dem Rasen, die Hände hinter dem Kopf verschränkt. Hitlers Sieg schien sie nicht zu berühren. Ich konnte mir ihre Gleichgültigkeit nicht erklären.

»Was sagst du denn dazu?«

»Nichts. Was soll ich dazu sagen?«

»Interessiert es dich nicht?«

»Doch, aber du lebst unter anderen Menschen als ich. Wenn du hörst, was die Leute reden, die bei meinem Vater verkehren, dann kann es nur so kommen. Sie reden doch schon alle wie Hitler.«

Sie sagte es leise, mit einer Stimme, die unter der Stimme des Radiosprechers verschwand, und drehte den Kopf weg, eine Bewegung, eine Geste, die den Widersinn dieser Wahl ausdrücken sollte. Ich empfand es so. Auch mir kam jetzt alles widersinnig vor, diese Nacht, diese Wahl, dieser Vormarsch der Nationalsozialisten, die Prozentzahlen, die Reichstagssitze, der dunstige Julimond über dem See, über der sich ausbreitenden Niedergeschlagenheit, dazu die Stimme des Sprechers, die immer lauter zu werden schien. Ich hörte dahinter den Marschtritt der SA-Kolonnen. Ihre Anhängerschaft verdoppelte sich, verdreifachte sich. Ich glaubte sie reden, schreien, singen zu hören. Sie brüllten sich in ihren Sturmlokalen in den Sieg hinein, überall im Land. Ich hörte die Stimme meines ältesten Bruders:

»Noch fehlen die großen Städte. Die wählen rot. Ihr werdet es sehen.«

Er bekam keine Antwort. Niemand glaubte mehr daran. Seine Besucher sagten nichts mehr. Sie saßen auf dem Rasen, auf den Stühlen und standen an die roten Backsteinmauern des Schulhauses gelehnt, sie starrten vor sich hin oder auf den See hinunter, der immer mehr in den Bereich des Mondes kam, auf den Hügel dahinter, mit ein paar vereinzelten Chausseebäumen darauf, auf die langgezogene Wälderkette, dunkel unter dem Mondlicht, weit entfernt, fast am Horizont.

»Jetzt ist es im Eimer, das Kabinett der Barone«, sagte jemand, »jetzt können sie einpacken, die Herrenreiter.«

Für mich war es eine hilflose Schadenfreude. Nicht einmal meinen Onkel würde das Verschwinden der Herren Barone traurig stimmen. Sie kamen und gingen, auch für ihn. So hatte er es meiner Mutter vorausgesagt: »Nur Hitler bleibt. Er ist der Mann der Zukunft. Alle anderen sind Würstchen.«

Ich sah ihn feiern, irgendwo im Café »Asgard« vielleicht, hörte ihn lachen über jeden neuen Erfolg, sah ihn sein Sektglas erheben. Sein Sieg sprang mir mit jeder neuen Meldung aus dem Rundfunkapparat entgegen, er sprang von Ort zu Ort, von den Dörfern zu den Städten, von den Städten zu den Großstädten. Sie waren nicht mehr rot, sie waren braun, sie marschierten im Gleichschritt der Provinzen mit. Jemand sagte:

»Die SA ist heute nacht alarmiert. Wißt ihr das eigentlich? Sie sitzen in ihren Sturmlokalen und warten auf Befehle.«

Ein Augenblick der Angst breitete sich aus, nur wenige Sekunden lang. Ich sah sie den Schottersteinweg zum Schulhaus heraufkommen, im gleichen Schritt und Tritt, eine Kolonne, ein Sturm, um Rache zu nehmen für alles, für jede Schlägerei, für jeden zusammengeschlagenen SA-Mann. Es war nur eine Sekunde der Angst, ebenso schnell verschwand sie wieder. Jetzt gingen die ersten, sie gingen schweigend, nicht lärmend, wie sie gekommen waren. Sie sagten »Nacht«, nicht mehr, sie wünschten keinen guten Schlaf, keine gute

Nacht, sie gingen davon, den Schottersteinweg hinunter, dem Dorf zu, am See entlang, Schatten im Mondlicht, die sich auflösten.

»Laß uns auch gehen«, sagte Gerda.

»Wohin denn?«

»Irgendwohin. Es ist zu traurig hier.«

»Noch nicht.«

Ich konnte mich nicht lösen von der Stimme des Radiosprechers. Es kamen die großen Teilergebnisse, ganze Stimmbezirke. Hitlers Partei war die stärkste Partei geworden, stärker als jede andere zuvor. Es gab keinen Zweifel mehr. Es war nicht der ganze, der volle Sieg, aber fast der Sieg. Ich kannte die Folgen: verstärkter Terror, neue Kämpfe. Jetzt gingen auch meine Brüder, meine linken Freunde. Sie warteten das Endergebnis nicht ab, sie sagten nicht viel, nur »Na, da werden wir ja was erleben« oder »Jetzt wird es schlimm«, sie gingen durch den Wald zur Küste hinunter dem Seebad zu, in dem sich die »große Welt« erholte, feierte, tanzte. Es war nicht ihre Welt, ihre bedrohte Welt. Nur mein ältester Bruder saß noch immer neben seinem Radioapparat vor der Tür des Schulhauses und rechnete, addierte Zahlen zusammen. Er wollte nicht wahrhaben, was geschah und schon geschehen war, den Sieg seiner Gegner, die für ihn die Drückeberger von gestern waren, die Maulhelden, Puffgänger, Etappenhengste, die nach seiner Ansicht nie ein feindliches Bajonett gesehen hatten. Ihr Sieg bedeutete Krieg für ihn, einen neuen Krieg, irgendwann.

»Gib es doch auf«, sagte ich, »es hat keinen Zweck mehr.«

Aber Willi gab es nicht auf. Er rechnete sich dem Endergebnis entgegen, das mit jeder Addition trostloser für ihn wurde. Er sprach sich selbst den Mut zu, den er nicht mehr besaß.

»Er schafft es nicht ganz. Du wirst es sehen. Und wenn er es jetzt nicht schafft, schafft er es nie mehr.«

»Aber er hat es doch schon geschafft.«

»Ich sage dir ja, nicht ganz. Er bleibt unter der absoluten Mehrheit.«

Für mich hatte mein Bruder recht und unrecht zugleich. Hitler hatte diese Wahl als Stunde der Entscheidung proklamiert. Sie war es nicht und war es doch geworden. Was jetzt kam, war ungewiß. Der latente Bürgerkrieg würde weitergehen, von nun an nur mit einer sichtbaren zahlenmäßigen Überlegenheit der Nationalsozialisten. Es war das Gefühl der kommenden Unterlegenheit, das auch mich bedrückte.

»Geht man, wenn ihr wollt«, sagte mein Bruder, »ich höre mir den Schluß noch an. Ich muß wissen, wie es wirklich aussieht.«

»Es ist doch sinnlos«, sagte ich.

Ich ging mit Gerda zum See hinunter den Weg entlang, der in den Wald führte. Es wurde bereits hell. Wir hatten den Übergang zum frühen Morgen nicht bemerkt. Gerda sagte nichts. Es gab nichts zu sagen. Ihr Gang schien mir müde, traurig, ihre normale Gesichtsfarbe hatte ein rotdurchsetztes Weiß verdrängt, ein dichtes rotes Adernetz unter einer bleichen Haut. Ich hatte sie noch nie so gesehen.

»Was hast du? Hast du etwas?«

»Nein. Hier ist nur alles schlimmer als in Berlin. Alles ist persönlicher und direkter. Hier kann man Angst bekommen. Und was willst du jetzt tun? Irgend etwas mußt du doch tun?«

Ich wußte nicht, was ich tun sollte. Alles entwickelte sich anders, als ich erwartet hatte. Ich hätte »kämpfen« sagen können, aber ich sagte es nicht. Es war ein Onkel-August-Wort. Mein Onkel kämpfte bis zum letzten Mann und bis zur letzten Patrone, es war ein Wort der Rechten. »Im Stahlgewitter auf verlorenem Posten stehen« – es war nicht meine Sprache.

»Noch haben sie ja nicht gesiegt. Und sie werden auch nicht siegen.«

»Ich weiß nicht. Aber jetzt bist du schon wieder sicher. Warum eigentlich?«

»Nicht ganz sicher«, sagte ich.

Gerda blieb stehen, lachte, lächelte, sah auf den See unter dem verblassenden Mond und unter der aufgehenden Sonne, sah mich an und sah wieder weg, ein wechselnder Blick vom See zu meinem Gesicht und wieder zurück.

»Laß es uns vergessen. Wenigstens bis zum Morgen. Bis ich wieder weg bin. Und jetzt bade ich.«

»Du bist verrückt. Es ist zu kalt.«

»Es ist warm, ich bade. Bitte, laß mich.«

Es war warm. Ich mußte es zugeben, ein warmer Julimorgen nach einem heißen Tag und einer lauwarmen Nacht. Es gab keinen Morgenwind. Der See lag unverändert glatt unter einem sich im Osten rötenden Himmel.

Wir standen unmittelbar vor einer Schneise, die das hohe Schilfrohr teilte. Die Schneise wurde breiter zum See hin. Sie öffnete sich. Davor lag eine schmale Wiese, keine Kleewiese wie damals, nur eine gewöhnliche Wiese, eine verblühte Löwenzahnwiese, ein paar Schritte breit, ein Wiesenhandtuch zwischen dem Wald und dem See.

Ich sah auf den See hinaus. Ich hatte Angst vor den Fischern, die schon um diese Zeit auf den See kommen konnten. Sie kannten mich, sie würden sich über mich lustig machen. Aber ich sah niemanden.

Gerda zog sich am Waldrand aus. Sie ließ alles fallen, was sie anhatte, oder streifte es über den Kopf und über die Beine und warf es auf die Erde: ihr hellblaues Sommerkostüm, ihre Strümpfe, ihr Hemd, ihren Schlüpfer, ihren Büstenhalter. Sie lief an mir vorbei auf den See zu, über die verblühte Löwenzahnwiese, sie lief auf den Mond zu wie damals, und jetzt war es ein blasser, eiförmiger Morgenmond. Er hatte keine Anziehungskraft mehr. Ich wußte es. Gerdas X-Beinknie rieben sich wieder aneinander, und ihre laufenden Füße bildeten Halbkreise, nackte Halbkreise, nackte X-Beinknie. Sie ging bis zu den Hüften ins Wasser hinein und drehte sich zu mir um.

»Komm doch auch, bitte.«

Ich sah auf ihre Drahthaare. Sie kamen mir leuchtender vor als sonst, jetzt unter der Morgensonne, die sich jenseits des Sees über die Motormühle schob. Ich sah Gerdas halbe Brust in der Drehung ihres Oberkörpers, ihre Hüften über dem Wasserspiegel, die Schwingungen ihres Körpers, die sich unter dem klaren Wasser fortsetzten bis zu ihren Knien hinunter. Ich sah es und dachte gleichzeitig an meinen Bruder, der nicht weit von hier vor seinem Schulhaus und vor seinem Radioapparat saß. Ich wollte die Niederlage vergessen, wie ich es Gerda versprochen hatte, aber ich konnte es nicht. Ich sah nur noch Gerdas Kopf, ihren Körper von den Schulterblättern aufwärts.

»Geh nicht zu tief rein. Das ist gefährlich. Dort ist Morast und Sumpf.«

»Ich kann ja schwimmen.«

»Auch dann«, sagte ich.

»Vergiß doch die dumme Wahl. Komm, bitte.«

»Ja«, sagte ich, »ich komme.«

Dann zog auch ich mich aus.

XIV

Ich ging in der ersten Reihe neben der Fahne, die einer meiner Freunde trug. Meine Genossen marschierten hinter mir in Fünferreihen auf dem Kopfsteinpflaster der pommerschen Stadt unter selbst angefertigten roten Fahnen, goldbestickt von ihren Genossinnen mit Hammer und Sichel. Unsere Hände klammerten sich um die Fahnenstangen, um die Stökke der Transparente, sie waren nicht frei im Takt der roten Kampflieder: »Steig hoch, du roter Adler.«

Staub stieg von den demonstrierenden Füßen auf. Er nahm uns den Atem, bedeckte unsere Fahnen und ließ ihr Dunkelrot blasser werden. Er hüllte unseren Gesang ein, unsere Transparente, unsere Parolen, unsere Angst und unsere Begeisterung. Haß schlug uns aus den geöffneten Fenstern entgegen. Er spuckte sich aus in Bemerkungen, in Zurufen, in drohenden Gesten.

»Abschaum, Verräter, Lumpen!«

SA-Leute standen auf den Bürgersteigen herum. Sie starrten uns an, als marschiere die schwarze Pest an ihnen vorbei, nun unter roten Revolutionsfahnen. Ich versuchte geradeaus zu sehen, nach vorn, von den SA-Leuten weg. Ich hatte Angst wie alle, die neben mir und hinter mir gingen, Angst unter Fahnen, die uns nicht schützen konnten. Ich ging schnell, wir gingen alle zu schnell, wir liefen an Haß atmenden, Haß ausspeienden Häusern vorbei, wir überhörten das »Langsam, langsam«, das von hinten, vom Ende des Zuges durchkam, das »Langsamer«, das von denen ausging, die nicht Schritt halten konnten.

Ich wußte, wir liefen in unsere eigene Niederlage hinein.

Aber wir sangen unsere roten Lieder, die niemand hören wollte, wir schrien: »Rot-Front lebt« und »Rot-Front siegt« denen zu, die uns verachteten und die uns die Parolen zurückgaben mit »Heil Hitler« und »Heil, Heil, Heil«.

Sonntägliches Herbstlicht stand über der Stadt. Es spiegelte sich in den Fensterscheiben, dämpfte die Zurufe und verschluckte den Haß. Nachttöpfe wurden in den geöffneten Fenstern geschwenkt. Ihr Inhalt fiel auf Fahnen und Transparente, auf das Straßenpflaster, auf die staubigen Wege und auf unsere Köpfe, Wut erzeugend, die sich in Aufschreien äußerte.

»Nieder, nieder. Nieder mit den Verbrechern, nieder mit der Reaktion, nieder mit Adolf Hitler, nieder mit der Republik!«

Ich schrie es, und die, die neben mir und hinter mir gingen, schrien es auch: nieder mit allem, was sich uns in den Weg stellt.

Es stellte sich uns niemand in den Weg, keine Polizei, keine Schläger-Kommandos der SA, keine Gegendemonstration. Wir liefen ins Leere, durch Straßen voller Haß, gegen eine Menge, die uns nicht zur Kenntnis nahm. Aus einer SA-Gruppe kamen Zurufe ironischen Mitleids: »Trauriger Haufen. Das soll nun die Kommune sein, diese Schleimscheißer.«

Die SA-Leute lachten und schlugen sich auf die Knie dabei, eine Hand am Koppel, immer marsch-, immer kampf- und schlagbereit.

Ich glaubte zu wissen, was sie davon abhielt, die Demonstranten zusammenzuschlagen. Sie hatten keine Einsatzbefehle, nur den Befehl, den roten Demonstrationszug ablaufen zu lassen. Wir marschierten gegen die Republik, gegen das System, das zerstört werden mußte. Etwas hatte sich verändert in den letzten Tagen. Ich wußte es, wie es einige meiner Genossen wußten. Man streikte bei der Berliner Verkehrs-Gesellschaft, gemeinsam mit den Nationalsozialisten, und legte mit ihnen zusammen für Tage den Verkehr der Millionenstadt lahm: man schlug gemeinsam auf denselben Gegner ein, auf die Demokratie, auf das verruchte, korrupte System. Die Republik brauchte nur noch ein paar energische Marschstiefelfußtritte von rechts und von links, um zusammenzubrechen. Es war eine Pause des Hasses im latenten Bürgerkrieg, in der ich mit meinen Genossen für eine neue Reichstagswahl demonstrierte, wenige Monate nach der letzten unentschiedenen Wahl, aus der ein Reichstag hervorgegangen war, der sich gleich wieder aufgelöst hatte. Ich glaubte nicht an eine Gemeinsamkeit mit den Nationalsozialisten, es konnte sie nicht geben, aber ich nahm es hin, wie meine Genossen es hinnahmen. Ein Beschluß der Kommunistischen Partei, den man befolgte.

»Deutschland erwache.«

Ich sah es überall, hörte es überall, es stand auf den Spruchbändern, die quer über den Straßen hingen, es kam aus den Lautsprechern, es begleitete die sich entleerenden Nachttöpfe, es stand über unserem Demonstrationszug, der langsam zerfiel und endlich auf einem Sammelplatz vor dem Bahnhof der Stadt auseinanderlief. Es gab keinen Widerstand, nur Hohn auf die »Verdammten dieser Erde«, für deren Erlösung meine Genossen und ich stritten: »Wacht auf, Verdammte dieser Erde« statt »Deutschland erwache«. Wir sangen es auf dem Bahnhof, unter unseren eingerollten Fahnen, unter unseren Transparenten, auf denen die verräterischen Sozialdemokraten angeklagt wurden. Faschisten auch sie in der Terminologie unserer Partei, wir sangen: »Die Internationale erkämpft das Menschenrecht.«

Die Stimmen verklangen, lustlos, traurig. Sie verloren sich in »Genossen, Genossen«, in der Ansprache eines Redners, den niemand kannte. Ich sah zu dem Redner auf. Er war klein und dick. Er stand auf einer Seifenkiste. Die Gebärde Lenins sprang aus seinen zu kurzen Armen. Sein Gesicht strahlte Energie aus, die meiner Ansicht nach nicht vorhanden war. Ich hatte ihn nie zuvor gesehen, ein Fremder unter Genossen, die sich kannten. Der Redner sprach von dem Sieg des Proletariats, von der Partei Lenins, von der Einheit der Arbeiterklasse.

»Auf die Einheit kommt es an, Genossen. Nur wenn wir einig sind, werden wir siegen. Keine Reaktion, kein Hitler, kein General der Republik, kein Herrenreiter wird dann diesen Sieg verhindern können, keiner wird die Revolution aufhalten können, wenn die geballte Kraft der Arbeiterschaft marschiert, wenn die Faust des Proletariats zuschlägt... Genossen, denkt daran...« Die Hand des Redners ballte sich zur Faust, zur Faust des Proletariats. Ich sah sie über mir, über meinem Kopf, eine Faust, die ruckartig in die Luft fuhr und sich öffnete. Ich sah eine weiche Hand, gespreizte runde Finger, eine Hand, die die Arbeit nicht kannte, nicht die Arbeit derer, die um ihn herumstanden, meiner Genossen, die den Redner mit Zwischenrufen unterbrachen: »Quatsch« und »Gib nicht so an« und »Davon sind wir noch weit entfernt«.

Ihre Zweifel sprangen auf den Redner über. Er wurde unsicher. Seine Hand blieb stehen, in der Nähe seines Kopfes, seiner schwarzen, dichten Kräuselhaare. Für mich sah es aus wie der Hitlergruß. Der Redner brauchte nur den Arm auszustrecken. Er tat es nicht. Seine Hand ballte sich wieder zur Faust. Sie wurde wuchtig, versuchte wuchtig zu sein, sie mußte irgendwohin schmettern, auf ein Rednerpult, auf ein Bierfaß, auf eine Kiste, aber es war nur Luft vor dem Redner; und unter ihm waren die Köpfe der Genossen. Die Faust sauste ins Leere, sie schnitt die Luft in zwei Hälften bis zu dem Unterbauch des Redners hinunter, eine Faust des Sieges.

»Genossen, bald ist es so weit. Die Revolution marschiert.« Es klang wie eine Fanfare, das große mit Pathos gefüllte Wort: Die Revolution. Sie fiel auf meinen Kopf, die siegreiche, die wieder marschierende Revolution. Es schmerzte nicht, es tat gut nach dieser verlorenen, verlaufenen, viel zu schnellen Demonstration. Das revolutionäre Pathos sprang in meine Gedanken, in meine Brust, in meine Beine, es sprang gegen die Niedergeschlagenheit an, in der ich mich befand. Die Seifenkiste vor mir wuchs zur Tribüne auf, zur Tribüne der Revolution. Ich schrie: »Jawoll, sie marschiert.« Der Redner hörte es und sah zu mir herunter. Die Zustimmung blähte ihn auf, hob ihn hoch, machte ihn größer, als er war. Er streckte sich und begann auf seinen Schuhspitzen zu wippen. Für mich sah es aus, als wolle er davonfliegen, hinauf in den geröteten abendlichen Himmel über der kleinen Stadt. Seine Faust war wieder oben über dem Kopf, an einem nach außen geknickten Arm, eine Pose des alles besiegenden, alles zerschmetternden Revolutionärs.

»Fritz«, schrie jemand, »bravo, Fritz.«

Der Redner tat, als hätte er das »Fritz« nicht gehört, offenbar ein zu triviales Wort in diesem Augenblick. Er atmete nur durch, sog die abendliche Spätherbstmeeresluft ein, tief hinunter, bis zu seinem Bauch, einem Bauch, den ich erst jetzt bemerkte. Er schien mir für einen Revolutionär zu massig, er schwabbelte über seine Hose, über den eleganten Lederriemen, der sie hielt.

»Genossen.«

Diesmal klang es anders, leiser gesprochen, es war ein brüderliches »Genossen«, es umarmte die paar Dutzend Demonstranten, die um seine Kiste herumstanden, mit ihren eingewickelten Fahnen unter den Armen, mit ihren zusammengeklappten, nun nicht mehr wichtigen Transparenten, deren Aufschriften den Niedergang des Faschismus, das Ende der Republik und den Sieg des Sozialismus voraussagten. Der Redner beschwor wieder die Einheit der Arbeiterklasse, er beschwor sie mit beiden Händen, keine geballten, keine geschwungenen Fäuste mehr, Hände, die sich ausstreckten den Gesichtern der Genossen zu, flehende, bittende Hände.

»Genossen, wenn wir so weitermachen ...«

Es war ein Satz, den auch ich gesagt hatte, leichtsinnig, spontan, und ohne die Reaktion in der Partei abzuschätzen. Wenn ihr so weitermacht, kommt Hitler dran. Hier vor dem Bahnhof hörte ich ihn wieder, genauso gesprochen, aber vielleicht anders gedacht. Er kam von der Seifenkiste zu mir herunter.

»Wir dürfen nicht so weitermachen. Jeder Schlag auf den Kopf eines anderen Genossen, ganz gleich, zu welcher Partei er gehört, ist ein Schlag gegen den Sozialismus, gegen die Revolution, gegen uns selbst, ist ein Schlag für Hitler, nicht gegen ihn. Die Parteien der Arbeiterschaft müssen sich einigen, bevor es zu spät ist, sie müssen gemeinsam marschieren, Hand in Hand, bis das große Ziel erreicht und Hitler geschlagen ist. Es gibt keinen anderen Weg zum Sieg, Genossen.« Niemand applaudierte. Keiner rief dazwischen. Die Genossen hörten es schweigend mit an. Es war klar, was er wollte: die Einheitsfront aller Antifaschisten, aller Werktätigen, aller Linken, aller Sozialisten, ein Verräter also, der die revolutionäre Linie, die Generallinie der Partei verriet, ein Reformist, einer, der nicht begriffen hatte, wo der Hauptfeind stand. Ich dachte an Liverpool: der Hauptfeind, das ist die Sozialdemokratie, das sind die Sozialfaschisten, die sich nicht scheuen, eine kapitalistische Republik zu verteidigen. Ich sah mich nach meinen Genossen um, erwartete Widerspruch, aber niemand widersprach. Die Demonstranten sahen vor sich hin, ließen die Köpfe hängen, blickten in den Herbstabend und gingen hin und her, drei Schritte seitwärts und wieder zurück. Es kam nur die Stimme des Zwischenrufers, der die Rede schon einmal unterbrochen hatte.

»Gut, Fritz, mach weiter so. Wir müssen zusammenhalten, das ist richtig, mach weiter.«

Der Redner straffte sich und riß sich noch einmal auf seiner Seifenkiste hoch. Er wippte auf den Schuhspitzen, eine dicke, zu dicke Feder, die nach oben schnellte: geballte, schwabbelnde Energie. Die Sturmfaust war wieder über seinem Kopf, das doppelt oder dreifach gerillte Kinn nach vorn gereckt, der Bahnhofsfassade entgegen, der abendlichen Nordostbrise, eine gut geölte Baritonstimme, singend, pathetisch.

»Genossen! Es lebe die Revolution. Es lebe das Proletariat. Es lebe der Sieg.«

Er war am Ende. Schweißtropfen standen auf seiner Stirn und liefen an den vollen Backen hinunter an den Mundwinkeln vorbei. Sie sammelten sich unter seiner Unterlippe, dort, wo sein Kinn ein Loch hatte, einer Zisterne ähnlich, geeignet zum Sammeln von Schweiß- und Tränenwasser. Er stieg von seiner Seifenkiste herunter, etwas schwerfällig, das linke Bein vor- und das rechte nachsetzend, Beine, die zu kurz für seinen schweren Oberkörper waren.

»So, das wär's, Genossen.«

Er steckte beide Hände in die Taschen seines Mantels, eines Paletots mit einem schwarzen Samtkragen abgesetzt, sah sich Beifall erwartend nach allen Seiten um. Aber es kam kein Beifall. Die Demonstranten blieben reserviert. Das war nicht ihr Mann. Der Samtkragen störte sie, der Paletot, seine groß-karierte Reisemütze, sein Hochdeutsch, seine gebildete Sprache. Sein »Genossen« klang für sie nicht echt, nicht rauh, nicht unbeholfen. Es war für sie ein zu gewolltes »Genossen«. Ich wußte, daß sie das störte. Sie sagten: »Was ist denn das für einer, wie kommt denn der hierher?« Für sie war er ein Genosse im Paletot, ein Paletot-Genosse. Er stand jetzt unmittelbar vor mir, wischte sich die Schweißtropfen von der Stirn und tupfte sie mit einem Taschentuch aus der Kuhle heraus, aus der seltsamen Vertiefung unter der Unterlippe. Die Rede hatte ihn angestrengt, das mangelhafte Zuhören, die Reserviertheit der Demonstranten, die fehlende Begeisterung.

Sein »Es lebe der Sieg« hatte wie »Es lebe der Krieg« geklungen. Ich versuchte es ihm zu erklären.

»Das ›Sieg‹ spricht man hier anders aus, Genosse, mit einem scharfen, sehr scharf gezischten S.«

Der Redner, Genosse Fritz, lächelte.

»Ein leichter Sprachfehler. Vielleicht sollte ich den Sieg ganz weglassen. Er ist ja auch noch in weiter Ferne, in sehr weiter Ferne.«

Er sagte es selbstironisch, spöttisch. Es stand im Gegensatz zu seiner Rede. Er war – ich erfuhr es jetzt von ihm – auf einer Rednertournee für seine Partei, für die neue sozialistische Arbeiterpartei, für die SAP, die sich aus linken Sozialdemokraten und aus abgesplitterten oder ausgeschlossenen Kommunisten gebildet hatte. Ein Genosse hatte ihn aus Swinemünde mit zu der Demonstration gebracht, der Zwischenrufer mit seinem »Richtig, Fritz«. Er hatte ihm Mut zu dieser Rede gemacht und für ihn die Seifenkiste aus dem Güterschuppen des Bahnhofs geholt.

Der Genosse Fritz begann von der Demonstration zu sprechen. Eine gute Demonstration sagte er.

»Sie hat mir gefallen. Nur viel zu schnell. Ich bin ein Stück mitgelaufen, dann ist mir die Puste ausgegangen.«

»Ja, Puste muß man haben«, sagte ich und verschluckte den nächsten Satz: ohne Puste keine Revolution. Ich gab zu, wir waren im Eilmarsch durch die Straßen marschiert, eine eilige, zu eilige Demonstration.

»Die Fahnenträger sind zu schnell gelaufen. Aber es ist nicht gut, ganz vorn langsam zu gehen. Dort landen die ersten Steine.«

»Habt ihr etwa Angst? Das kann doch nicht sein, Genosse?«

»Auch das, mutige Angst«, sagte ich, »dies ist, falls du es nicht weißt, ein nationales Gebiet. Hier gibt es nur Deutschnationale und Nationalsozialisten, nur Stahlhelmer und SA. Etwas anderes gibt es hier nicht. Die paar Sozialdemokraten und Kommunisten hier, die müssen sich in ihre Löcher verkriechen.«

181

»Also eine erdrückende Übermacht?«

»Mehr als das.«

»Und warum demonstriert ihr gerade hier?«

»Deswegen«, sagte ich.

Etwas wie Furcht sprang in dem Gesicht meines Gegenüber auf und lief von der zu vollen Unterlippe an der Nase entlang, bis zu seinen schwarzen, neugierigen Augen hinauf.

»Aber man muß sie doch überzeugen können. Oder nicht?«

»Schwer«, sagte ich, »ich glaube, wir können sie nicht überzeugen.«

»Ach was! Man muß sie für uns gewinnen, man muß sie einfach umdrehen, mit dem Gesicht zu uns, weg von Hitler und Hugenberg. Mensch, Genosse, das muß sich doch machen lassen.«

Er legte mir die rechte Hand auf die Schulter, seine Sturmfausthand. Es war die Geste eines großen, eines führenden Genossen, einem Denkmal gleich, Lenin auf dem Bahnhof von Petersburg, Siegeszuversicht, revolutionäres Vertrauen verbreitend.

»Und wie siehst du die Entwicklung, Genosse? Hat Hitler eine Chance?«

Ich kam nicht dazu, ihm eine Antwort zu geben. Er sprach gleich weiter, bestätigte sich seine eigenen Ansichten, nannte Hitler einen deutschen Kornilow, angesetzt, um das Proletariat niederzuschlagen und die sich entwickelnde Revolution zu stoppen.

»Aber zur Macht kommt er nicht. Denkbar ist nur eine Episode im konterrevolutionären Gegenschlag, eine kurze Zeitspanne, dann wird auch er gestürzt sein, ein Kanzler wie alle anderen. Sie ist denkbar, aber auch nur denkbar, eine Episode von wenigen Wochen.«

Er röhrte alles aus sich heraus, die Dialektik des revolutionären Klassenkampfes in Öl serviert. Andere Genossen hörten jetzt zu. Sie standen hinter mir und um ihn herum, auf dem Bahnsteig, vor dem Güterschuppen und auf den

Nebengleisen. Sie froren in der sich ausbreitenden Abendkälte, in dem Nordostwind, der eisig wurde, sie hatten keine Mäntel an, keine Paletots, keine wärmenden Samtkragen am Hals. Ihre Sweater und Schals waren selbstgestrickt. Ihre alten Jacken rochen nach Teer, Öl und Schweiß. Sie waren Hafenarbeiter, Tagelöhner, Maurer. Sie konnten mit der Dialektik ihres Paletotgenossen aus Berlin nichts anfangen. Sie verstanden sie nicht. Wer war schon Kornilow, und was hieß die revolutionäre Antithese? Sie sagten »Quatsch« und dann: »Es sieht doch alles ganz anders aus. Mensch, Genosse, siehst du denn nicht, was los ist? Die laufen doch alle zu Hitler über. Jetzt schon unsere eigenen Leute.«
Sie standen vor ihm, die Hände in den Taschen, eine verlorene Minderheit, die versucht hatte, gegen eine überwältigende Mehrheit zu demonstrieren, und dabei ins Laufen gekommen war, in einen unfreiwilligen, mutigen, schnellen Angstlauf. Der Schock, den die über ihren Köpfen geschwenkten Nachttöpfe verursacht hatten, saß noch in ihren Gesichtern. Sie murmelten, grummelten vor sich hin, unzufrieden mit ihrer eigenen Unzulänglichkeit. Der Paletotmann gefiel ihnen nicht. Er wußte alles besser, sprach das Wort »Kronstadt« aus, als sei er selbst unter den roten Matrosen gewesen, die nach seinen Worten der Mut nie verlassen hatte. Sie sagten: »Das ist doch alles schon längst vorbei. Das war gestern. Heute sieht alles anders aus, heute gibt es Adolf Hitler. Den gab es damals noch nicht.«
Ihre Zweifel waren ohne Rücksicht, ohne Mitgefühl für ihn. Er war ein Fremder für sie, ein Berliner, und dort in Berlin machten sie vielleicht alles falsch, in den Parteihäusern, in den Gewerkschaften, in den Parteizentralen, deren Anordnungen sie zu befolgen hatten. »Und wenn Hitler nun doch stärker ist als wir, wenn er siegt, was dann? Was macht ihr dann da oben?«
Er schob ihren Angriff mit beiden Händen zurück, in den Abend fort, über das Ziegeldach des Bahnhofs hinaus:

»Ich gehöre nicht zu denen da oben. Ich bin einer von euch, ich gehöre zu euch, nur zu euch, Genossen.«
Die Genossen lachten, sie glaubten ihm nicht. Wer gehörte schon zu ihnen? Nicht einmal mehr der, der neben ihnen stand, auf den Schiffen, beim Löschen, in den Hafenkneipen, auf den Feldern der Domänen und der Gutsbesitzer, auf den Straßen, in den Arbeitsämtern. Mehr als genug hatten sich bereits an die SA verkauft. Und warum sollte er zu ihnen gehören, aber sie zeigten sich großzügig.
»Natürlich gehörst du zu uns. Was denn sonst? Genosse ist Genosse. Daran gibt's nichts zu rütteln.«
Nur einer sprach von dem feinen Herrn, er brabbelte es in sich hinein:
»Die feinen Herrn sind ja auch klüger als wir. Das muß man ihnen lassen. Die waren auf Schule und so. Nun laßt ihn doch mal reden, den feinen Herrn.«
Der Paletotgenosse begann wieder zu sprechen. Er sprach sie mit »meine lieben Genossen« an. Sie grinsten über das »liebe«, sie waren nicht lieb, sie wollten es nicht sein.
»Er soll sich seine lieben Genossen in den Arsch stecken«, sagte einer. Es ging unter in einem wohlwollenden Grinsen. Sie wollten ihn jetzt hören, sie riefen »Halt dein Maul« und »Laß ihn reden«.
Aber der Genosse Fritz kam nicht mehr dazu. Der Zug lief ein, ein Personenzug mit allen Klassen bis auf die erste Klasse, die hier nicht notwendig war.
Wir drängten uns in die Vierter-Klasse-Kasten-Waggons, warfen unsere Fahnen hinein, Transparente, schoben sie unter die Bänke, traten auf die Fahnenstangen, die zu lang waren, öffneten die Fenster, schoben die unteren Enden hinaus und schimpften gleichzeitig auf die Zugluft, die entstand. »Macht doch die Fenster zu. Was soll denn das? Wir erfrieren ja.« Einige begannen zu singen, als der Zug anfuhr, ein proletarisches Lied, ein Klassenlied, ein Arbeiterlied, sie waren wieder die kommenden Sieger, emporgehoben

von ihren eigenen Stimmen, von dem Lied, das die sozialistische Zukunft beschwor, von dem glänzenden Rot der Sonne, die im Osten aufging. In der Sicherheit des knarrenden, achsenstoßenden Zuges waren sie dem Haß entronnen, der feindlichen Umwelt. Hier standen sie eng gedrängt, Körper an Körper, sich an den Haltern klammernd, in der behaglichen Körperwärme des anderen, Genossenkörper an Genossenkörper, in dem verrauchten Mief des Vierter-Klasse-Kasten-Waggons.

Der Paletotgenosse saß neben mir. Die anderen hatten ihm Platz gemacht: »Nun setz dich man, Genosse, war vielleicht anstrengend für dich, ruh dich man aus.« Er atmete etwas zu kurz in seinem Paletot, der mir zu eng erschien für einen so massigen Körper. Der Rauch und der Mief störten ihn. Er begann zu schwitzen. Die Schweißperlen liefen in seine Tränen-Schweiß-Perlenkuhle.

»Ich bin mit der dritten Klasse gekommen und habe eine Dritte-Klasse-Rückfahrkarte. Aber jetzt fahre ich in der vierten mit euch zurück. Es ist besser so.«

Für mich klang es wie eine Solidaritätserklärung: Solidarität, Genossen, und nochmals Solidarität. Es war albern. Nur in Ernstfällen gab es echte Solidarität. Ich wußte es. Alles andere war vorgetäuscht.

Ich sah auf die Hände meines Nebenmanns, sie lagen auf den Knien und stützten die Arme ab. Die Arme waren kurz, prall, zu kurz wie seine Beine. Eine Sitzhaltung, die ihm ein proletarisches Aussehen geben sollte: seht her, ich bin ein Prolet wie ihr. Ich sprach ihn bei jedem Satz mit Genosse an, um ihm das Gefühl der Dazugehörigkeit zu geben.

»Zieh doch deinen Paletot aus, wenn es dir zu heiß ist, Genosse.«

»Nein, nein ich behalte ihn besser an. Lieber schwitzen als sich erkälten.«

Er litt an einem Katarrh und beanstandete die Zugluft, das dauernde Öffnen der Fenster. Ich widersprach ihm nicht.

Auch ein erkälteter Genosse, einer, der an einem ständigen Katarrh litt, konnte noch ein Revolutionär sein. Kein Katarrh würde die Revolution aufhalten, die immer nur vormarschierende, proletarische Revolution.

Ich sagte es, versuchte darüber zu lachen, aber mein Nebenmann nahm es ernst. Er glaubte nicht an diesen Vormarsch, er wagte nur nicht, es laut, es offen zu sagen. Er flüsterte mir zu:

»Noch nicht, Genosse. Noch sind wir lange nicht so weit. Erst muß Hitler geschlagen werden.«

Er sprach von der falschen Politik der beiden großen Arbeiterparteien, ihrem Kampf gegeneinander, als dem großen Unglück des Proletariats, möglicherweise der Anfang vom Ende. Er erwähnte die neue, die Sozialistische Arbeiterpartei, deren Führung er angehörte.

»Unter ihrer Leitung muß die Einheit der Arbeiterklasse wieder hergestellt werden. Mit allen Mitteln, verstehst du, mit allen Mitteln, Genosse.«

»Mit welchen Mitteln?« fragte ich. »Die SAP ist doch auch nur eine Splitterpartei, nicht mehr, eine Notlösung und dazu noch eine schlechte.«

»Weißt du eine bessere, Genosse?«

»Nein, es ist eine Frage der Taktik, nicht der Strategie. Nur wenn die Taktik der großen Parteien sich ändert, gibt es neue Möglichkeiten.«

»Jetzt kommt es schon auf die Strategie an«, sagte er. Er sprach leise, in leidenschaftlichem Flüsterton, jeder Satz ein geölter Satz, jedes Wort wie abgeschliffen, eingefettet, jedes Wort ein Wort, das überzeugen sollte. Seine linke Hand legte sich auf mein Knie, sie umfaßte es mit der Kraft der Überzeugung.

»Glaub es mir. Es gibt keinen anderen Weg. Die Sozialdemokraten wie die Kommunisten befinden sich in einer Sackgasse, aus der sie nicht mehr herauskommen. Ihr Kampf gegeneinander nimmt der Arbeiterschaft ihren Elan, ihre

Kraft. Nur die SAP ist noch eine Chance. Du solltest zu uns kommen und mitmachen.«

»Aber ich bin in der KPD«, sagte ich, »und da bleibe ich auch.«

»Na gut. Und du unterstützt ihren Kampf gegen den sogenannten Sozialfaschismus, gegen die Sozialdemokratie?«

»Nein. Das nicht.«

Ich schob seine Hand von meinem Knie, ich tat es unauffällig, beiläufig. Die körperliche Berührung, das Zunahesein war mir lästig, es war mir peinlich gegenüber denen, die vor mir standen, den Demonstranten, den Genossen, meinen Freunden, die sich dem Sieg der roten Arbeitermacht, der Sowjetmacht, entgegensangen. Der Genosse Fritz sprach jetzt von sich selbst, von einem Buch, das er geschrieben hatte. »Das Ende des Kapitalismus. Kennst du es?« Ich entsann mich. Ich hatte mit Alex Smirnoff darüber gesprochen. Danach gab es keinen Ausweg mehr für den Kapitalismus, keine Erlösung für ihn aus der Wirtschaftskrise, die folgerichtig in dem zyklischen Ablauf der Krisenentwicklung war. Diese Krise war die größte, die schwerste und letzte Krise. An ihrem Ende konnte nur der Sieg des Sozialismus stehen. Daran gab es keinen Zweifel. Er war also ein berühmter Mann oder ein halbberühmter, einer von denen, die es besser wissen mußten als ich, und besser als meine Genossen, die ihre proletarischen Lieder sangen und nur das *Kommunistische Manifest* kannten, und auch das nur unzulänglich. Ihre Demonstration war nicht eine Demonstration des besseren Wissens gewesen. Sie demonstrierten für ihre Klasse, für die Partei, der sie angehörten, für die Letzten und Ärmsten dieser Welt, für die Verdammten dieser Erde.

»So ist es also. Der bist du«, sagte ich.

»Ja, ja, der bin ich«, sagte der Paletotgenosse.

Es klang nicht mehr eitel für mich, nicht mehr arrogant. Der unsichere Unterton war weg, der überlegen klingen sollte und überheblich wirkte.

Der Genosse Fritz saß jetzt zurückgelehnt an die Holzwand des Vierter-Klasse-Abteils, in der holperigen Bewegung des Zuges hin und her geschüttelt, nach rechts, nach links, im Takt, gleichmäßig schwingend, ein fließendes Profil.

Mir kam es merkwürdig vor, neben ihm zu sitzen, neben einer Hoffnung für viele junge Sozialisten, nun für mich eine personifizierte Hoffnung, von einem Paletot zusammengehalten. Eine Hoffnung voller Unsicherheit, Eitelkeit und Arroganz, mit zu kurzem Atem, zu kurzen Beinen und vielleicht zu kurzem Mut, kein Durchhaltemann wie Liverpool, keiner, der dabei gewesen war wie Alex Smirnoff auf den Schlachtfeldern der Ukraine, im Gegenangriff der Weißen. Ihm wäre die Puste dabei ausgegangen. Vielleicht hatte er nicht einmal genug Puste für die Revolution. Aber es bewegte mich, neben ihm zu sitzen. Es war ein Zustand der Bewunderung und der Enttäuschung zugleich.

Er schlief jetzt ein wenig, erschöpft von den Anstrengungen der Demonstration, seiner Rede und der Fahrt in diesem Vierter-Klasse-Abteil.

Der Zug hielt auf jeder Station. Die Genossen stiegen aus, auf jeder Station eine Ortsgruppe der Partei, drei, vier oder fünf Mann und oft nur einer, ein einzelner Genosse mit seiner selbst gebastelten Fahne unter dem Arm, ein Verlorener auf dem Bahnsteig, der dem Zug nachwinkte.

Auf jeder Station fegte der Nordostwind durch die geöffneten Türen und Fenster, er fegte herein und auf der Gegenseite wieder hinaus, nahm den dichten Qualm mit, den Zigarren- und Zigarettenrauch, und riß den Paletotgenossen von seinem Sitz hoch: »Es ist nicht auszuhalten. Bitte machen Sie doch die Türen zu.«

Er sagte es auf jeder Station, doch die Genossen hörten nicht auf ihn, sie sagten nur: »Junge, ist das ein Nordost, der reinigt«, und »Mach dir nichts daraus, Genosse, das geht alles vorüber, davon stirbt man nicht«. Sie schrien »Laßt den Mief raus« und »Grüß Deine Alte« und »Steck einen von mir mit rein«. Mit jedem neuen Anfahren des Zuges begannen sie wieder zu singen, nun nicht mehr rote Revolutionslieder, sondern »Mein Sohn heißt Waldemar, weil es im Walde war« und das Lied vom Kesselflicker, zotige Lieder, wie sie auch die SA sang. Sie hörten nicht auf den Protest einer weiblichen Stimme, einer Genossinnenstimme: »Hört damit auf, ich will das nicht hören« und »Schämt euch was«, und einmal, fast weinend: »Wofür kämpft ihr eigentlich, Genossen, für so etwas kämpft ihr doch nicht?«

Aber die Genossen waren in Zug gekommen. »In Zug kommen« hieß die Arbeitslosigkeit vergessen, das miese Leben, die Armut, das tägliche Nichts. In der Stadt, in der wir demonstriert hatten, hatten sie sich noch einen klaren Korn besorgt. Sie tranken ihn aus dem Flaschenhals mit hochgeschwungenem, zur Decke des Waggons schwingendem Flaschenbauch, eine männliche Geste, Kraft ausstrahlend und Standvermögen. Sie schrieen: »Gluck, gluck, gluck« dazu und »Hoppla« und »Keinen zu großen Schluck, Sparsamkeit ist die Mutter der Porzellankiste.«

Nun war es ein brüllendes, trinkendes, singendes Vierter-Klasse-Arbeiterabteil hinter einem Dritter-Klasse-Wagen und vor einem Güterwagen, ruckend, hopsend, schaukelnd, ein Stück proletarischer Wirklichkeit für mich.

»Ja, so ist es hier, Genosse, so sind sie hier, die einen wie die anderen, die von rechts und die von links. Da ist kein großer Unterschied.«

Mein Genosse Fritz nickte in seinen Samtkragen hinein, den er hochgeschlagen hatte, zur Abwehr der Kälte vielleicht, des Miefs, des Lärms, des Kesselflickers und des Sohnes Waldemar, im Walde gezeugt, wie es hier üblich war, im Wald, am Meer und auf der Wiese. Die Genossen sangen es wieder: »Mein Sohn heißt Waldemar, weil es im Walde war.«

»Dort«, sagte ich, »praktizieren sie die freie Liebe. Dazu brauchen sie keine Lektüre.«

Ich sagte »Lektüre«. Es klang gut in dieser Umgebung, irgendwie unterschied es mich von den anderen, denen ich in abendlichen Übungen das *Kommunistische Manifest* beibrachte, im Hinterland, auf den Dörfern, auf den Gütern, dort, wo der Arm der Partei nicht hinreichte. Der Paletotgenosse erwachte bei dem Wort.

»Was für Lektüre?«

»Na ja, das Einschlägige. *Die vollkommene Ehe,* die Kollontay, Freud.«

Er lachte über meine Antwort. Es war ein Lachen des Unbehagens, der Unbequemlichkeit. Meine Erklärung war ihm zu simpel, er fand sie nicht gut und als Belehrung nicht notwendig.

»Das weiß ich auch. So etwas weiß man doch. Dazu brauche ich nicht hier zu leben.«

Er ließ das Thema fallen mit einem Satz, den er nicht aussprach: mich brauchst du nicht aufzuklären, ich weiß Bescheid über deine Genossen. Auf mich wirkte er wieder überheblich, arrogant, selbstgefällig. Was wußte er schon von dem Leben hier, von denen, die vor mir standen, die den Korn in sich hineingossen, vom »Ficken« sprachen, »Fickt euch selber, Genossen« und dabei den Protest ihrer Genossin nicht zur Kenntnis nahmen, den in Abständen immer wiederholten Ruf: »Schämt euch was.«

Die Station kam, auf der fast alle aussteigen mußten, die Hafenstadt, der Kriegshafen der einmal kaiserlichen und jetzt republikanischen Marine. Hier mußte auch er hinaus, der Ganz- oder Halbberühmte, der Genosse Fritz. Ich sagte es ihm:

»Jetzt kommt Swinemünde, jetzt mußt du hinaus.«

»Ja, Gott sei Dank«, sagte er.

Seine Hand lag wieder auf meinem Knie, eine Geste der Beschwörung.

»Wir müssen zusammenhalten. Es ist notwendig. Wir müssen in Kontakt bleiben. Auf den Kontakt kommt es an.

Besuch mich, wenn du nach Berlin kommst. Dort fällt die Entscheidung.«

Ich versprach es ihm. Es war ein sinnloses Versprechen, es gab keine Möglichkeit für mich, nach Berlin zu kommen. Mein Genosse Fritz erhob sich, schwerfällig auf seinen zu kurzen Beinen, die Reisemütze über den Kopf und seine dichten schwarzen Kräuselhaare ziehend. Er fiel gegen die stehenden Genossen, als der Zug zu stark bremste. Sie fingen ihn auf mit »Hallo« und »Immer langsam, Genosse«, sie schoben ihn wieder hoch und drängten ihn zur Tür, die aufgerissen wurde, sagten »Nach dir, Genosse« und »Nach Ihnen, mein Herr« und »Hannemann, geh Du voran«. Mit ihm drängten sie alle zur Tür hinaus, die Fahnenstangen hinter sich herziehend. Sie sammelten sich auf dem Bahnsteig und vereinten sich mit denen, die aus anderen Abteilen kamen, begannen wieder zu singen, auf dem Bahnsteig, demonstrativ, ein rotes Revolutionslied, blutrote Fahnen wehten über Barrikaden.

Ich stand am offenen Fenster. Der Nordost keuchte über der Stadt, wehte vom Hafen herüber und warf das rote Bannerlied in die Luft und über die Dächer des Waggons, er verschluckte es und zerriß es in Tonfetzen, in Satzfetzen. Es blieb nicht viel davon übrig, nur ein halbbetrunkenes, demonstratives Geschrei, in dem der Zug wieder anfuhr, der es ganz zum Schweigen brachte.

»Rot Front, Rot Front«, schrien die Genossen dem Zug nach, und ich schrie es zurück: »Rot Front.« Ich schrie es in den Wind, der großkarierten Reisemütze zu, über die sich eine Faust hob, das Zeichen des Sieges, die geballte, alles zerschmetternde Arbeiterfaust, die einzige Faust inmitten meiner zurückbleibenden Genossen, eine Faust über einem Paletot, einem Samtkragen, einer Reisemütze.

XV

In der engen Stube roch es nach geronnener Milch, nach Kuhmist und klammen Betten. Über dem Sofa, auf dem ich saß, hing ein Öldruck, auf dem ein Reh aus dem Wald trat, auf eine Lichtung, die von einem halben Mond beschienen war. »Rot sein heißt frei sein«, stand darunter in Druckbuchstaben, in Antiquaschrift, und aus einer Propagandabroschüre ausgeschnitten. Die Genossen saßen auf dem Boden und auf den wenigen Stühlen. Sie waren in ihren Arbeitsjacken, ihren Manchesterhosen, in Holzpantoffeln gekommen, Zimmerleute, Tagelöhner, Maurer. Auf dem Tisch vor mir, mit einer Häkeldecke verziert, lagen Propagandabroschüren der Partei, das *Kommunistische Manifest* und Lenins *Staat und Revolution*. Ich sprach über das Einmaleins des Sozialismus, aber meine Genossen hörten nur halb zu, mit einem Ohr, wie sie sagten. Sie waren nicht ganz bei der Sache.

»Heute ist ein schlechter Tag. Und das mit dem Mehrwert, das mußt du uns noch mal erklären. Das haben wir nicht ganz begriffen. Vielleicht übermorgen. Du kommst ja übermorgen wieder. Sag noch mal was über das Rätesystem.«

Ich begann das Rätesystem zu erklären, die Herrschaft des Proletariats, getragen von Räten, die aus der Arbeiterschaft selbst hervorgehen. Sie wollten es hören, es gab ihnen Mut und bestärkte sie in ihrer Zuversicht, die Herren von morgen zu sein. Ich dachte dabei an Alex Smirnoffs Wort: »Das Rätesystem ist längst korrumpiert. Die Partei hat es liquidiert. Jetzt herrscht die Partei und herrschen nicht die Räte.« Aber ich sagte es nicht. Für mich gab es keinen Sozialismus, keine Herrschaft des Proletariats ohne Räte. Meine Genossen hörten mir auch jetzt nur halb zu. Etwas beschäftigte sie, von dem ich nichts wußte.

»Was ist denn heute los, Genossen? Warum hört ihr nicht zu? Ist etwas passiert?«

»Nichts Besonderes«, sagte einer der Zimmerleute. Er spuckte auf den Boden und erzählte von einem Maurerpolier, den sie verprügelt hatten, weil er der SA beigetreten war.

»Es war notwendig. Erst haben wir ihm kräftig einen hinter die Binde gegossen, und als er besoffen war, haben wir lang gezogen. Immer rein in die Fresse. Das hilft. Mit Reden kannst du die doch nicht überzeugen. Da kommst du nicht weiter.«

Es war mehr als eine Schlägerei gewesen, vielleicht schwere Körperverletzung, Totschlag oder sogar Mord. Der Maurer lag im Krankenhaus. Die Landgendarmerie war den ganzen Tag über im Dorf gewesen und hatte die Beteiligten verhört, und beteiligt waren fast alle, die um mich herumsaßen. Aber sie fühlten sich nicht betroffen. Nach ihrer Meinung mußten jetzt die Fäuste her, die Fäuste der Arbeiterklasse:

»Auf die Theorie allein kommt es nicht mehr an. Das mußt du doch zugeben, Genosse.«

Ich gab es zu. Die Auseinandersetzungen mit der SA machten jede Theorie überflüssig. Ich wußte es, wie es meine Genossen wußten.

»Und was wollt ihr jetzt tun?«

»Nichts. Aber vielleicht sitzen wir alle bald im Kittchen. Wenn der nicht durchkommt, dann sind wir dran.«

Sie begannen alle durcheinander zu reden: »Der steht so bald nicht wieder auf«, und »Er wird nicht der letzte sein, den wir fertig machen.« Sie gaben sich stark, großspurig, sie verließen sich auf ihre Fäuste. Aber ich spürte die Angst, die hinter ihren Reden stand. Es war nicht die Angst vor der Polizei, es war die Angst vor der SA, die sich rächen würde, eine Angst, die niemand zugab. Ich versuchte wieder

von dem Rätesystem zu sprechen, aber meine Genossen
standen auf und sagten: »Nun mach man Schluß«, und
»Jetzt ist es genug«, und »Heute hört ja doch keiner richtig
zu«, und schließlich: »Mensch, Karl, was gehen uns jetzt
die Räte an, erst müssen wir mit der SA fertig werden.«
Ich packte meine theoretischen Schriften, meine Propagandabroschüren, Lenins *Staat und Revolution* und das zer-
lesene *Kommunistische Manifest* zusammen. Ich war mit
dem Fahrrad gekommen und mußte mit dem Fahrrad wieder zurück, sechs Kilometer bis zur Küste hinunter, durch
einige Dörfer und an Wäldern vorbei. Die Genossen begleiteten mich hinaus, vor die Tür des Hauses. Es lag am Ende
des Dorfes und an der Landstraße, die zur Küste führte.
Sie sprachen von der SA und ihren Rollkommandos, die
Rache für den zusammengeschlagenen Polier nehmen würden: »Die lauern jetzt jedem von uns auf«. Sie boten mir an,
mich zu begleiten.
»Ach was«, sagte ich, »bleibt nur hier. Ich komme schon
allein nach Hause.«
Aber sie glaubten mir meinen Mut nicht.
»So stark bist du nicht, Karl, die machen dich fertig, wenn
sie dich kriegen. Es ist besser, wir gehen wenigstens ein
Stück mit.«
Es regnete leicht, ein November-Nieselregen. Ich klemmte
meine Schriften, in Zeitungspapier gewickelt, in den Gepäckhalter meines Fahrrads. Die Genossen gingen neben
mir her bis zum Dorfausgang, die Hände in den Hosenta-
schen. Ihre Holzpantoffeln latschten klappernd auf dem
Kopfsteinpflaster. Sie sprachen noch immer von dem Polier und von dem SA-Sturm, zu dem er übergetreten war.
Ich kannte den Polier und auch die SA-Leute, die zu dem
Sturm gehörten. Es hatte fast in allen Versammlungen Zu-
sammenstöße mit ihnen gegeben. Meine Genossen nannten
sie feige, aber ich wußte, sie waren es nicht, sie waren Schläger, die vor nichts zurückschreckten. Ihre Rollkommandos

saßen überall im Land, in den geheimen Sturmlokalen. Sie konnten auch mir auflauern und Rache für den zusammengeschlagenen Polier nehmen. Ein Roter war für sie so gut wie der andere.

Jetzt gingen die Maurer, die Zimmerleute, die Tagelöhner auseinander und verschwanden auf Seitenwegen von der Landstraße weg. Nur noch wenige begleiteten mich bis dorthin, wo links von der Straße der Wald begann, unter ihnen ein gedrungener, mürrischer Zimmermann, den sie Willem nannten, Genosse Willem, Leiter der Ortsgruppe der Partei in dem Dorf, das jetzt hinter uns lag, in der Nacht versteckt und nur noch an ein paar erleuchteten Fenstern erkennbar. Genosse Willem blieb stehen und gab mir die Hand.

»Da ist nichts. Die kommen nicht. Fahr man. Die tun dir nichts. Dazu sind sie viel zu feige.«

»Feige sind sie nicht«, sagte ich, »das weißt du doch.«

Die Genossen ließen mich gehen, in den Nieselregen, in die Nacht hinaus. Ich hörte ihre Stimmen hinter mir, ihr »Rot Front«, ihr »Nacht«, ihr »Mach's gut«. Das Klappern der Holzpantoffeln entfernte sich, den kleinen Berg hinunter, dem Dorf zu. Es begleitete mich noch eine Weile. Dann hörte ich es auf dem Kopfsteinpflaster nicht mehr. Nur das Geräusch des Nieselregens in dem herbstlichen Waldlaub blieb zurück, ein leises, unheimliches, fast zischendes Geräusch. Ich schob mein Fahrrad neben mir her und wagte nicht aufzusteigen. Es schien mir besser, zu gehen, warum, wußte ich nicht. Bis zur Küste war es nicht weit, sechs Kilometer. Dazwischen lagen zwei Ortschaften, ein paar Häuser, eine Mühle, ein alter Gasthof, sonst nur Wald, nur Felder, Wiesen und Äcker. Der Wald zog sich links von mir unmittelbar an der Chaussee hin, dunkel, naß, eine schwarze Wand. Ich konnte nur die weißen Stämme der Birken erkennen, die die Chaussee begrenzten. Ich ging langsam, nach allen Seiten sichernd. Jeder Baum war gefährlich, jede Birke, jeder Strauch. Hier auf der Chaussee konnten sie mich mit ihren Stahlruten und Schlagringen erschlagen, kein Mensch würde es merken, »keines Menschen Seele«, dachte ich. Einer weniger von den Roten, würde es dann morgen heißen, oder auch: »Das schadet dem gar nichts, dem Hannefatzke, warum macht er auch die Leute gegen Hitler verrückt.« Vielleicht waren sie jetzt überall unterwegs mit ihren Fahrrädern und Motorrädern, um sich an meinen Genossen für den Polier zu rächen. Sie waren in ihrem Fanatismus, ihrem Glauben, ihrer Begeisterung zu allem fähig. Ich wußte es. Ich hatte es oft genug erlebt. Ich würde nicht der erste sein, der daran glauben mußte, einer aus der Kommune, Freiwild für ihre Schlagringe und Stahlruten. Ich hatte Angst, ich sagte es laut und zu mir selbst: »Du hast Angst.« Es half mir nicht. Ich fror. Meine Hände auf den Griffen der Lenkstange zitterten. Ich hätte gern gesungen oder gepfiffen, ein Lönslied oder ein Rot-Front-Kämpfer-Lied, irgend etwas, einen Schlager vielleicht: »Ich hab das Fräuln Helen baden sehn, das war schön.« Aber ich pfiff nicht, ich sang nicht. Alex Smirnoff fiel mir ein, seine Erzählungen aus der großen Revolution, der Mut, den er auf den Schlachtfeldern der Ukraine bewiesen hatte: rote Sturmfahnen über Kavalleriebrigaden. Ich dachte an Leo Trotzki, Oberbefehlshaber der Roten Armee, und an den Ausspruch meines Onkels: »Affenarsch«. Ich dachte: wie verhält sich ein Affenarsch auf einer einsamen Chaussee, umgeben von SA-Leuten. Es gelang mir nicht zu lachen, es fehlte mir die Kühnheit, der revolutionäre Mut. Einem Trotzki hätte es sicher nichts ausgemacht: die nächtliche, leere, nieselverregnete Landstraße und dieses Warten auf die SA.

Ich ging schnell, fast lief ich schon neben dem Fahrrad her. Ich blieb stehen. Jetzt schien es mir besser zu fahren, besser oder auch schlechter, auf jeden Fall war es besser, ohne Licht zu fahren. Das Farradlicht konnten die SA-Leute schon von weitem sehen, dann würden sie mich vom Rad reißen und mir mit ihren Stablampen ins Gesicht leuchten: »Aha, da haben wir ihn ja. Den machen wir jetzt fertig.« So oder auch anders konnte es sein. »Da ist er ja, der Lump. Jetzt gebt ihm Saures, Jungs.« Sie würden mit ihren Stiefelabsätzen und Stiefelspitzen mein Gesicht zertreten. Es würde nicht viel davon übrigbleiben. Ich drehte den Dynamo vom Vorderrad ab und fuhr unter den Birkenbäumen entlang. Ich wollte langsam fahren, aber ich wurde immer schneller, trotz der Dunkelheit. Das Fahrrad sprang auf der holperigen Straße. Der Wald links von mir wich zurück. An der Straße lagen ein paar Häuser, dunkel, ohne Licht, ohne Fenster. Ich kam an dem alten Gasthof, an der Mühle vorbei. Es rührte sich nichts, niemand kam mir entgegen. Nur der Regen wurde dichter, kam jetzt aus Nordwest und nieselte nicht mehr. Ich fuhr über die Eisenbahnschienen, die ein paar hundert Meter hinter der Küste entlangliefen. Die Bahnschranken waren geöffnet, weiße Stangen in der Nacht, im dichten Regen. Der Bahnhof, fünfzig Meter von mir entfernt, war noch erleuchtet, ein mattes Licht in einer dunklen Regenwand. Die fast kahlen Zweige der Kastanienbäume waren über mir, rechts und links der Straße, die zum Meer hinunterführte. Das Rauschen der Ostsee kam mir entgegen, wurde stärker, kam den kleinen Berg herauf: Das Geräusch des Meeres, der Herbstdünung, der sich brechenden Wellen.

Ich sprang vom Fahrrad und schob es auf den Hof. Ich war völlig durchnäßt, auch meine Parteischriften, das *Kommunistische Manifest*, Lenins *Staat und Revolution*. Ich nahm alles aus dem Gepäckhalter, schob mir die Schriften unter den Arm und lief die Bodentreppe hinauf. Mein Bruder Max erwachte, als ich die Bodenkammer betrat.

»Mensch, mach doch das Licht aus. Warum machst du denn das Licht an? Aber du schwitzt ja? Was ist denn los?«

»Nichts ist los. Ich bin bei dem Regen nur zu schnell gefahren. Es plattert, was das Zeug hält.«

»Aber irgend etwas ist doch los. Das merke ich doch. Waren sie hinter dir her?«

Ich schüttelte den Kopf.

»Nein, niemand war hinter mir her. Aber die Maurer haben einen Polier vertrimmt, einen, der zur SA übergelaufen ist. Sie sagen, der steht vielleicht nicht wieder auf.«

»Das macht nichts«, sagte mein Bruder.

Für ihn war jeder SA-Mann seine Prügel wert. Er wollte nur wissen, wer es gewesen sei, wer von den »Herren vom Bau«.

»Ich weiß nicht. Sie haben es mir nicht gesagt. Aber es waren wohl mehrere.«

»Einer genügt«, sagte Max. »Für die genügt einer. Zwei sind schon zuviel.«

Ich begann von der Landgendarmerie zu erzählen, die den wirklichen Schläger suchte, von den Verhören, der Schweigsamkeit der Maurer, der Zimmerleute, der Hilfsarbeiter, der Tagelöhner, meiner Genossen, die zusammenhielten. Ich erzählte den Rest meiner Angst weg, in die Bodenkammer, in das Gesicht meines Bruders hinein, aber Max schlief bereits wieder.

Ich sank in mein Bett. Der Paletotgenosse ging durch meinen Halbschlaf: »Alles nur eine Episode, Genosse, nicht mehr, eine Minute des Durchgangs für die Geschichte, von einem Gesellschaftssystem zum anderen.« Hegels Weltgeist zu Pferde, über den sich Alex Smirnoff lustig gemacht hatte, ritt durch meinen Schlaf, über das Dach, auf das der Nordwestregen trommelte, ein nasses, angstgepeitschtes Pferd. Leo Trotzki saß darauf mit wackelndem, blitzendem Pincenez und Alex Smirnoff hinter ihm, fast schon auf den Hinterbacken des Pferdes. Seine langen Beine schleiften über das Dach. Er winkte mir zu und schrie: »Die Geschichte ist ein Irrtum. Glaub es mir.« »Welche Geschichte meinst du denn?« wollte ich fragen, aber da sah ich meinen Onkel August, in hohen, zu hohen Offiziers-Reitstiefeln, eine Offiziers-Mütze auf den Borstenhaaren, in einer bis zum Hals zugeknöpften Uniform, mit einem steifen feldgrauen Kragen unter dem Kinn. Er hing an dem langen Schwanz des Pferdes, der über die Dächer schleifte, er hielt sich daran fest und hielt gleichzeitig das Pferd wie an einer Trense daran zurück, er lachte sein Soldaten-Lachen und schrie: »Ho, Ho« und »immer langsam, mein Junge« und »Prr, ruhig, Prr«.

Es regnete noch immer am nächsten Morgen. Schnee, mit Regen vermischt, jagte über den Hof. Der Brief, den meine Mutter mir gegeben hatte, lag in einem gelben, rechteckigen Kuvert, anscheinend ein amtlicher Brief vom Amtsgericht oder irgendeiner Behörde, aber er kam aus dem Zentralkomitee der Kommunistischen Partei Deutschlands, aus Berlin. Er war mit Schreibmaschine geschrieben, gehämmerte Buchstaben, zu schwarz, zu fett, manchmal durchgeschlagen. Die Partei beehrte sich, mir meinen Ausschluß mitzuteilen, wegen Trotzkismus, wegen parteischädigenden Verhaltens. Ich wußte nichts damit anzufangen. Mir war nicht klar, wo und wann ich die Partei geschädigt hatte, es konnte nur mein anstößiger Satz sein: »Wenn ihr so weitermacht, kommt Hitler dran.« Auch Liverpool hatte mir diesen Satz vorgeworfen: »In meinen Augen bist du ein Konterrevolutionär. Weiter bist du nichts.« Aber das war schon lange her.

Ich saß auf dem Küchenstuhl, neben dem regenverschmierten, von nassem Schnee verklebten Kellerfenster. Etwas war verlorengegangen, aber ich wußte nicht was. Das Dazugehören vielleicht, das Genossen-, das Kettengefühl, das Gefühl der aneinandergeschmiedeten Proletarier aller Länder, die nichts zu verlieren hatten als ihre Ketten. Jetzt hatte ich sie verloren. Ein einstimmiger Beschluß in einer Kommission der Parteizentrale, mehr war nicht nötig, um sie zerbrechen zu lassen, eine Spur des Zweifels hatte als Begründung genügt. Wut und Zorn, das Gefühl des Beleidigtseins stiegen in mir auf. Meine Mutter sah es mir an. »Du siehst ja so verdattert aus. Woher kommt denn der Brief?«

Ich gab ihr keine Antwort. Ich warf den Brief auf den Keller-
boden, den Zementboden, und trat mit den Füßen darauf, ich
versuchte das Papier zu zerstampfen.
»Nieder, nieder mit der Reaktion, nieder, nieder.«
Meine Mutter sah mich an, als sei ich verrückt geworden.
»Was ist denn mit dir? Bist du krank? Und laß gefälligst
deine Parolen draußen. Die brauche ich hier nicht. Was ist
das für ein Benehmen?«
Es war ein schlechtes Benehmen. Sie konnte es nicht verstehen. Was wußte sie von der Generallinie der Partei, die
alles aneinander nähte, Hose an Hose, Rock an Rock, Kopf
an Kopf mit einem dicken Zwirnsfaden durch die Gehirne
gezogen, proletarische Gehirne, nach meiner Ansicht auf-
sässige, revolutionäre Gehirne. Ein dämlicher Zwirnsfaden,
der Trense gleich, an der mein Onkel in dieser regendurch-
weichten, angsterfüllten Nacht den Weltgeist zu Pferde gehalten hatte. Ich spuckte auf den Zementboden, auf den
Parteibrief, den ich mit meinen Füßen wegschob. Ich spuckte
daneben. Meine Mutter hob die Hand, als wollte sie mich
schlagen, eine Geste, die bei ihr selten war, eine spontane
Bewegung des Unwillens.
»Seit wann spuckst du denn auf meinen Boden? Das hast du
doch noch nie getan. Du spuckst doch sonst nicht.«
»Sie haben mich ausgeschlossen«, sagte ich, »ausgeschlossen,
mich! Verstehst du das?«
Sie sah mich an, als sei mir etwas auf den Kopf gefallen,
einer ihrer irdenen Töpfe vielleicht, die über mir auf einem
Holzpaneel standen.
»Dir ist doch nichts auf den Kopf gefallen, nein?«
»Nein, nichts. Nichts auf den Kopf.«
»Warum machst du denn so ein Theater? Woraus haben sie
dich denn ausgeschlossen?«
Ich wies auf den Brief am Boden, auf den Parteibrief, den
Ausschlußbrief.
»Aus das da. Aus der Partei.«

»Nein, so was. Und das haben sie dir angetan?«

»Ja, stell dir vor. Das haben sie. Für sie bin ich ein Konterrevolutionär.«

»Nein, das bist du nicht. Ich weiß zwar nicht, was das ist: ein Konterrevolutionär. Aber das bist du bestimmt nicht. Das weiß ich besser. Da kenne ich dich viel genauer. Ich weiß, was du bist.«

»Na, was denn? Was bin ich denn?«

»Ein Schafskopf«, sagte sie.

Sie lachte ihr ironisches Lachen, ihr Augenlachen, sie lachte es in sich hinein, in ihren Körper hinunter, es bewegte ihre Nase, überzog ihr Gesicht und sprang auf ihre Hände über, die sich unruhig über die Tischplatte bewegten. Sie freute sich offensichtlich, und ich ärgerte mich über sie: sie hatte kein Klassenbewußtsein. Ich hätte ihr gern gesagt: Anna, wo bleibt dein Klassenbewußtsein? Aber es hätte aufsässig, respektlos geklungen. Ich fürchtete ihre Antwort, ihr Lachen, ich wußte, was sie antworten würde: »Auch das noch. Klassenbewußtsein? Was ihr nicht alles von mir verlangt. Worauf soll ich denn stolz sein? Darauf, daß ich mein Leben lang arbeiten mußte, schwer arbeiten?« Sie hielt nicht viel von der Politik ihrer Söhne, aber sie versuchte mich zu trösten.

»Jetzt nimm es man nicht so ernst. Ich habe dir ja schon immer gesagt: Laß die Finger davon. Dabei kommt nichts Gutes heraus. Aber du hörst ja nicht auf mich. Auf mich hört ihr ja alle nicht. Da seid ihr alle gleich. Jetzt mach dir man nicht zu viel daraus.«

Ich mußte ihr recht geben. Ihre Söhne hörten nicht auf sie, aber sie hatte auch nie versucht, Einfluß auf sie auszuüben. Ihre Warnungen waren unverbindlich, sie äußerten sich in Sätzen wie: »Geht mir ja nicht zu weit« oder »Laßt euch nicht auf Schlägereien ein, das will ich nicht.« Ihre gelegentlichen Fragen waren voller Ironie. Dann saß sie lange auf dem Küchenstuhl und hörte sich die politischen Ausführungen ihrer Söhne an, ohne ein Wort dazu zu sagen. Nur

Hitler wollte sie nicht, sie hielt ihn für einen Scharlatan, einen verkrachten Zauberkünstler mit Kaninchen im Zylinder, einen, dem man nicht über den Weg traut.

Aber jetzt war sie das, was sie »aufgeräumt« nannte. Sie lief um ihren Küchenherd herum und überdeckte ihre gute Laune mit dem Lärm ihrer Kochtöpfe, ihrer Pfannen, ihrer Feuerhaken, mit denen sie das Kohlenfeuer aufschürte. Ich sollte ihre Genugtuung nicht merken. Sie spürte mein Betroffensein, das sich bei ihr in Fröhlichkeit umsetzte.

»Also da haben sie dich mir nichts dir nichts hinausgeworfen, einfach so hinaus. Aber die müssen doch einen Grund haben. Was hast du denn angerichtet?«

»Nichts.«

»Gar nichts?«

»Jedenfalls nichts, was wichtig ist.«

Ich kannte den Grund nicht. Mein zweifelnder Satz genügte nicht als Erklärung. Es konnte nur mit Alex Smirnoff zusammenhängen, mit den vielen Gesprächen über den Sozialismus, über die permanente Revolution, über den Streit zwischen Stalin und Trotzki. Dabei hatte es fast immer zuhörende und widersprechende Genossen gegeben. Wie sollte ich das meiner Mutter erklären, aber ich versuchte es.

»Weißt du, wer Leo Trotzki ist?«

»Was hast du denn mit dem zu tun?«

»Eigentlich nichts. Onkel August hat ihn einen Affenarsch genannt.«

»Das sieht ihm ähnlich«, sagte sie, »immer sich über andere Leute lustig machen. Aber so war er schon als Kind. So ist er nun einmal.«

Sie setzte sich dabei wieder auf ihren Küchenstuhl. Etwas beschäftigte sie. Ich sah es ihr an. Ihr ganzes Gesicht dachte. Sie war, wie sie es häufig nannte, wieder einmal in Gedanken. Ich kannte das. Sie versuchte offenbar einen Entschluß zu fassen und schien sich zu etwas durchzuringen, was ihr schwerfiel.

»Du willst doch nach Berlin?«

»Ja, warum fragst du?«

»Ich gebe dir das Geld. Du kannst fahren, wenn du willst.«

»Was für Geld?«

»Die tausend Mark. Heutzutage muß man sich ja wohl die Arbeit kaufen. Das ist jetzt nicht anders.«

Es war eine Überraschung für mich, ein unerwartetes, nie erwartetes Angebot. Das Geld, von dem sie sprach, war ein Vermögen für sie. Dafür konnte ich mir eine Arbeit in Berlin kaufen. Ein Buchhändler, für den ich einmal gearbeitet hatte, war bereit dazu: »Leihen Sie mir tausend Mark, und Sie können bei mir anfangen.« Ich hatte dieses Angebot nicht ernst genommen. Der Brief des Buchhändlers lag schon zwei Monate zurück. Ich hatte ihn vergessen. Nur meine Mutter hatte daran gedacht.

»Woher hast du denn das Geld?«

»Ich habe immer eine Reserve. Das weißt du ja.«

»Ich gebe es dir zurück«, sagte ich, »bestimmt.«

»Später, wenn du reich bist«, sagte sie.

Ich wußte, wie schwer es ihr fallen mußte, mir das Geld zu geben. Sie war arm. Es gab kein Geld. Ich nahm es trotzdem an.

»Du fährst also?«

»Ja, natürlich. Wenn du mir das Geld gibst, fahre ich.«

Sie nickte, sie lachte, sie war froh über ihren Entschluß. Sie hatte sich zu etwas durchgerungen, sie rang sich oft zu etwas durch.

»Nimm den Wisch da auf«, sagte sie und wies auf den Parteiausschlußbrief, der auf dem Küchenboden lag. »Komm, gib ihn her. Ich werfe ihn ins Feuer.«

Ich widersetzte mich nicht. Ich nahm den Brief auf und sagte: »Nein, lieber nicht.«

Aber sie nahm mir den Brief aus der Hand und warf ihn ins Feuer, gelassen, heiter, sie warf ihn auf die halbangeglühten Kohlen. Dort verbrannte er langsam, ein Stück Papier. Ich sah es in sich zusammenfallen: das Zentralkomitee, die Kommunistische Partei, das Karl-Liebknecht-Haus, die Unterschriften, die Genossen, meine Genossen. Ich glaubte es nicht, es konnte nicht sein. Es war nur ein Stück Papier, das auf den Kohlen verglimmte und zerfiel. Nicht mehr.

XVI

Gerdas Strümpfe waren braun und lang, sie liefen über ihre X-Bein-Knie und nahmen kein Ende, sie waren aus Wolle, festgestrickter Wolle. Der Arzt hatte ihr verboten, leichte Unterwäsche zu tragen.

»Ich muß mich immer warm anziehen, von oben bis unten. Verstehst du das?«

Ich verstand es nicht. Eine Gerda in Wolle hatte ich nicht erwartet.

»Aber was hast du denn?«

»Irgendwas. Niemand weiß genau, was es ist. Nur bin ich nicht ganz gesund.«

»Und der Arzt weiß es auch nicht?«

»Nein, der weiß es auch nicht. Aber es ist nichts Besonderes. Ich muß wohl nur etwas vorsichtiger sein, in allem.«

Sie betonte das »in allem« und lächelte mich dabei an, und ich lächelte zurück. Ich verstand nicht, was sie meinte, fragte aber nicht weiter. Ihre Krankheit war vielleicht nur eine Erkältung von längerer Dauer. Es interessierte mich nicht, es beunruhigte mich nicht. Gerda zog sich nicht aus.

»Das Zimmer ist zu eng dazu«, sagte sie.

Es war zu eng, ein schmaler Schlauch, in dem eine Couch, ein Rauchtisch und ein kleiner Vertiko standen. Ich hatte es nach meiner Ankunft in Berlin gemietet. Es lag in einer Neubausiedlung, nicht weit vom Tempelhofer Feld entfernt, auf dem der letzte, der immer noch nicht vergessene Kaiser seine Kaiserparaden nach den Herbst- oder Frühjahrsmanövern abgehalten hatte. Ich bezeichnete die Wohnung, zu der mein so enges Zimmer gehörte, als Juweliersgeliebtenwohnung. Der Juwelier, der sie eingerichtet hatte, war tot, vor einem Jahr gestorben. Die junge Frau, die mir das Zimmer vermietet hatte, war als Juweliersgeliebtenwitwe zurückgeblieben. Sie war lang, schön und streng: »Keine Damenbesuche bitte, und wenn schon, dann nur bis zehn Uhr. Darum muß ich bitten.« Keine Bitte, ein Befehl. Ich hatte es hingenommen: »Nur bis zehn Uhr, selbstverständlich.« So blieb nur eine zeitlich begrenzte Liebe übrig, eine von der Juweliersgeliebtenwitwe kontingentierte Liebe, nach der Uhr geregelt: ab zehn Uhr gibt's nichts mehr.

Gerda lachte darüber. Sie fand meine Vermieterin komisch, die zurückgebliebene Geliebte eines Juweliers, komisch und schön und eifersüchtig, mit dem Schmuck und den Tugenden von gestern behangen, eine Geliebte, die keine Liebenden mochte.

»Aber so sind sie doch alle«, sagte sie.

Es waren für sie die Komplexe von gestern, die in die Gegenwart hineinwuchsen und vielleicht in die Zukunft, Geliebtenkomplexe, Generalskomplexe, Politikerkomplexe, Onkel-August-Komplexe, eine Welt von Komplexen, die man bekämpfen mußte. Sie hatte meinen Onkel nur einmal erwähnt an dem Schlittschuhteich, nicht weit von der Wohnung ihres Vaters entfernt. Dort war sie auf mich zugekommen, zwischen den Schlittschuhläufern sich durchschiebend, mit ihrem latschigen Gang, eine Pelzmütze auf dem Kopf, eine Fischotterpelzmütze, die ich für eine Kaninchenfellmütze gehalten hatte, ein Erbstück ihrer Mutter.

»Dein Onkel August sitzt wieder bei uns. Aber ich bin trotzdem gegangen. Er weiß übrigens, daß du da bist.« Sie hatte es nebenbei gesagt, ein Satz ganz ohne Bedeutung. Wer war schon Onkel August? Ein Freund ihres Vaters und nebenbei mein Onkel.

»Und dein Vater? Weiß er nichts von mir?«

»Nein. Für ihn bist du noch immer in Spanien.«

Ich war mit ihr hierhergefahren, um allein zu sein. Wir

wußten nicht, wohin wir sonst gehen sollten. Für unsere Zuneigung gab es keinen Platz in dieser Stadt, wir waren für sie zu hilflos, zu unsicher, zu jung vielleicht. Aber wir waren auch hier nicht allein.

Die Juweliersgeliebtenwitwe ging über den Korridor in die gegenüberliegende Küche, in ihr Schlafzimmer zurück, in ihr Doppelbettzimmer, hin und zurück. Die Türen knarrten dabei und schlugen ins Schloß, bald die Küchentür, bald die Schlafzimmertür, dann die Badezimmertür. Wasser rauschte in die Badewanne, wurde wieder abgestellt und rauschte erneut. Der Unwille der Juweliersgeliebtenwitwe drang durch die Wände, bis in meinen Rauchtischsessel, in dem ich Gerdas hochgestellten Beinen gegenüber saß, ihre langen braunen Strümpfe vor der Nase. Alles war zu eng, zu schmal, zu unbequem. Die Couch, auf der Gerda saß, nahm fast das ganze Zimmer ein, aber auch sie mußte geschont werden. Die Vermieterin hatte es mir gesagt: »Schonen Sie mir ja die Couch. Sie ist neu.« Ich kroch trotzdem auf ihre schwarzweiß gemusterte, fischgrätenartige Schondecke. Ich wollte nicht länger in dem Hockersessel sitzen und Rücksicht nehmen. Es war nach meiner Ansicht keine Zeit für Rücksichtnahme auf bürgerliche Vorurteile. Die Revolution marschierte, der latente Bürgerkrieg war explosionsreif, die Republik konnte jeden Augenblick in die Luft gehen. So hoffte ich es, so sah ich es, ich, ein ausgeschlossener, laut parteiamtlichem Beschluß verhinderter Revolutionär, ein Trotzkist in der Parteisprache, einer, der nicht mehr mitmachen durfte. »Was willst du denn?« hatte Alex Smirnoff gesagt. »Die Partei hat ganze Gruppen, ganze Kader ausgeschlossen wegen Rechts- oder Linksopportunismus, wie es gerade kam. Die Partei ruiniert sich doch selbst. Da bist du nur ein kleiner Fisch.«

Ich dachte an den kleinen Fisch. Die Bezeichnung gefiel mir nicht. Aber ich sagte es Gerda, erzählte ihr von meinem Parteiausschluß, von meinem Gespräch mit Alex Smirnoff, von dem kleinen Fisch. Sie lachte über den kleinen Fisch, das Wort gefiel ihr, sie sagte: »Mein kleiner Fisch« und dann: »Lieber ein kleiner Fisch als ein großer. Aber mach dir nichts daraus. Es kommt ja doch alles anders, ganz, ganz anders.«

»Was kommt anders?«

»Alles. Auch das mit der Politik, auch das mit deiner Partei. Ich verstehe ja nicht sehr viel davon, nicht so viel wie du und Alex Smirnoff. Aber es kommt bestimmt anders, als du denkst, ganz anders.«

Sie sprach ihr »ganz anders« mit Überzeugung aus, und ich ärgerte mich darüber. Mein Onkel hatte es ihr vielleicht eingeredet, Onkel August mit seinem immer Drauf und Dran, ein politischer Scharlatan, der sich für einen Konservativen hielt und trotzdem Hitler nachlief. Gerda bestritt das sofort.

»Die politischen Ansichten deines Onkels sind mir gleichgültig. Ich teile sie nicht. Das weißt du ganz genau. Er ist ein Freund meines Vaters und nicht mehr. Begreif es doch endlich.«

Ich versuchte es zu begreifen. Ich wollte Gerda nicht kränken, nicht verletzen. Mochte sich mein Onkel zum Teufel scheren, was ging er mich an, jetzt, hier auf der schonungsbedürftigen Couch. Ich lag auf dem Rücken und sah zur Decke des Zimmers auf, einer kalkweiß gestrichenen Decke, neu auch sie, Frische ausatmend, Reinlichkeit.

»Es ist heiß hier«, sagte Gerda, »ich ziehe wenigstens die Bluse aus. Hast du abgeschlossen?«

Ich hatte den Schlüssel der Tür herumgedreht, vorsichtig, leise. Ich warf Gerdas Bluse auf die Tischlampe, die auf dem Rauchtisch stand. Sie deckte das Licht ab, dämpfte es und nahm die Strenge des Zimmers weg, das Kalkweiße, Moderne, Saubere. Gerda lag neben mir, ausgestreckt, mit Wolle bestrickt, bis zu dem Ende ihrer Oberschenkel hinauf, mit dicker brauner Wolle. Es war ihr noch immer zu heiß, sie zog auch das Hemd aus und hakte den Büstenhalter auf.

»Ich brauche Luft. Sonst ersticke ich.«

Sie warf auch Hemd und Büstenhalter auf die Tischlampe und ließ sich zurückfallen.

»So und jetzt soll sie kommen.«

»Wer soll kommen?«

»Deine Vermieterin. Wer denn sonst?«

»Aber das ist doch Irrsinn.«

»Soll sie doch kommen. Vielleicht macht es ihr Spaß. Was verstehst du davon?«

Ich verstand es nicht. Ich wußte nicht, was sie meinte.

»Wovon verstehe ich nichts?«

Sie lachte ihr glucksendes Rotwerdemädchenlachen. Es klang anders als sonst, überlegener, fast ein wenig überheblich. »Ach du«, flüsterte sie. Ich hatte es nie von ihr gehört, dieses »Ach du«, zärtlich, schmeichelnd und gleichzeitig abwertend. Es klang für mich wie »Ach du, mein unerfahrener Junge, du«, ein mütterlicher Satz, nicht ausgesprochen, nur mir zugelächelt aus marineblauen oder wasserblauen Augen, verdunkelt jetzt, schwarz im Schatten ihres Büstenhalters, der auf der Tischlampe lag.

»Schließ doch die Tür auf. Vielleicht kommt sie herein. Sie ist bestimmt neugierig. Dann wirst du sehen, was passiert.«

Sie kam mir verrückt vor, albern, verspielt, so kannte ich sie nicht. Etwas mußte inzwischen geschehen sein, irgend etwas mit meinem Onkel vielleicht. Er war ja zu allem fähig, er hatte vielleicht etwas mit ihr angestellt, was ich nicht begriff, mit seiner Schule der Nation, in der alles möglich war, mit seinen Gäulen und mit seinen Frauen, die für ihn nur zum Spielen da waren. Sollte er marschieren mit seinen braunen Bataillonen, mit Heil und Straße frei, aber dies ging ihn nichts an, in Gerdas Leben hatte er nichts zu suchen. Ich wollte es ihr sagen, aber ich wagte es nicht. Ich sagte nur: »Nie schließ ich die Tür auf. Du bist wohl verrückt geworden.«

Sie legte ihren rechten Arm um meinen Hals und drehte sich zur Seite, mir zu, ihr Oberkörper kam mir entgegen, ihre Brust, ihr Hals, ihr Gesicht. Sie schwitzte, sie war heiß. Es hatte nie Zärtlichkeiten zwischen uns gegeben, nun war sie zärtlich, ihre Haut war immer spröde und kalt gewesen, jetzt glühte sie. Ihre Hände hatten nie mein Haar gestreichelt, nun war es anders, eine heiße Leidenschaft, für mich eine unnatürliche Hitzewelle.

»Warum bist du denn so heiß. Du schwitzt ja?«

»Ach, weißt du, das ist jetzt immer so. Mir ist immer zu heiß. Ich weiß nicht, was das ist.«

Ich wunderte mich darüber. Ihr ganzer Unterkörper war mit Wolle bestrickt, von den Zehenspitzen hinauf über ihre Knie, über ihre langen Oberschenkel, von den Strümpfen sich fortsetzend über eine dicke wollene Hose bis zum Bauchnabel, bis zum Ende ihres Rockes. Es war mir unbegreiflich.

»Aber warum mußt du dich denn warm anziehen, wenn dir immer zu heiß ist?«

»Manchmal friere ich auch. Und der Arzt ist der Meinung, warme Unterwäsche ist besser als kalte.«

Sie sagte »kalte« Unterwäsche statt »dünne«, sie hätte auch schwarze Unterwäsche sagen können, die ihr so gut gestanden hatte, besser als dieses dicke, gestrickte Zeug. Ich sagte es ihr: »Weißt du noch damals, die schwarze Unterwäsche?« Für einen Augenblick schien sie gekränkt, ihr Gesicht veränderte sich, wurde größer, weicher, am Rand der Tränen.

»Es ist doch egal, was man anhat. Darauf kommt es doch nicht an.«

»Du hast recht«, sagte ich, »aber schöner war die schwarze...« Ich konnte das »Unterwäsche« nicht mehr aussprechen, Gerda hielt mir den Mund zu, mit der rechten freien Hand, eine aggressive Handlung, die ich von ihr nicht gewohnt war.

»Du bist ein Affe. Du begreifst nichts.«

Das Affe klang wieder zärtlich, leise gesprochen:

»Ach du mein Affe, du.« Sie hatte recht, ich begriff nichts, sie hatte sich nie so benommen, nie solche Sätze gebraucht. Was wollte sie von meiner Vermieterin mit ihrem freien Oberkörper, ihrem Mädchenbusen, straffe weiße, leicht geäderte Alabasterkugeln mit roten Brustwarzenhöfen, die ich mit meinen Händen berührte und die mir jetzt größer erschienen als sonst. Draußen ging wieder die Juweliersgeliebtenwitwe über den Korridor, warf die eine Tür zu und öffnete die andere, die Küchentür. Für mich hatte sie in diesem Augenblick Stiefel an, Militärstiefel, Knobelbecher aus dem Weltkrieg, jeder Schritt, jedes Auftreten sagte dasselbe aus: Geht mir da drin, in meinem Zimmer, ja nicht zu weit. Ich zog meine Hände zurück, und Gerda sprach von ihrem Arzt, einem Freund ihres Vaters, einem alten Herrn.

»So alt wie Methusalem«, sagte sie, »der hat wohl schon meinen Großvater behandelt. Aber er ist nett. Er untersucht mich alle vierzehn Tage von oben bis unten und findet doch nichts. Manchmal fängt er bei den Zehenspitzen an.«

Ich stellte mir einen alten Polizeiarzt vor, grauer Bart mit Nickelbrille, einen Mann, der schon krumm ging und vielleicht schon Tausende von Polizisten behandelt hatte, jetzt unter Umständen verwundete Polizisten mit Blessuren aus den vielen Zusammenstößen, aus den Saalschlachten und den Schlägereien auf den Straßen. Sie ereigneten sich jetzt jeden Tag, überall, auch in der Provinz und in den kleinen Städten, es gab Tote und Verwundete auf allen Seiten.

Wildes Geschirrklirren kam aus der Küche, ein ganzer Geschirrstoß schien nach unten zu rutschen, auf den Boden, langsam, nicht schnell. Nichts zerbrach, es klirrte nur. Ich fand es unerträglich. Gleich würde meine Vermieterin an die Tür klopfen: »Es ist zehn Uhr, bitte, schicken Sie ihre Dame nach Hause.« Vielleicht würde sie auch Mädchen sagen: »Es ist Zeit, daß Ihr Mädchen geht.«

Ich sah nach der Uhr, die neben der Tischlampe lag, verdeckt von Gerdas Büstenhalter. Wir hatten noch fünfzehn Minuten Zeit, geschenkte fünfzehn Minuten, ohnmächtige Minuten. Es war besser, gleich zu gehen, ohne das peinliche Klopfen abzuwarten. Ich sagte es Gerda: »Laß uns gehen. Das hier hat keinen Zweck. Hier sind wir nicht erwünscht. Du hörst es ja.« Sie nickte und drehte sich von mir weg. Ihr »ach« klang enttäuscht, enttäuschend auch für mich, ihr »Mich stört deine Wirtin nicht« war für mich unbegreiflich. Es mußte sie stören, wie es mich störte.

»Stört dich das denn nicht, dieser Lärm, dieses Hin- und Herlaufen? Sie will uns doch vertreiben. Du merkst es doch.«

»Aber wohin wollen wir denn gehen? Dein Onkel geht nicht vor Mitternacht. So lange sitzt er bei uns herum. Bis dahin haben wir Zeit. Was machen wir so lange?«

»Ich weiß es auch nicht. Irgend etwas werden wir schon finden.«

Ich dachte an ein Café oder eine Kneipe, dort konnten wir sitzen und reden. Es war nicht das, was sie wollte, aber ich wußte mir keinen Rat. Die Buchhandlung fiel mir ein, in der ich meine nutzlosen Tage mit Lesen verbrachte, denn es gab kaum Kunden. Ich besaß einen Schlüssel. Dorthin konnten wir gehen, dort waren wir allein, niemand konnte uns dort stören mit Türenschlagen und Geschirrklirren. Gerda war einverstanden. Sie richtete sich auf mit ihrem nackten Oberkörper, mit ihrer Alabasterbrust. Ich küßte sie und sah gleichzeitig das Rot, das ihre Haut überzog, ein leichtes, helles, dünnes Rot. Sie merkte, daß ich es sah, und drehte meinen Kopf mit beiden Händen weg.

»Laß. Nicht jetzt. Gehen wir in deine Buchhandlung.«

Sie nahm ihren Büstenhalter, ihr Hemd, ihre Bluse von der Tischlampe und zog alles im Sitzen an. Ich sah dabei nach der Uhr. Es war fünf Minuten vor zehn Uhr.

»Jetzt müssen wir gehn.«

Wir gingen hintereinander aus dem engen Zimmer, ich

voran und Gerda hinter mir her, mit ihrer Fischotter-pelzmütze auf ihren Drahthaaren. Sie sah gut aus, nur er-hitzt und rot, hochrot und verdächtig. Ich dachte es, und die Juweliersgeliebte konnte es denken: Also doch. Und das in meinem Zimmer.

Sie stand im Rahmen der Küchentür, hoch aufgerichtet, schlank und groß, eine schöne Frau, für mich eine Frau mit dem Gesicht eines Herings, mit einem schönen Heringsge-sicht. Ich sah nur ihr Gesicht, nicht den Seidenmantel, das Hemd darunter, alles ein wenig zu offen. Ich bemerkte es nicht, ich erwartete ein Donnerwetter: Seit wann schließt man in meiner Wohnung zu dieser Zeit die Türen hinter sich zu. Ich wartete umsonst, sie lächelte nur, ein glattes, schönes Heringslächeln, und sah Gerda dabei an, die neben mir stand.

»Ach, gehen Sie schon. Sie hätten doch bleiben können.«
Ich sah überrascht auf Gerda. Ich mußte sie vorstellen, aber ich kam nicht dazu. Gerda kam mir zuvor.

»Wir müssen gehen, gnädige Frau.«
Es klang einfach, ganz selbstverständlich, fast vertraut. Das schöne Heringsgesicht fing den Satz auf, den Klang der Stimme, und sog ihn in sich hinein, in ihren ovalen halb geöffneten Mund, etwas ironisch, etwas wohlwollend. Ich sah auf ihre langen Unterarme, die bis zu den Ellenbogen frei waren. Dort hörten die Ärmel ihres Mantels auf, schwarze Seide mit weißen Volants eingefaßt. Sie hatte die Arme auf der Brust übereinandergelegt, kreuzweise, die rechte Hand auf der linken, die linke Hand auf der rechten Schulter, beide dicht am Hals, ihn mit ihren Schmuckfinger umspielend, ein langer Hals, ein geschmeidiger Gänsehals, mit angedeuteter Gurgel und kaum sichtbaren Hautrillen.

»Meinetwegen müssen Sie nicht gehen«, sagte sie.
Mir kam alles unwirklich vor: diese neumodische Wohnung, der schmale Korridor, Gerdas braunbestrickter Unterleib, die langen Schmuckfinger dieser Frau, Juweliersring neben

Juweliersring, ihr Körper, kaum sichtbar und doch wahrnehmbar unter dem seidenen Überhang und dem Nachthemd, das hinunter bis zu ihren Füßen ging, zu den Pantoffeln, besetzt mit weißen Puscheln auf rotem Samt. Sie wollte Gerda in ein Gespräch ziehen. Ich glaubte es zu spüren, es ihr anzusehen. Es war mir unangenehm.

»Wir müssen gehen, Gerda. Es wird Zeit.«

Ich sagte es unbeholfen, unsicher, ich fühlte mich der Situation nicht gewachsen. Es war keine revolutionäre Situation, keine Klassenkampfsituation, nichts, worin ich mich auskannte und womit ich hätte fertig werden können. Ich stand zwischen zwei Frauen, die einander anlächelten, zu jung, zu unerfahren, ich wiederholte mein »Komm, Gerda« und sah auf den Heringsmund und hörte die leise Fischstimme, hoch und liebenswürdig.

»Schade. Sie hätten bleiben können. Auf ein Gläschen vielleicht. Es ist ja noch früh am Abend.«

»Es geht nicht, gnädige Frau«, sagte Gerda.

»Nun vielleicht ein andermal.«

Die Juweliersgeliebtenwitwe sagte es Gerda zugewandt, ganz auf sie konzentriert, und Gerda stand vor ihr, wie sie vor meinem Onkel August gestanden hatte, im Strandsand, der in ihre Schuhe gelaufen war, in dem wehenden Nordost. Das lag über ein Jahr zurück. Nur schien sie mir jetzt sicherer, doch mit demselben Rot, das ihr Gesicht vom Hals bis zur Stirn hinauf überzog, bis zu dem rotblonden Haaransatz unter ihrer Pelzmütze.

»Ich muß nach Hause. Mein Vater erwartet mich.«

Es klang mehr gehaucht als gesprochen, hingehaucht in ein schönes Heringsgesicht. Die Juweliersgeliebtenwitwe nahm ihre langen, geschmückten Finger vom Hals und die gekreuzten Arme von der Brust. Ihr Seidenmantel fiel ein Stück auseinander und gab die Oberschenkel unter dem geschlitzten Nachthemd frei, lange Oberschenkel, gerade Oberschenkel. Ich sah dorthin, ohne es zu wollen.

»Auf Wiedersehen denn«, sagte sie.

Das hinzugesetzte »denn« klang erwartend. Sie hielt Gerdas Hand fest, ein paar Sekunden zu lang, wie es mir vorkam. Mir gab sie nicht die Hand.

»Sie kommen ja gleich zurück. Bis nachher.«

Sie schloß die Wohnungstür hinter mir. Alles kam mir seltsam vor, das Treppenhaus, diese Wohnung, meine Vermieterin, ihr Dazwischenkommen, ihr Auftritt in dem Küchentürrahmen. Ich sagte es Gerda, als wir draußen vor der Haustür waren.

»Begreifst du das?«

»Ja, ich glaube.«

»Was wollte sie denn von dir?«

»Ich bin ihr sympathisch. Das gibt es doch, einfach sympathisch. Ich gefalle ihr. Gefalle ich dir denn nicht?«

»Ja, natürlich, mir schon. Aber sie ist doch eine Frau. Ich finde es komisch.«

»Es ist nicht komisch«, sagte sie.

Gerda sah zu den erleuchteten Fenstern im ersten Stock auf, zu der Wohnung, die wir verlassen hatten. Ich spürte ihr Zögern, mit mir davonzugehen, die Straße hinunter bis zu der Buchhandlung, die wir aufsuchen wollten. Ihre Mütze bewegte sich, sie schüttelte den Kopf, das Gesicht von mir abgewandt, leicht, unmerklich.

Es war kalt. Gläserner Schneewind fegte über die Ziegeldächer der Neubausiedlung, gebaut von der Republik, die nun von zwei Generälen befehligt wurde, von einem alten General des Weltkriegs und von einem neuen, der eine Präsident und der andere Kanzler, eine Generalsrepublik, mehr war von ihr nicht übriggeblieben.

Gerda sprach von ihrem Vater.

»Er hat es jetzt leichter, viel leichter als noch vor einem Jahr. Jetzt braucht er aus seiner Überzeugung keinen Hehl mehr zu machen. Er kann sich jetzt offen zu dem bekennen, was er denkt.«

»Was denkt er denn?«

»Aber das weißt du doch. Konservativ, national, deutschnational, Hitler mit eingeschlossen. Dasselbe, was dein Onkel denkt.«

»Und das gefällt dir?«

»Was soll mir gefallen?«

»Daß er nun aus seiner Überzeugung keinen Hehl mehr machen muß. Ich meine, daß er auch als Polizeimajor nun frei sprechen kann.«

»Nein, es gefällt mir nicht. Aber es ist so.«

Sie hatte ihren Arm unter den meinen geschoben, ging dicht neben mir, angeschmiegt, und erzählte weiter von ihrem Vater, dessen politische Meinung sie nicht teilte.

»Aber er ist ja mein Vater, und das bleibt er trotz allem.«

Ich fragte, ob ihr noch so heiß sei.

»Nein, jetzt ist mir kalt, heiß-kalt, ein Wechselbad, bald heiß, bald kalt.«

Die große, nach Osten führende Verkehrsstraße war fast unbelebt. Ein paar SA-Leute kamen uns entgegen, den Wind im Rücken. Er trieb sie vor sich her. Es sah merkwürdig aus, vom Wind getriebene SA-Leute. Mich interessierten sie nicht, hier fürchtete ich sie nicht, hier waren sie anonym für mich, wie ich für sie.

Die Buchhandlung lag an einer Straßenkreuzung. Ich schloß die Tür auf. Der Verkaufsraum war dunkel, nur das Licht der Straßenbeleuchtung fiel herein, es fiel auf die gestapelten Bücher. Ich schob Gerda durch den Raum.

»Hier vorn können wir nicht bleiben. Wir müssen nach hinten gehen, hier kann man uns von draußen sehen.«

Der hintere Raum war ohne Fenster. Nur eine Tür ging zum Hof hinaus. Es war ein Bücherabstellraum, ein Lagerraum. Bücher standen in den Regalen, lagen auf dem runden Tisch, stapelten sich auf der Erde. Ich nahm Gerda den Mantel ab, und sie zog die Jacke aus. Es gab keine andere Möglichkeit, als sich auf die Bücher zu setzen. Nur auf dem Boden war noch Platz, ein Boden ohne Teppiche, ein gebohnerter Holzfußboden. Es roch nach Bohnerwachs. Gerda setzte sich auf den Bücherstapel, auf dem oben der *Untergang des Abendlandes* lag. Ich sagte es ihr: »Du sitzt auf dem Untergang des Abendlandes.« Sie lachte darüber und fragte, ob ich es gelesen hätte. Ich hatte es nicht gelesen.

»So etwas lese ich nicht. Es ist Quatsch.«

»Manchmal bist du sehr voreingenommen«, sagte sie. »Eigentlich bist du es immer. Warum ist es denn Quatsch?«

»Weil es Quatsch ist. Die Geschichte ist eine Geschichte von Klassenkämpfen und nicht von Kulturkreisen. Es geht um den Sozialismus, um die internationale Solidarität der Arbeiterklasse, um die Weltrevolution und nicht um das Abendland. Das mit dem Abendland ist nationalistisch verbrämter Humbug, pseudopolitischer Humbug.«

»Du mit deinem Humbug. Alles, was du nicht kennst und was du nicht wissen willst, ist für dich Humbug. Glaubst du wirklich, daß alles so einfach ist?«

»Einfach ist es nicht«, sagte ich, »aber die Wahrheit ist auf unserer Seite.«

Ich wunderte mich über ihren Widerspruch. Sie hatte mir nie widersprochen. Ich erinnerte mich nicht an einen Widerspruch. Aber ich nahm es hin. Es hatte keinen Sinn, sich hier über den Untergang des Abendlandes zu streiten. Ich sah auf den Fußboden. Was sollten wir hier? Der Boden war hart und kalt, gebohnert, und höchst ungeeignet. Hier konnte sie sich nicht ausziehen, aber Gerda zog sich aus. Sie begann mit der Bluse, und ich half ihr dabei. Es blieben nur die Strümpfe übrig, ihre langen, gestrickten, dicken Strümpfe.

Der Bücherstapel mit dem *Untergang des Abendlandes* obenauf brach zusammen. Er fiel nach hinten auseinander. Ich rutschte mit Gerda von ihm herunter, auf den gebohnerten Fußboden. Der Geruch frischen Bohnerwachses stieg in meine

Nase. Ich sagte: »Ach herrjeh, das Abendland.« Aber Gerda hörte es nicht. Sie gab keine Antwort, sie war irgendwo, weit weg, verloren in meinen Armen, somnambul vielleicht, sie war heiß, war erhitzt, sie seufzte, sie schrie, sie biß. »Was machst du denn?« wollte ich sagen, ich kam nicht dazu, sagte es nicht. Alles ging schnell, zu schnell, ich verlor die Kontrolle über mich. Sie schlug mir ins Gesicht, aber ich hielt ihren Arm fest und bog ihn nach hinten, auf den Fußboden. Ich ärgerte mich über mich selbst, über meine mangelnde Beherrschung, doch ich gab ihr die Schuld, ihrer für mich nicht faßbaren Leidenschaft. Sie war schuld, nicht ich. Ich dachte: sie ist verrückt, sie ist krank, ernsthaft krank. Ich fragte sie danach, als ich wieder auf einem der Bücherstapel saß.

»Gerda, was ist mit dir?«

Sie lag vor mir, auf dem Fußboden, sie war so liegengeblieben, auf dem Rücken, ein weiß schimmernder Fleck in der dunklen Bücherstube, an den Oberschenkeln schwarz abgesetzt, dort, wo die gestrickten, braunen, dicken Strümpfe begannen, ein Torso, abgeschnittene Beine statt fehlender Arme. Die Arme hatte sie hochgereckt hinter ihrem Kopf. Sie flüsterte etwas, einen halb verschluckten Satz. Ich verstand ihn nicht. Nur das Wort »unerfahren« kam bis zu mir. Es schwebte durch den Raum, durch die Bücherstubenluft. Das Wort »ach« war dabei. Damit hatte sie den Satz begonnen und dann nach dem »unerfahren« alles andere verschluckt. Ich versuchte mir den Satz zusammenzusetzen. Es war ein beleidigender, kränkender Satz. Ich war nicht unerfahren, ich war sicher, es nicht zu sein. Wir hatten beide dasselbe gelesen: die Kollontay, Sigmund Freud, van de Veldes *Vollkommene Ehe*. Aber ich wagte nicht, es zu sagen, ich wollte mich nicht verteidigen. Es war unangenehm, dumm. Ich saß betroffen auf dem Bücherstapel. Ich sagte, nur um etwas zu sagen und von ihrem kränkenden Satz wegzukommen:

»Hast du Alex in letzter Zeit gesehen?«

»Wie kommst du denn jetzt auf Alex Smirnoff? Ich habe ihn nicht gesehen. Ich weiß nicht, was er macht. Du hast ihn doch getroffen.«

»Ja, ich habe ihn getroffen.«

»Also mußt du doch wissen, was er macht. Ich weiß es nicht.«

Sie sagte es leise, abwehrend, meine Frage und Alex Smirnoff beiseite schiebend, irgendwohin, in die Bücherregale, in die Bücherstapel, sie nahm dabei ihre Hände hinter dem Kopf hervor, aus ihrem drahtigen Haar, und zog ihre langen Wollstrümpfe zurecht. Sie tat, als sei ich nicht vorhanden, sie stellte erst das linke, dann das rechte Bein hoch, winkelte es an, und streckte es wieder aus. Ich hätte sie gern gefragt: »Wieso bin ich unerfahren? Du bist es dann doch auch.« Ich wagte es nicht. Die Frage hätte mich bloßgestellt, mein vor mich hergetragenes »Aufgeklärtsein«, meine Überzeugung, daß man die Sexualität genoß, wie man ein Glas Wasser trank, meine ironische Überheblichkeit. Was hieß schon »erfahren«. Erfahrungen besagten nichts. Es wäre ein Verleugnen meines eigenen »aufgeklärten Klassenstandpunkts« gewesen, gegenüber einer »höheren Tochter«, einer Bürgerlichen. Ich dachte, sie ist bürgerlich, ich dachte es in Abwehr ihres »unerfahren«. Ich wußte, es war ungerecht, dumm, ich fragte sie nicht, ich sagte statt dessen: »Warum ziehst du dich nicht an? Du erkältest dich.«

Sie lachte jetzt wieder ihr glucksendes schüchternes Mädchenlachen, als sei nichts gewesen, als hätte sie nichts gesagt. Ihr Lachen nahm mir mein Betroffensein, meine Verärgerung, es stellte für mich den alten Zustand wieder her. Es war also nichts geschehen, worüber ich mich ärgern mußte, ich glaubte ihrem Lachen, ich wollte es glauben.

»Gib mir den Büstenhalter«, sagte sie.

Ich gab ihr den Büstenhalter, ihr Hemd, ihre Bluse und nahm auch den Schlüpfer auf, der auf dem Fußboden lag, nicht weit von ihren Beinen entfernt. Sie stand auf und zog sich an, ein nackter Mädchenkörper im Halbdunkel, zwischen aufgeschichteten Büchern und Bücherregalen, ein taillenschmaler, breithüftiger X-Bein-Körper. Er sah seltsam anziehend für mich aus, aber ich wiederholte mein: »Erkälte dich nicht. Du läßt dir zuviel Zeit. Es ist lausekalt hier.«

»Und wenn ich mich erkälte? Was bedeutet es noch. Es bedeutet jetzt nichts mehr.«

»Warum bedeutet es nichts mehr? Erkältung bleibt doch Erkältung.«

»Nur so. Es ist Unsinn, was ich sage. Ich weiß.«

Ich verstand sie nicht, fragte aber nicht weiter. Es war mir nicht wichtig genug. Mir fiel wieder ein, wie merkwürdig sie sich gegenüber meiner Vermieterin benommen hatte.

»Kennst du meine Vermieterin eigentlich? Es kam mir so vor.«

»Nein. Wie kommst du darauf? Aber sie hat mich ja gesehen, als wir die Treppe hinaufgingen und in ihre Wohnung kamen. Ich bin ihr aufgefallen.«

»Was kann ihr denn an dir aufgefallen sein?«

»Nichts. Gar nichts. Vielleicht meine Haare oder sonst etwas.«

Ich schloß die Tür der Buchhandlung hinter mir, und sie stand neben mir, ihre Fischotterpelzmütze in der Hand. Ihre Haare fielen ihr ins Gesicht und wehten gleichzeitig nach allen Seiten. Sie sah aufgelöst aus, noch immer erhitzt. Ihr Gang schien mir noch latschiger als sonst, als trügen sie ihre Beine nicht mehr.

»Eine ungewöhnliche Frau, deine Vermieterin. Findest du nicht? Ich finde sie schön. Sie ist sehr viel schöner als ich.«

Ich fand es auch und bestätigte es.

»Ja, sie ist schön. Nur etwas komisch.«

Gerda lächelte, ein verstecktes Lächeln, das sie in sich hineinzog, von mir weg. Es kam mir wieder vor, als lache sie über mich und über mein »komisch«. Ich blieb dabei.

»Natürlich ist sie komisch. Das mußt du doch zugeben. Und so aufgedonnert. Aufgedonnert wie ein Dragoner.«

Es war ein hinkender Vergleich. Ich wußte es sofort. Meine Juweliersgeliebtenwitwe war kein Dragoner, sie war alles andere als das, ein Degenfechter vielleicht, ein Florettfechter, ein schlankes, federndes Etwas. Gerda nannte sie so: eine Stahlfeder.

»Sie ist nur etwas maskulin. Das meinst du doch?«

Ich wußte nicht, ob ich das meinte. Mir besagte das »maskulin« nichts, aber ich sprach nicht weiter von der Vermieterin. Sie war mir gleichgültig. Ich begleitete Gerda in der Straßenbahn nach Steglitz, sie wollte es nicht, aber ich bestand darauf. Wir gingen an dem Schlittschuhteich vorbei, der nun leer war, frei gefegt von Schlittschuhläufern, nicht mehr erleuchtet. Ich stand vor dem Haus, in dem sie wohnte, und sah zu dem jugendstilverzierten, jugendstilgeschmückten Balkon hinauf, wo ich einmal auf dem Feldbett geschlafen hatte.

»Schläfst du dort noch immer, auf dem Balkon?«

»Nein, nicht mehr. Der Arzt hat es verboten. Früher hat er es angeordnet, und jetzt hat er es untersagt.«

Gerda flüsterte es in ihre Pelzmütze hinein, die sie vor den Mund hielt, als müsse sie ihre Lippen schützen, ihr Kinn, den unteren Teil ihres Gesichts. Sie schob die Mütze bis zu ihren Augen hinauf. Ihre Augen sahen mich über den Rand der Pelzmütze an. Sie tränten ein wenig, von der Kälte vielleicht, von dem eisigen Wind, der die Straße heraufkam.

»Du mußt gehen, bevor dein Onkel aus dem Haus kommt. Er sitzt noch immer da oben.«

Ich sah an der Fassade des Hauses empor. In der sonst dunklen Wohnungsfront war nur das Fenster des Herrenzimmers erleuchtet. Dort saß also mein Onkel, unter dem Hindenburg in Öl, unter dem fahnenschwenkenden, untergehenden Matrosen. Ich sagte:

»Wahrscheinlich treiben die wieder Politik da oben.«

»Wahrscheinlich«, wiederholte Gerda.

Sie sagte es gleichgültig, uninteressiert und zog die Schultern dabei ein wenig an, Schultern, die ausdrückten: Was bedeutet es schon, ob die Politik treiben oder nicht. Ein Windstoß kam die Straße herauf. Er kam von dem Eislaufteich, der etwas tiefer am Ende der Straße lag. Er rieb sich an den Bäumen, unter denen ich mit Gerda auf der anderen Seite der Häuserfront stand, und verfing sich in den kahlen Zweigen.

XVII

Alex Smirnoff sah aus, als säße er allein in dem Lokal. Er
legte die Zeitung neben sich, schob sie lässig auf andere, die
auf dem Tisch lagen. Ich kannte die Überschriften, die Schlagzeilen: *Der braune Aufmarsch beherrscht Berlin — Moskauer
Bluthetzer ohne Gefolgschaft — Hitlers Mordhetze fordert
wieder zwei Arbeiterleben — Morgen dem Faschismus unsere
Macht gezeigt.* Es waren Überschriften des *Völkischen Be-
obachters* und der *Roten Fahne.* Zwanzigtausend SA-Leute,
vier SA-Divisionen, hatten an einer Horst-Wessel-Ehrung
teilgenommen. Alex Smirnoff erzählte mir davon:
»Sie haben schon die Macht. Ob wir es wollen oder nicht.
Sie beherrschen die Straße, nicht mehr die Kommunistische
Partei, nicht mehr wir. Jetzt gibt es nur noch zwei Möglichkeiten: Militärdiktatur oder Hitler.«
Ich glaubte ihm nicht.
Draußen vor den Fenstern des Lokals, auf der Straße, die
zum Bülowplatz führte, marschierten die Arbeiterkolonnen,
rote Kolonnen. Sie zogen ungeordnet und geordnet zum
Bülowplatz. Die Kommunistische Partei hatte das rote Ber-
lin zu einer antifaschistischen Kampfwoche aufgerufen.
Alex mokierte sich über den Aufruf. Er las ihn mir aus der
Roten Fahne vor, er zitierte bestimmte Sätze: »Morgen wird
der Pesthauch der Arbeiterschlächter weggefegt, wenn ein
gigantischer Zug der Arbeiterkolonnen aus den Betrieben,
Stempelstellen und Proletstraßen hervorbrechen und am
Karl-Liebknecht-Haus vorbeiziehen wird, ehern die Blicke,
eisern die Fäuste, wie sie das Arbeiterviertel gebar.« Alex
Smirnoff lachte über das »gebar«. Es gefiel ihm nicht. »Ge-

bar, gebar«, sagte er, »ein unerträgliches Pathos.« Er kicherte alles in sich hinein, die »eisernen Fäuste« und die »ehernen Blicke«, eine Sprache, die nach seiner Ansicht ins nationalistische Kielwasser gekommen war.

»Trotzdem, Karl, die Republik ist am Ende. Die Partei wird bald in der Illegalität sein. Auch die ehernen Blicke können sie nicht davor retten.«

Er hatte in dem fast leeren Lokal auf mich gewartet. Wir wollten an der Demonstration teilnehmen, Widerstand leisten gegen Hitlers braune Divisionen, die die Stadt überschwemmten. Wir verließen das Lokal und gingen hinaus auf die Straße.

»Die Entscheidung fällt woanders, sie fällt nicht hier, nicht auf der Straße. Vielleicht ist sie schon gefallen«, sagte Alex Smirnoff.

»Und warum demonstrieren wir dann?«

»Die Partei demonstriert, nicht wir, sie kann sich eine Niederlage nicht vorstellen.«

»Aber wir laufen doch mit?«

»Man muß sich das ansehen. Man kann aus Niederlagen mehr lernen als aus Siegen.«

Er wirkte auf mich verschlossener als sonst, in sich gekehrt, er hustete nicht. Er ging neben mir her, seine Zeitungen unter dem Arm. Seine langen Beine bewegten sich schlendernd, promenierend inmitten der Menschenmassen, die sich drängend nach vorn schoben, dem Bülowplatz zu, der großen Kundgebung zu, der Demonstration des roten Berlin.

Polizeiwagen fuhren vorbei. Sie keilten die Menge ein und trieben sie auf die Bürgersteige. Fäuste stießen in die Luft: »Faschistische Bullen, Arbeiterschlächter.« Die Polizisten hörten die Drohungen nicht. Sie saßen starr, bleisoldatenhaft aneinandergereiht, die Karabiner zwischen den Knien. Polizeiwagen folgte auf Polizeiwagen, eine Armee von Polizisten: Gummiknüppel, Tschakos, Gewehre, Seitengewehre. Auf dem festgefrorenen Schnee rund um den Bülowplatz standen die Karabiner zusammengestellt, Pyramide neben Pyramide. Der Platz schien blockiert von Karabinern, von Wagen, von Polizisten, die sich die Füße vertraten.

Ich konnte die Transparente an der Fassade des Karl-Liebknecht-Hauses sehen: »Im Zeichen des Leninismus wählt rote Betriebsräte«, weiße Buchstaben auf rotem Fahnentuch. Es flatterte und schlug gegen die Fassade des Karl-Liebknecht-Hauses im leichten, eiskalten Januarwind, ein Karl-Liebknecht-Haus, eingekesselt von der Polizei, an der sich die Massen vorbeischoben. Die eisernen Fäuste der Partei hoben sich: »Berlin bleibt rot.« Die Demonstranten riefen es den Polizisten zu, die nicht reagierten.

»Trotz Not und Tod, Berlin bleibt rot.«

Ich stand neben Alex Smirnoff am Rand des Platzes, wir standen eingekeilt, an die Häuserfront gedrängt. Wir kamen nicht weiter. Weit vorn, in der Nähe des Karl-Liebknecht-Hauses erhob sich Geschrei, ein dumpfes Summen des Protests. Jemand sprach, er schrie. Wortfetzen flogen vorbei: Kapitalismus, Schleicher. Für die soziale und nationale Befreiung, gegen die Junker, gegen, gegen . . .

Ich sah zu Alex Smirnoff auf, der über die Menge hinwegsehen konnte. Er mußte den Redner erkennen.

»Wer spricht, Alex?«

»Teddy, unser Teddy.«

Er lachte, er hustete das »Thälmann« zu mir hinunter. »Teddy sagt fast dasselbe wie Hitler. Er dreht es nur um. Er sagt zuerst soziale Befreiung und dann nationale Befreiung.«

Es amüsierte ihn. Thälmann als nationaler Befreier. Es war die neue Parole der Partei, den Nationalsozialisten abgeguckt in der Hoffnung, die Massen, die auf diese These ansprachen, zu sich herüberzuziehen. Ich glaubte nicht an die Wirkung dieser Propaganda. Ich hielt die These für falsch, für eine fatale Anpassung, wie auch Alex Smirnoff sie für falsch hielt, ein taktischer Kopfstand ohnegleichen und ohne

Vorbild. Vorn, am Karl-Liebknecht-Haus, erhob sich wieder Geschrei. Es setzte sich bis zu uns fort, es bewegte die Massen. Ich verstand nicht, was geschrien wurde, ich hörte nur: »Mörder, Mörder.« Jemand neben mir schrie: »Schlagt sie tot.« Die Massen drängten zurück. Tschakos tauchten auf. Ich hörte eine Polizeistimme, eine Befehlsstimme: »Geben Sie den Platz frei, oder es wird geschossen.«

Die zurückflutenden Massen drängten plötzlich wieder nach vorn. Ich wurde mitgerissen, mitgespült, ich hielt mich an Alex Smirnoff fest, an seinem Arm, ich schrie: »Laß uns hier weggehen, es wird gefährlich.« Alex Smirnoff hörte nicht auf mich. Er hustete, er lachte, seine langen Beine bewegten sich wie im Veitstanz. Er hatte den rechten Arm über dem Kopf, die Zeitungen in der Hand, er schwenkte sie einer Fahne gleich: Vorwärts, vorwärts. Er sagte es nicht, er hätte es sagen können. Vorwärts zum Sturm über den Bülowplatz, gegen die Polizei, auf das Karl-Liebknecht-Haus. So mußte es in der russischen Revolution gewesen sein: Sturm unter roten Fahnen. Ich hielt mich an Alex Smirnoff fest, an dem Arm mit den geschwenkten Zeitungen. Vor uns war wieder die Polizeistimme, eine Kommandostimme, eine scharfe Stimme:

»Zurück, zurück, oder es wird geschossen.«

Die Stimme des Redners war verstummt, erstickt, davongetragen vom eisigen Ostwind, verschluckt vom Geschrei der Massen, die wieder zurückdrängten, in die Seitenstraßen hinein, in die Gassen, in die Flure der Häuser.

Auch Alex Smirnoff wurde zurückgeworfen, gegen mich gedrängt. Seine Beine knickten ein, die Zeitungen fielen aus seiner Hand, hinunter auf die Köpfe der Zurückdrängenden, in den Schnee, der jetzt weichgetreten war. Schüsse fielen. Sie kamen vereinzelt von irgendwoher. Ihr Knall sprang mit dem Ostwind über die Dächer. Mir kam es vor, als schlüge jemand mit der Hand unregelmäßig auf eine Holzwand, weit entfernt: Klack, Klack, Klack. Es waren

Warnschüsse vielleicht, über die Köpfe der demonstrierenden Menge abgefeuert. Ich dachte nicht darüber nach, ich
lief, wie alle liefen, ich lief wie die abgedrängte, sich schie-
bende, stoßende, schreiende und fluchende Masse. Die Demonstranten fielen übereinander, rannten sich gegenseitig
um. Jemand schrie: »Zurück zum Bülowplatz.« Niemand
folgte dem Ruf. Es gab kein Zurück mehr. Panik breitete
sich aus. Ich hörte Alex Smirnoff hinter mir. Er hustete
hinter mir her: »In das Lokal, in dem wir uns getroffen haben, schnell, schnell.«
Wir liefen in die Straße zurück, aus der wir gekommen
waren. Ich erreichte die Tür des Lokals und riß sie auf.
»Nicht hier herein. Das gibt es nicht.«
Es war eine weibliche Stimme, eine keifende Stimme. Ich
überhörte ihren Protest. Ich schob mich an der Kellnerin
vorbei in das schon volle Lokal. Demonstranten, Männer
mit dem Abzeichen der Partei, Arbeiter, Funktionäre, eine
redende, erregte, brodelnde Masse im Bierdunst, in Ziga-
rettenrauchschwaden. Sie sprachen alle durcheinander: »Die
Schweine, sie haben scharf geschossen.« »Ach was, das waren doch nur Platzpatronen.« Sie stritten sich, wer zuerst
geschossen hatte. Einer wiederholte sich, sagte immer denselben Satz: »Und ich sage dir, die ersten Schüsse kamen aus
dem Karl-Liebknecht-Haus. Ich habe es gesehen. Ich stand
ganz hinten. Ich konnte es von dort aus genau sehen.«
Die anderen stritten es ihm ab, sie sagten: »Quatsch« und
»Blödsinn« und »Von unseren Genossen hat keiner geschossen. Das tun die nicht. Wäre ja Selbstmord in dieser
Situation.«
Ich wurde mit Alex Smirnoff zur Theke gedrängt, immer
weiter in das Lokal hinein, an den Diskutierenden und
Streitenden vorbei.
»Ich habe mich hier mit Liverpool verabredet«, sagte Alex
Smirnoff, »wir wollten uns nach der Demonstration hier
treffen. Vielleicht kommt er noch.«

Er war nervös, seine Hand auf meiner Schulter zitterte leicht. Das Geschrei draußen war verstummt, weggefegt. Eine leere Ruhe kam herein, sie drang durch die Fenster, Ruhe nach der Aufregung, nach dem Sturm. Ein Polizeiwagen heulte vorbei. Das Stimmengewirr verstummte plötzlich. Angst stand im Raum und Stille, nervöse Stille. Alle starrten zur Tür, die aufsprang. Sie flog knallend gegen die holzverschalte Wand. Liverpool stand im Türrahmen, hinter ihm einige seiner Genossen, junge Funktionäre, die ich auch kannte. Ich sah ihnen an, daß sie gelaufen waren, sie wirkten atemlos, aufgeregt, Schweiß stand in ihren Gesichtern. In ihrer Mitte Liverpool, eingerahmt von den anderen, als hätte er eine Schlacht geschlagen, ein siegreicher Revolutionär an der Spitze eines Revolutionskomitees. Die schwarzen Haare hingen ihm ins Gesicht. Sein Blick lief von einem zum anderen.

»Hier seid ihr also. Hier drückt ihr euch herum.«

Er warf den Kopf zurück, die Haare aus der Stirn wischend, seine revolutionäre Geste. Er sah dabei alle an, als seien es seine Leute, Leute, die ihm davongelaufen waren, Feiglinge, feige Genossen. Er hätte fragen können, warum seid ihr davongelaufen, er fragte nicht. Er sagte nur »Scheißkerle« und dann: »Macht die Tür zu und schließt sie ab.« Ärger und Verachtung standen in seinem Gesicht. Ich sah ihm seine Enttäuschung an, ich sagte: »Mensch, Liverpool, reg dich nicht auf.« Aber Liverpool hörte es nicht. Er ging durch die sich teilende Menge auf Alex Smirnoff zu.

»Da siehst du, Alex, was mit denen los ist. Es braucht nur ein bißchen zu knallen, die brauchen nur dreimal in die Luft zu halten, und schon machen die einen Hasen. Und mit so etwas soll man die Revolution gewinnen, die Polizei schlagen, die SA, die Reichswehr, alle miteinander, mit so etwas . . .«

Er sagte es laut. Jeder konnte es hören, jeder hörte es. Stimmen des Widerspruchs meldeten sich. »Gib nicht so an, Genosse«, und »Das wollen wir nicht gehört haben, mein

Junge.« Ein Augenblick gespannter Ruhe trat ein, Ruhe, die explodieren konnte, gegen Liverpool, gegen seine Arroganz, gegen seine Anmaßung, als einziger kämpfen zu wollen und zu können. Ich empfand es als Anmaßung. Ich sagte: »Spiel dich nicht auf.«

»Wer spielt sich hier auf? Was redest du vom Aufspielen? Einen Hasen habt ihr gemacht, alle miteinander. Du auch.«

»Ich gehöre ja nicht mehr dazu.«

»Und ob du dazu gehörst. Natürlich gehörst du dazu. Alle gehören dazu. Auch du. Davongelaufen seid ihr wie die Hasen.«

Ich kam nicht mehr dazu, auf Liverpools Vorwurf zu antworten. Alex Smirnoff mischte sich ein.

»Was willst du. Gegen sechstausend Karabiner ist jede demonstrierende Masse ein Popanz.«

Er sagte es vermittelnd, liebenswürdig. Seine Pincenezgläser blitzten dabei. Er machte sich lustig über Liverpool, über seine Kühnheit, seine revolutionäre Verzweiflung, seine Wut. Sein »Popanz« sprang hustend durch den Raum, und Liverpool wiederholte es: »Ja, ein Popanz.« Es klang niedergeschlagen, verzweifelt. Ich hatte nie so etwas von Liverpool gehört, ihn nie so niedergeschlagen gesehen. Etwas hatte sich an ihm verändert, seine Siegesgewißheit, sein revolutionärer Optimismus. Die Aufmerksamkeit in dem Lokal wurde von Liverpool abgelenkt. Polizei säuberte draußen die Straßen. Ich sah es durch die Gardinen. Alle sahen es. Eine Polizeikette quer über dem Damm, Polizist neben Polizist, drei Ketten hintereinander. Es kam mir so vor, als wollten die Polizisten Hasen aufstöbern, die davongelaufenen Hasen Liverpools, die schon in den U-Bahn-Schächten und in den Häusern saßen. Vielleicht hatte es Tote gegeben, vielleicht waren es keine Warnschüsse gewesen, das Klack, Klack, Klack, die hellen Schläge auf Holz, verschluckt vom Winterwind. Sekunden, Minuten vergingen. Niemand sagte etwas. Nur die Stimme der Kellnerin war plötzlich da.

»Schließt doch die Tür wieder auf. Da ist doch niemand mehr. Meine Herren, meine Herren, Angst vor der Polente? Das fehlt uns gerade noch. O, ihr Arschwischer.«

Ihr »Arschwischer« klang, als hätte sie es jedem, der sich in dem Lokal befand, ins Gesicht geschleudert, jeden damit gemeint. Es zerstörte die angespannte Stille. Einige lachten, und Liverpool schrie: »Ja, schließt die Tür auf. Sollen sie doch hereinkommen, die Herren von der Polizei.«

Es kam niemand herein. Draußen belebte sich die Straße. Leute traten aus den Häusern, sahen in die Luft, prüften das Wetter, schnupperten in dem eisigen, wehenden, schneestäubenden Ostwind, als könnte er nach Pulver riechen, und gingen davon, auf den Bürgersteigen, an den Hauswänden entlang, Passanten, die den Straßenbahnhaltestellen und den U-Bahnhöfen zueilten.

Auch das Lokal leerte sich jetzt. Ich sah sie gehen, die Genossen, die Funktionäre, die Demonstranten des roten Berlin. Sie gingen einzeln, nicht in Gruppen, einer nach dem anderen. Die bis dahin voll besetzten Tische wurden frei. Liverpool schob Alex Smirnoff vor sich her zu einem der freigewordenen Tische hin.

»Was wird jetzt, Alex? Was meinst du?«

Alex Smirnoff gab ihm keine Antwort. Er setzte sich mir gegenüber. Er saß dort, vornübergeneigt, eingeknickt, in der Mitte durchgebrochen, geteilt in Unterleib und Oberleib, die langen Beine unter dem Tisch bis zu meinen Füßen hin ausgestreckt, mit den krallenartigen Händen die leeren Gläser auf dem Tisch beiseite schiebend. Er sprach langsam, stockend, ironisch, er fragte nach der Demonstration der SA vor zwei Tagen. Hitlers disziplinierte Scharen waren über den Bülowplatz gezogen, Sturm auf Sturm, eine Standarte, eine SA-Division nach der anderen, unter einem Wald von Hakenkreuzfahnen, mit den Rufen: »Deutschland erwache. Juda verrecke. Wo sind die Kommunisten? Im Keller? Huh! Huh! Huh!« Die SA-Leute hatten es vor dem Karl-

Liebknecht-Haus gebrüllt, hinauf in die Zentrale der Partei, aber es hatte sich keine »eherne Arbeiterfaust« gerührt, um sie zusammenzuschlagen, es hatte keine Gegendemonstration gegeben.

»Das war die Stunde des Aufstands«, sagte Alex Smirnoff.

»Jetzt ist es zu spät. Warum habt ihr euch verkrochen?«

»Wir haben uns nicht verkrochen.«

»Gut. Du kannst es auch anders nennen. Das ist egal. Aber warum habt ihr nicht zurückgeschlagen?«

»Es war Taktik. Nichts weiter. Hätten wir die Provokation angenommen, wären wir verloren gewesen. Das war ja die Absicht, uns herauszufordern. Dann hätte man uns mit Hilfe der Polizei zusammengeschlagen und dann den Staatsnotstand ausrufen können. Das wollen sie doch. Darauf warten sie doch.«

Alex Smirnoff lachte Liverpool ins rot gewordene, vor Ärger angeschwollene Gesicht.

»Das ist Unsinn, was du da sagst. So ist es nicht. Ihr habt eure Befehle. Ihr dürft nichts gegen die Nationalsozialisten unternehmen. Du weißt es so gut wie ich. Die Strategie eures Allerhöchsten ist eine andere, erst die Republik zerschlagen und dann sich mit den Nationalsozialisten auseinandersetzen. So ist es doch.«

Liverpool sprang nicht auf, wie ich es erwartete. Er strich sich nicht die Haare aus der Stirn, warf nicht den Kopf zurück. Er saß dort, Alex schräg gegenüber, die Ellenbogen auf dem Tisch, den Kopf in die Hände gestützt, Unbehagen, Ärger und gesammelte Ruhe ausstrahlend, gebändigte Energie in einem massigen Körper. Er sprach beherrscht, leise, ohne Fanatismus.

»Was für Befehle meinst du? Ich weiß nichts von Befehlen. Es gibt nur die Anordnungen der Partei. Und darin steht nichts von der Strategie, die du vermutest.«

»Anscheinend kannst du nicht mehr lesen«, sagte Alex Smirnoff, »lesen muß man natürlich können.«

Jetzt mischten sich andere ein, Genossen, Freunde Liverpools, die mit an dem Tisch saßen: »Was sollen wir denn tun? Was meinst du denn? Die Polizei schützt doch die SA.«

Für sie war Hitler seit der Novemberwahl, bei der er Wähler und Anhänger verloren hatte, der Mann der verpaßten Gelegenheiten: »Der kommt nicht mehr dran. Der hat seine große Stunde versäumt.« Sie glaubten es alle, sie berauschten sich daran. Hitlers Anhänger würden zusammenschmelzen, sich verlaufen, davon- und überlaufen, vielleicht und mit Sicherheit zur Kommunistischen Partei: »Wohin sollen sie denn weiterlaufen? Zu den Sozialdemokraten? Da gehen sie nie mehr hin. Die Republik ist im Arsch.«

Sie sahen es so. Für sie war die Republik eine Republik der Generale, der Barone, der Gutsbesitzer, der Kapitalisten, der Junker: Junker statt Arbeitervertreter. Aber sie glaubten nicht an eine Militärdiktatur, nicht an einen Putsch: »Das können sie sich nicht leisten. Dann gibt es Generalstreik. Das haben wir ihnen beim Kapp-Putsch schon einmal gezeigt. Wenn alles streikt, sind sie fertig.«

Ich dachte an Onkel August. Er und seinesgleichen würden nicht überlaufen, niemals. Für sie waren diese Genossen Gesindel, Zersetzer jeder Ordnung, und die Kommunistische Partei war ein Dreckshaufen, ein wilder Haufen von Affenärschen, die man aus dem Land treiben mußte. Er, Onkel August, hätte über solche Überlegungen nur gelacht, sein schallendes, militärisches Männerlachen.

Auch Alex Smirnoff lachte jetzt, ein anderes, trauriges Lachen.

»Es gibt keinen Generalstreik mehr. Dazu ist es zu spät. Dann hättet ihr eine andere Politik treiben müssen. Mit den Sozialdemokraten zusammen, mit den Gewerkschaften und mit allen anderen, die keine Diktatur wollen, dann vielleicht ja.«

Er wiederholte das »Ja«, er sagte »Ja, ja« und noch einmal »vielleicht«. Er schüttelte sich. Sein ganzer Körper schien dabei zu lachen, aber er lachte nicht. Er sagte etwas, das ich von ihm nicht erwartet hatte, einen Satz, den er aus sich herausholte, langsam, mühsam. Seine Lippen bewegten sich, als suche er nach dem richtigen Wort:

»Die Führung der Partei ist total konfus«, sagte er, und dann nach ein paar Sekunden des Schweigens: »Um nicht zu sagen beschissen.«

Ich hatte das Wort nie von ihm gehört. Es war nicht sein Wort, in seiner marxistischen Terminologie kam »beschissen« nicht vor. Aus seinem Mund klang es vulgär. Aber er war erregt. Ich sah es ihm an. Seine Augen drückten es aus, sein halb zusammengesunkener Körper. Er nahm wie immer nach einem harten, seine Umgebung aufreizenden Satz sein Pincenez ab und begann es umständlich zu putzen. Er wartete auf eine Antwort.

Aber Liverpool schwieg. Er saß noch immer so da, wie er sich gesetzt hatte, den Kopf in die Hände gestützt. Er nahm seine Hände vom Kinn, lehnte sich zurück und schlug mit der rechten Hand flach auf den Tisch. Eine Geste, die Ruhe inmitten des gespannten Schweigens gebot. Seine Stimme kam langsam, stockend, wieder Gesteinsbrocken ähnlich, die in die Stille fielen.

»Gut. Das ›beschissen‹ kannst du dir schenken. Das ist deine Sache. Das mußt du mit dir selbst ausmachen. Du gehörst nicht mehr zu uns. Deswegen ist es gleichgültig, was du von unseren Genossen sagst.«

»Es ist nicht meine Schuld, daß ich nicht mehr zu euch gehöre«, sagte Alex Smirnoff, und jetzt hatte auch er sich aufgerichtet, saß zurückgelehnt wie Liverpool, aufrecht, das Pincenez auf die Nase klemmend. »Es ist eure Schuld. Ihr habt mit euren Abweichungen und Parteiausschlüssen die eigenen Kräfte dezimiert. Und jetzt seid ihr schwach, schwächer als du glaubst. Das ist eure Schuld.«

Liverpool zog sich zusammen, ein geduckter massiger Körper, ein Kopf, den eine Axt oder ein Hammer getroffen hatte. Ich wußte, was er antworten konnte und antworten würde: Ohne Disziplin keine Revolution, ohne straffe Ideologie keine revolutionäre Partei, ohne befehlsmäßig zusammengeschweißte Kader keinen Sieg. Wer die Disziplin nicht hält, ist ein Konterrevolutionär, ist unser Gegner.

Liverpool sagte es nicht. Er lauschte nach draußen, nach irgendwohin. Ein Polizeiwagen fuhr vorbei, ein letztes Kommando vielleicht, nachdem die Demonstration zerschlagen war. Aber Liverpool fing sich wieder, als hätte nur dieses letzte Polizeikommando ihn daran gehindert zu reden. Er sprach noch immer ruhig, jedes Wort aus seinem Mund entlassend, als sei es von besonderem Gewicht. Er sagte Alexej dabei, er sprach Smirnoffs Vornamen russisch aus: Alexej. Es klang vertraulich vertraut, freundschaftlich und seltsam für mich. Sie mußten sich öfter gesehen und gesprochen haben, als ich dachte.

»Du mit deinem Trotzki, Alexej. Du glaubst doch selbst nicht an ihn und an seine Theorie. Dazu denkst du viel zu dialektisch. Du benutzt ihn doch nur als Aushängeschild, als ein Plakat für dich, ein schönes Plakat. Trotzki und die permanente Revolution. Wo ist sie denn, deine permanente Revolution? Eine theoretische Illusion, ein Steckenpferd, dein intellektuell aufgetakeltes Steckenpferd. Für mich jedenfalls ist Trotzki ein Verräter und bleibt es auch. Daran änderst auch du nichts.«

Ich spürte seine Unsicherheit. Etwas hatte ihn unsicher gemacht, die vergangenen Gespräche mit Alex vielleicht, ein Rüffel der Partei, die neue Generallinie – soziale und nationale Befreiung – gemeinsam mit Hitler gegen die Republik. Es konnte so sein, aber ich wußte es nicht. Ich hörte Alex sagen:

»Na gut, Trotzki hin, Trotzki her. Er ist so wenig allwissend wie andere. Aber er ist ein Stratege. Jetzt hättet ihr ihn gebraucht, jetzt mehr denn je. Du wirst es noch merken, auch wenn du dich noch so sehr dagegen sträubst. Aber lassen wir ihn und die Theorie der permanenten Revolution. Darauf kommt es jetzt nicht mehr an. Wozu reden wir noch davon? Es ist doch zu spät dazu.«

»Warum zu spät? Wie meinst du das?«

»Weil es nur noch eine Alternative gibt. Militärdiktatur oder Hitler. Mit der Republik ist es aus. Auf der braucht ihr nicht mehr herumzutrommeln. Und den Generalstreik, den gibt es nicht. Ihr wollt ihn ja selbst nicht. Und er würde auch nicht mehr gelingen.«

Es gab keinen Widerspruch, Liverpool starrte Alex an, er sah ihn unverwandt an, als hätte er eine Ungeheuerlichkeit gesagt. Auch ich empfand es so: die große Waffe der Arbeiterschaft, des Proletariats, stumpf geworden, nicht mehr einsatzfähig, nur noch eine Parole, ein Wunschtraum, nicht mehr. Aber Liverpool wollte nicht zugeben, was Alex Smirnoff nun zum zweitenmal ausgesprochen hatte, er wollte es nicht oder durfte es nicht. Er sagte, und nun klang es für mich wieder nach Propagandaparole:

»Schwachsinn! Es ist Schwachsinn, was du da sagst. Das Proletariat ist unschlagbar. Auch heute noch. Trotz Hitler und seinen Lakaien, trotz allem. Es wird siegen. Daran gibt es keinen Zweifel.«

Es waren leere, nichtssagende Sätze. Jeder konnte von sich sagen, daß er siegen wird: Hitler, Goebbels, Göring. Sie schrien es jeden Tag aus sich heraus, schrien es den aufgescheuchten Massen zu, mit der ständigen Suggestivwirkung: ich werde siegen, also siege ich. Ich glaubte nicht daran.

»Das kann jeder von sich sagen. Das sagt Hitler auch«, bemerkte ich.

Liverpool überhörte es. Er nahm keine Notiz von mir, ich war Luft für ihn, einer, der zwar mit demonstrieren durfte, aber nichts mehr zu sagen hatte, ein Parteiausgeschlossener, ein Parteiverfemter.

»Schade«, sagte Alex Smirnoff, »ihr macht euch selbst etwas vor. Ihr suggeriert euch selbst den Sieg, statt ihn der Masse zu suggerieren. Aber das ist nur einer eurer Fehler, einer von vielen.«

Er sagte es leise, und seine Stimme schien Mitleid auszudrücken, Mitleid mit den Genossen, die einer unfähigen Führung nachliefen. Liverpool nahm es hin. Er ließ die letzten Sätze Smirnoffs unbeachtet: »Was hast du vorhin gesagt? Wir haben Befehle, nach denen wir jetzt, in dieser Situation, nichts gegen die Nationalsozialisten unternehmen dürfen? Was für Befehle? Von wem? Woher hast du das?«

Alex Smirnoff lehnte sich ganz zurück, wippte mit seinem Stuhl nach hinten, ließ die langen Arme seitwärts herunterhängen und stemmte seine hochgezogenen Knie gegen den Tischrand. Er trug noch immer seinen Sommermantel. Jeden Augenblick, so sah es aus, konnte er davonfliegen, mantelflügelschlagend davon und zur Tür hinaus, über den Bülowplatz und über die nicht stattfindende proletarische Revolution hinweg. Ein Raubvogel der Revolution, dachte ich, ein schon zerzauster, von revolutionären Ideen und Zweifeln gerupfter Vogel. Aber Alex Smirnoff flog nicht davon, er hüstelte nur und sagte:

»Du weißt es doch selbst. Befehle sind für euch Befehle, woher sie auch kommen. Ihr gehorcht. Und dabei kennt nur ihr die Lage, wißt nur ihr, was wirklich los ist. Aber ihr sprecht es nicht aus. Ihr gehorcht. Woher die Befehle kommen? Nicht aus dem Karl-Liebknecht-Haus. Sie kommen woanders her. Und du weißt genau, woher. Man hat wieder einmal die Generallinie geändert. Diesmal gleich um hundertundachtzig Grad. Und wie so viele bist auch du in der neuen scharfen Kurve nicht ganz mitgekommen. Gib es doch zu. Es hat dich ein bißchen hinausgeschleudert aus deinem Parteischlitten. Du hast die Balance verloren. Jetzt geht es mit den Nationalsozialisten gegen die Republik. Gewiß, verschleiert, nicht offen. Man läßt sie nur machen, die Nationalsozialisten. Aber das genügt. Das ist euer Fehler. Zerschlagung der Republik unter dem Gesichtspunkt der sogenannten nationalen und sozialen Befreiung. Aber das andere, die eigentliche Parole der Nationalsozialisten, die hört ihr nicht mehr: Kampf dem Bolschewismus. Nein, das hört ihr nicht. Woher die Befehle kommen? Von einem, der den Sozialismus in einem Land aufbauen will, von einem, der schon mit Hitler rechnet und euch bereits abgeschrieben hat. Ihr seid nur Spreu für die Idee vom Sozialismus in einem Land, Viehfutter für die deutsche Reaktion. Ihr seid Opfer eures eigenen Gehorsams. Das ist alles. Woher die Befehle kommen? Du weißt es doch. Sprich es doch aus.«

Jeder Satz fiel in einen leeren Raum, in eine lähmende unerträgliche Stille. Es war ungeheuerlich, was Alex sagte. Auch für mich, ich glaubte es nicht, konnte es nicht glauben, es war undenkbar. Jeder wußte, wessen Name unausgesprochen blieb. Er stand im Raum, der Generalsekretär der Kommunistischen Partei Rußlands.

»So weit geht also dein Haß«, sagte Liverpool.

»Ja, so weit«, sagte Alex Smirnoff, »aber es ist kein Haß.«

Liverpool sprang nicht auf, wie er es wenige Monate zuvor getan hätte. Ich wunderte mich darüber. Etwas hatte sich verändert, ich begriff es nur noch nicht. Liverpool saß auf seinem Stuhl, die Hände immer noch flach auf dem Tisch.

»Unsere Taktik ist klar. Der Hauptfeind steht in der Mitte. Es sind nicht die von Hitler verführten und sozialistisch gesonnenen Massen.«

»Und wenn Hitler zur Macht kommt?«

»Er kommt nicht zur Macht. Und wenn er zur Macht kommt wird er auch so schnell abwirtschaften wie alle anderen, ein Harlekin, ein Großmaul, ein Trommler, dem die Krise mitgegraben wird. Eine Episode auf dem Weg zur Herrschaft des Proletariats. Niemals wird es ihm gelingen, das Proletariat zu unterjochen oder die Partei zu zerschlagen. Es wird nur wenige Monate dauern . . .«

»Und dann kommt ihr«, unterbrach ihn Alex Smirnoff, »so ist es doch. Das glaubt ihr doch?«

»Das Proletariat ist unbesiegbar«, sagte Liverpool. Er erhob sich, stand plötzlich auf und schob seinen Stuhl zurück, diesmal ohne Leidenschaft, ohne jedes revolutionäre Gehabe. Es war ein anderer Liverpool für mich, ein Liverpool, der die Herausforderung nicht annahm, die ihm Alex ins Gesicht geworfen hatte, der nichts zugab, aber auch nichts zurücknahm. Es war derselbe hartnäckige, dogmen- und parteigläubige Liverpool und doch ein anderer, ein Zweifelnder vielleicht, der seine Zweifel für sich behielt. Er stand jetzt neben mir, die Hände auf der Stuhllehne, massig, ein Revolutionär, der sich zur Ruhe zwingt.

»Gehen wir. Es ist still draußen. Jetzt können wir gehen. Los, Jungs.«

Sein »Jungs« mißfiel mir. Es klang fast wie ein Befehl, unterstützt von einer Handbewegung, die Gehorsam verlangte. Er sagte, wieder zu Alex Smirnoff gewandt: »Und dir, Alexej, sage ich, die Zukunft gehört uns, nur uns. Die Geschichte läuft nicht rückwärts, sie läßt sich nicht zurückspulen. Das schaffen die Generale nicht, das schafft Schleicher nicht und Hitler schon gar nicht.«

Alex Smirnoff antwortete nicht. Er zog nur die Schultern zusammen und schlug seinen Mantelkragen hoch, als fröre er, als sei ein Windstoß durch die offene Tür gekommen, ein kalter Ostwindstoß, vom Bülowplatz her. Er flüsterte etwas in sich hinein, er sprach mit sich selbst. Ich verstand es nicht.

»Was hast du gesagt? Ich habe es nicht verstanden.« Alex schüttelte sich, vergrub sein Kinn, sein Gesicht in den Mantel, den er mit beiden Händen höherzog. Er kroch in sich selbst hinein. Er sagte:

»Sie unterschätzen ihre Gegner. Das ist das Schlimmste, was es gibt. Schlimmer als alles andere.«

Ich glaubte etwas wie Wehmut hinter seinen Pincenez-Gläsern wahrnehmen zu können.

Die anderen gingen hinter Liverpool hinaus, wieder mit sich selbst zufrieden. Sie schlugen der Kellnerin auf die Schulter und machten ihre Witze: »Mensch, Dicke, reg dich ja nicht wieder so auf, wenn wir hier hereinkommen. Bist doch ein Proletarierkind.«

Sie glaubten an ihre Kraft, an ihre »ehernen Fäuste«, sie waren wieder siegesgewiß. Es gab für sie nichts, was sie aufhalten konnte. Nur Alex Smirnoff glaubte es nicht. Er sah ihnen nach und sagte:

»Sie verspielen zum zweitenmal die Revolution.«

Er begann zu lachen, langsam, allmählich und sich steigernd bis zu seinem Veitstanzlachen, einem verzweifelten Lachen. Er warf seine langen Arme über den Tisch und lachte über die verspielte Revolution.

»Die Deutschen können es nicht. Sie können nur gehorchen, und eine gehorchende Revolution gibt es nicht. Liverpool ist ein Idiot, einer, der das Gehorchen gelernt hat. Jetzt sind auch seine Leute Abweichler. Er gibt es nur nicht zu in deiner Gegenwart. Jetzt haben auch sie eins auf den Hut gekriegt, seine ganze Gruppe, jetzt sind sie Linksabweichler.«

Es amüsierte ihn, es belustigte ihn. Er erzählte von den Veränderungen, die in den letzten Monaten in der Partei vor sich gegangen waren, von dem Sturz einer Gruppe und dem Heraufkommen einer anderen.

»Eine schlechtere, eine noch schlechtere«, sagte er. Er stand auf und ging durch das Lokal bis zur Theke und wieder zurück zu mir, etwas vornübergebeugt, die Hände auf dem Rücken, den Mantel offen, den zu großen Hut auf dem Kopf, die Zigarette im linken Mundwinkel. Dann zertrat er sie halbaufgeraucht auf dem Boden.

Er war für mich ein Schulmeister der Revolution, ein Lehrmeister der Partei, die ihn nicht wollte, die ihn verstoßen hatte, eine Partei, die er haßte und von der er nicht loskam, eine kritische Zuneigung, die nicht erwidert wurde. Er hustete alles aus sich heraus. Das Lokal war leer, trostlos. Er allein füllte es aus, seine Grundsätze, seine Thesen, seine Strategie, seine Taktik.

»Die Revolution muß springen, von einem Land zum anderen. In einem Land allein kommt sie um. Dort muß sie verkommen, versumpfen in Bürokratie, Terror und Diktatur.«

»Das ist Lenin«, sagte ich.

»Und Trotzki. Da hatten sie recht. Die kommunistischen Parteien der Welt sind nicht zum Schutz Rußlands da. Aber jetzt ist es so weit. Jetzt wird die Taktik der Parteien nach dem Nutzen für die russische Außenpolitik zurechtgeschneidert, zurechtgestutzt. Das ist die Folge der Theorie vom Sozialismus in einem Land. Was Rußland nutzt, ist revolutionär. Aber das ist ein Widerspruch. Die nationalen Interessen Rußlands sind andere als die weltrevolutionären Notwendigkeiten.«

Er setzte sich wieder und stand wieder auf, stand vor dem Tisch und warf mir seine Sätze auf den Kopf, eine Flut von Sätzen. Stalin sprang über den Tisch, ein Dummkopf, ein Narr, eine Katastrophe für die Weltrevolution, nun Befehlszentrale für alle, auch für Liverpool und seinesgleichen.

»Und daran werden sie scheitern, daran werden sie alle scheitern, auch hier, morgen oder übermorgen. Deswegen werden sie verlieren. Diese Demonstration war schon ein Beweis dafür. Es sind nur noch Scheindemonstrationen. Die Wirklichkeit sieht ganz anders aus. In Wirklichkeit hat man schon verloren.«

Nun ging er auch für mich zu weit. Die Gefahr, den Boden unter den Füßen zu verlieren, kam mit jedem seiner Sätze auf mich zu. Ich widersprach.

»Es sind keine Scheindemonstrationen, Alex. Da irrst du dich. Wenn es Scheindemonstrationen wären, ginge kein Mensch mehr mit. Glaubst du denn wirklich, auch nur ein Arbeiter würde seinen Betrieb verlassen, um an Demonstrationen teilzunehmen, die nur zum Schein durchgeführt werden?«

»Nein, das glaube ich nicht. Aber es sind ja nur Arbeitslose.

Arbeiter aus den Betrieben sind es kaum noch. Sie geben ihren Platz nicht auf, um ihn für andere frei zu machen, und hinter jedem, der Arbeit hat, stehen ja schon drei oder vier, die auf seine Arbeit warten. Aber das ist ein anderes Problem. Hier geht es um die Taktik der Partei. Es sind Scheindemonstrationen.«

»Da gehst du zu weit, viel zu weit. Ich glaube es nicht.«

»Ach ja, du sollst es auch nicht. Du mußt nicht glauben, was ich sage. Es ist nur so. Es sind keine Vermutungen. Es ist so.«

»Aber noch gibt es die Möglichkeit des spontanen Aufstandes. Das weißt du so gut wie ich. Warum zweifelst du jetzt daran? Und noch ist vieles intakt, die Verbände, der Rot-Frontkämpfer-Bund, das Reichsbanner, die Gewerkschaften. Wenn es zum Äußersten kommt, schlagen sie los, auch ohne Parteibeschluß. Hitler nehmen sie nicht hin, können sie nicht hinnehmen. Sie werden sich wehren.«

»Wehren vielleicht. Aber was bedeutet das? Ohne gemeinsame Initiative, ohne Führung? Und intakt, intakt? Nichts ist intakt. Wo die Theorien nicht stimmen, stimmt auch alles andere nicht. Du wirst es schon sehen. Gewiß, noch ist alles offen, noch gibt es verschiedene Möglichkeiten. Der Staatsnotstand unter dem Diktat der Generäle ist die eine und Hitler die andere. Vielleicht macht man aus beiden eine. Wer kann das wissen. Nur die Möglichkeit der vereint schlagenden Linken, die gibt es nicht mehr.«

Er sagte es abschließend, mit einer Bewegung seiner langen Arme, einer Aufforderung zu gehen, das Lokal zu verlassen, ein graues Arbeitslosenlokal.

Wir traten auf die Straße. Der Ostwind kam uns entgegen, unverändert, rauh. Alex Smirnoffs Mantel wehte hinter ihm her, hinter seinen langen Beinen. Er zog ihn zu sich heran, um sich zusammen und hielt ihn mit beiden Händen vor seinem Bauch fest. Ich erzählte ihm von dem Paletotgenossen. Alex kannte ihn.

»Ich habe ihn an der Küste getroffen. Was hältst du von ihm?«

»Ein guter Theoretiker, aber ein schlechter Politiker. Umgekehrt wäre es besser.«

Er lachte über das Wort »Paletotgenosse«. Er wiederholte es und hustete es vor sich hin: »Im Zeichen des Paletots werdet ihr siegen, Genossen.«

Wir gingen über den Bülowplatz. Die Transparente hingen noch dort und schlugen im Wind gegen die Fassaden des Karl-Liebknecht-Hauses, weiße Buchstaben auf rotem Grund: »Im Zeichen des Leninismus wählt rote Betriebsräte.«

XVIII

Ich sah verblüfft auf meinen Onkel, der in der Mitte der Buchhandlung stand, im schwarzen Paletot wie der Paletotgenosse, nur eleganter, adretter, den Spazierstock in der rechten Hand, auf den Fußboden gestützt, leicht abgewinkelt, einen Homburg auf dem Kopf statt einer Reisemütze. Seine linke Hand spielte mit dem Monokel, das er ins Auge klemmte, als ich auf ihn zuging. Er nahm seinen Homburg ab und hielt ihn mir entgegen, ein Zeichen der Begrüßung, freundlich und charmant.

»Tag, mein Junge, ich muß mit dir sprechen.«

»Du hier?« sagte ich.

»Natürlich ich. Wundert dich das?«

»Ja, es wundert mich.«

»Es hat seine Gründe«, sagte er.

Er sah mit prüfendem Blick an den hohen Bücherregalen entlang.

»Hier arbeitest du also?«

Es klang vertraulich, liebenswürdig, nicht onkelhaft. Man hatte mich aus dem hinteren Zimmer gerufen, aus dem Bücherabstellraum, in dem Gerda mit dem *Untergang des Abendlandes* auf den gebohnerten Fußboden gerutscht war. Seitdem hatte ich nichts mehr von ihr gehört, sie war verschollen für mich. Vergeblich hatte ich versucht, sie telefonisch zu erreichen. Aber immer war ihr Vater, der Polizeimajor, am Telefon gewesen, worauf ich jedesmal eingehängt hatte. Und nun stand Onkel August vor mir. »Ein Herr wartet auf Sie«, hatte man mir gesagt und hier war er, der Herr, monokel- und homburgbewehrt, ein Paletotherr, kein Genosse. Er war mir vertraut und fremd, sympathisch und unsympathisch zugleich, er gehörte zur Familie und gehörte doch nicht dazu, ein, wie Gerda es einmal gesagt hatte, faszinierender Mann, der es auf dem Weg von unten nach oben weit gebracht hatte, und der sich zu benehmen wußte, ganz gleich in welche Umgebung er gesetzt wurde.

Ein Mann von Welt, dachte ich, wiederstrebend und doch anerkennend. In seiner Gegenwart spürte ich meine eigene Unbeholfenheit, meine Verlegenheit. »Gut«, sagte ich und dann »Tag, Onkel August« und noch einmal »Tag«, und mein Onkel sagte zum zweitenmal »Tag, mein Junge«. Wir schüttelten einander die Hände, für mich mehrere Sekunden zu lang, eine unangebrachte, nicht gewollte Sympathiekundgebung, und noch einmal sagte ich, um mein Erstaunen auszudrücken:

»Du hier, Onkel August?«

»Da staunst du, wie?«

Wir ließen beide unsere Hände gleichzeitig los, mit dem Gefühl, eine widernatürliche Handlung begangen zu haben, mein Onkel mit einer Geste, die sagte: genug, genug. Er nahm seinen Spazierstock wieder von seinem linken Arm, wedelte mit ihm herum, zog einen Kreis damit, fast bis zum Fußboden hin, an meiner Nase vorbei, und hob gleichzeitig mit der anderen Hand seinen Homburg hoch, den er wie einen Zeigestock gebrauchte. Er wies damit an den Bücherregalen entlang.

»Hast du das alles gelesen?«

Es sollte humorvoll klingen, klang aber wie »ein weltfremder Bücherwurm also«. Ich versuchte zu lachen:

»Nein, nein, das nicht.« Mein Onkel lachte auch und zeigte mir seine weißen Zähne dabei. Sein Gesicht war wie immer straff, noch braun getönt von der Ostseesonne, konserviert für die Wintermonate. Eine heitere, mich erdrückende Männlichkeit strahlte aus seinen Augen, dunklen Hirschaugen, lebhaft und von zurückhaltender Neugier.

Ich wußte nicht, was ich mit meinem Onkel anfangen, was ich zu ihm sagen sollte, sein Besuch mußte einen Grund haben, meine Mutter vielleicht, die Familie. Er kam mir unwirklich vor, in dieser Buchhandlung, inmitten der Bücher, auf dem Linoleumfußboden. Dieser Besuch hatte etwas Herausforderndes: mal nach dem Rechten sehen, mal sehen, was mein verkommener Neffe so treibt. Aber es war nicht dies, er wollte nicht nach dem Rechten sehen.

»Komischer Beruf, Bücher verkaufen«, sagte er, »findest du nicht?«

»Was ist daran komisch?«

Mein Onkel überging die Gegenfrage. Es war ihm nicht wichtig genug, er hatte das nur so hingesagt, einen Satz ohne Belang. Hinter seinem Besuch stand etwas anderes, sein Homburg sagte es, der Spazierstock, das Monokel, alle drei in ständiger Bewegung. Das Monokel schob sich unter der leicht buschigen Augenbraue hin und her, der Spazierstock beschrieb kurze, kleine Kreise auf dem Linoleumfußboden, der Homburg bewegte sich wie ein Zeigestock, mit der Innenseite nach oben, leuchtend weißes Seidenfutter mit goldenen Buchstaben darin, das Zeichen einer Homburger Hutfabrik. Er rotierte in seiner linken Hand, bald nach oben, bald nach unten, scherte einmal nach links, einmal nach rechts aus, Sätze unterstreichend, die nicht ausgesprochen wurden. Es waren unmerkliche Bewegungen, elektrische Bewegungen für mich.

»Was ist Onkel August? Willst du Bücher kaufen?«

Er schüttelte den Kopf und lachte leicht auf, als hätte ihm sein Neffe etwas Unmögliches zugemutet. Nein, er wollte keine Bücher kaufen. »Dazu bin ich nicht hier«, sagte er.

Er hielt die Bewegung seines Spazierstocks an, stellte das Rotieren seines Homburgs ein und fixierte mich durch sein jetzt festsitzendes Monokel, ein Blick Auge in Auge, unerträglich lang für mich, ein Ausspielen seiner Überlegenheit, seiner angemaßten Autorität.

»Ich muß mit dir sprechen. Aber nicht hier. Dies ist nicht der richtige Ort. Können wir irgendwohin gehen?«

Etwas war also geschehen, was uns beide anging, es konnte nichts mit der Familie zu tun haben, nichts mit meiner Mutter, es war etwas anderes, und plötzlich fiel es mir ein: Gerda. Nur durch Gerda waren wir miteinander verbunden, mein Onkel August und ich. Ich bat ihn, einen Augenblick zu warten, holte meinen Mantel und verließ mit ihm die Buchhandlung.

»Irgendeine Kneipe wird es hier ja geben. Eine Kneipe genügt«, sagte mein Onkel.

»Eine Kneipe gibt es überall«, sagte ich.

Hundert Meter entfernt war ein Restaurant. Mein Onkel gab sich gelassen, sein Spazierstock hob und senkte sich, kräftig nach vorn schwingend und zur Erde zurück, dem Gleichschritt angepaßt. Fehlte nur, daß er zu pfeifen begann, den Hohenfriedberger oder den Brandenburgischen Reitermarsch, einen Marsch mit Kesselpauken und Trompeten, irgendeinen. Er sagte: »Na, jetzt ist der Winter ja bald vorbei, Gott sei Dank.«

Ich begriff nicht, was er meinte. Es war Ende Januar, ein kalter, fröstelnder Tag. Leicht stäubender Eisregen kam aus dem Westen.

»Aber es ist doch erst Ende Januar, Onkel August?«

»Ich meine den politischen Winter natürlich. Was denn sonst? Der, meine ich, ist bald vorbei.«

Es sollte anzüglich klingen, ohne zu verletzen. Ich ging nicht darauf ein. Sollte er sich seinen politischen Winter an seinen Homburg stecken, es war nicht mein politischer Winter, es war der seine. Das Restaurant war leer. Ich nahm meinem Onkel den Paletot ab. Er gab mir alles in die Hand: seinen Paletot, seinen Homburg, seinen Spazierstock. Er tat es mit einer Geste der Selbstverständlichkeit, und ich hing alles, verärgert und mir meiner Dienergeste bewußt, an einen Garderobenständer.

»Häng die Sachen so hin, daß man sie sehen kann. Heute muß man ja auf alles achten.«

Es klang wie ein Befehl. Ich hätte gern gesagt: Ich bin nicht dein Diener, Onkel August. Aber ich sagte es nicht, ich war neugierig. Es war mir wichtiger, was mein Onkel mir zu sagen hatte, ein Onkel, der sich wieder wie ein Herr benahm und aus Versehen in ein kleines Vorstadtrestaurant geraten war.

Sein »Herr Ober« klang schnarrend gnädig, doch nicht verletzend. Es war selbstverständlich, daß es auf der Welt Domestiken gab, und zu ihnen gehörten die Kellner. Man behandelte sie gnädig, aber leutselig, von Mensch zu Mensch, jedoch der Rangordnung nach, von oben nach unten. Er pustete sein »Herr Ober« durch die Lippen und bestellte Bier.

»Und etwas Scharfes, wenn's recht ist. Du trinkst doch einen mit, Karl?«

Mein Onkel lachte wohlwollend, ein familiäres Lachen für mich, mit einem Anflug von Humor, Sympathie erweckend, die auch ich in diesem Augenblick empfand. Er hob das Glas und schob mir das meine hin.

»Na ja, wir sehen uns leider selten. Es ist so. Aber du legst ja auch keinen Wert darauf, wenn ich dich recht verstehe. Ein Onkel ist eben ein Onkel. Man schätzt Onkels nicht sonderlich, wenn man jung ist. Was soll man auch mit ihnen.«

»Das stimmt.«

Wir tranken das Bier an, mein Onkel lehnte sich dabei weit nach hinten und gab sich einen Ruck, als er das halbleere Glas auf den Tisch zurückstellte. Er richtete sich auf, und seine Brust nahm Haltung an, wobei seine Stimme einen leisen, fast melancholischen Unterton bekam.

»Ja, mein Junge, es ist traurig, was ich dir mitzuteilen habe. Für dich und für uns alle, auch für mich natürlich, ja, auch für mich.«

»Was ist traurig?« fragte ich.

»Du wirst es gleich hören.«

»Dann sag es doch.«

»Gleich. Laß uns erst den Schnaps trinken.«

Der Ober schob die Schnapsgläser auf den Tisch, und ich nahm das meine von dem Tablett und hob es an. »Prost, Karl«, sagte mein Onkel.

Wir tranken die Schnapsgläser leer, und mein Onkel begann wieder von vorn, mit derselben halb belegten, gepreßten Trauerstimme.

»Ja, es ist traurig. In so jungen Jahren ist es mehr als traurig. Gerda ist krank, schwer krank. Ich weiß, daß sie immer noch mit dir zusammen war trotz strengstem Verbot ihres Vaters. Aber er wußte nichts davon. Er glaubte Gerda, seiner einzigen Tochter. Und ich habe ihn in dem Glauben gelassen.«

»Das ist nett von dir«, sagte ich.

»Aber das ist doch selbstverständlich. Kavalierspflicht, bleibt Kavalierspflicht.«

»Ach so«, sagte ich.

Mein Onkel machte eine Pause, eine scheinbar wohlüberlegte Kunstpause. Sie sollte mir Zeit lassen, meine Überraschung, meine Erschütterung zu überwinden und mich wieder zu fassen. Ich war nicht erschüttert. Ich glaubte ihm nicht. Für mich war es nur wieder eine Finte, ausgedacht, um mich und Gerda auseinanderzubringen. Ich versuchte, mir keine Überraschung anmerken zu lassen, und gab mich nüchtern und beherrscht.

»Was hat sie denn?«

»Das steht noch nicht genau fest. Aber die Ärzte sind in Sorge, in ernsthafter Sorge. Jetzt, wie gesagt, schon mehrere Ärzte. Es ist wohl Tuberkulose oder so etwas: Knochentuberkulose, Unterleibstuberkulose, alles mögliche. Das wissen die Ärzte. Aber es ist wohl noch mehr. Und das alles zu spät entdeckt, viel zu spät.«

Wir saßen uns gegenüber, nur die Tischplatte trennte uns, die Biergläser darauf, die Schnapsgläser. Mein Onkel nahm sein Monokel von der Brust und klemmte es in sein rechtes Auge, er räusperte sich dabei. Die Unterredung war ihm unangenehm. Er versuchte zu lächeln, aber es mißlang ihm, es mißlang ihm auch der nächste Satz.

»Prost denn, mein Junge, trinken wir auf ihre Gesundheit.«

Er hob sein Schnapsglas von dem Tablett. Es war die zweite Lage, die er bestellt hatte. Der klare Korn schwappte in seinem Glas, und es sah aus, als würde er ihn vergießen, über den Tisch schütten. Ich sah seine Hand zittern. Es kam mir unwahrscheinlich vor. Mein Onkel war hart, war stark, männlich, ein disziplinierter Mann, aufgewachsen in preußischer Zucht und emporgestiegen in der alten Armee, der Schule der Nation. Die Hand eines solchen Mannes zitterte nicht, sie war nicht morsch wie die Knochen der anderen, die man niederschrie, niederknüppelte. Ich sah von seinem Gesicht weg, weg von seiner Hand, seinem Glas, das er an die Lippen führte. Ich sah auf meine eigenen Hände, die ich zwischen meinen Knien hatte. Sie rührten sich nicht, sie waren kalt. Ich empfand nichts. Die Mitteilung meines Onkels traf mich nicht. Gerda war fern für mich, hinter einer Mattglasscheibe, ein Gesprächsthema mit meinem Onkel.

»Warum trinkst du nicht?« fragte er.

Ich zog die rechte Hand zwischen den Knien hervor und legte sie um mein Schnapsglas. Ich mußte trinken, wollte ich mir keine Blöße geben. Ich hob mein Glas. Meine Hand zitterte nicht. Ich konnte es besser als mein Onkel, mich besser beherrschen, ich empfand das wohltuend, als Überlegenheit.

»Ja, na denn Prost, Onkel August.«

Mein Onkel rief den Ober heran, wieder mit seiner herablassenden, schnarrenden Stimme: »Noch zwei, bitte.« Er beherrschte sich wieder, war wieder der Mann, der mit den

Lappalien dieses Lebens spielend und ohne Anstrengungen fertig wird, war wieder so, wie ich ihn kannte, der straffe, nationale, lebenslustige Onkel August. Mißtrauen stieg in mir auf. Die zitternde Hand meines Onkels war mehr als zufällig gewesen, eine Erschütterung, die er nicht zeigen wollte, ein Beweis seiner Zuneigung für Gerda. Ich versuchte den Verdacht zu verscheuchen, aber es gelang mir nicht.

»Wo ist sie denn jetzt?«

»Im Sanatorium. Nicht mehr in Berlin. Es wird wohl ein, zwei Jahre dauern. Vielleicht kommt sie auch nie mehr zurück. Wer kann das wissen? Es sieht alles ziemlich hoffnungslos aus.«

»Und wo ist das Sanatorium? Hier in der Nähe?«

»Nein, in der Schweiz. Sie ist schon seit zwei Wochen dort. Sie hat mich gebeten, es dir mitzuteilen. Sie selbst konnte es nicht mehr. Aber glaub mir, sie hätte es gern getan. Deswegen bin ich nun hier, deswegen bin ich gekommen. Ihretwegen. Es ist ein letzter Gruß, den ich dir bringen soll.«

Ich fand ihn wieder unerträglich. Sein »letzter Gruß« klang sentimental, mitleidig, und sein »den ich dir bringen soll« nach Flaschenpostmission. Blut stieg mir in den Kopf. Wie kam Gerda dazu, ihn, meinen Onkel, als »Letztengrußüberbringer« zu schicken. Es war eine Taktlosigkeit, ein Danebengreifen. Es war unentschuldbar trotz ihrer Krankheit.

»Wieso letzter Gruß? Was meinst du damit?«

»Es ist der letzte Gruß. Du hast dich damit abzufinden. Du wirst sie nicht wiedersehen. Auch nicht, wenn sie wieder gesund werden sollte. Diese Liaison geht nicht. Das ist selbstverständlich. Das war dir wohl auch klar. Und außerdem, was willst du mit einem todkranken Mädchen?«

Er setzte nach ein paar Sekunden des Zögerns ein »nicht wahr« hinzu und sagte dann noch einmal: »Nicht wahr, das ist dir klar?« Er spielte mit dem Monokel, das er aus dem Auge genommen hatte, ergriff die beiden Schnapsgläser, die der Ober auf den Tisch gestellt hatte, und schob mir eins davon zu. Alles war selbstverständlich für ihn, eine wohlwollende Mitteilung, mit der sich sein Neffe abzufinden hatte. Ich schob das Glas so heftig zurück, daß es umfiel und der Korn sich über das weiße Tischtuch ergoß.

»Das mit der Liaison, das kannst du dir schenken, Onkel August. Es ist Quatsch.«

Bei dem Wort »Quatsch« zuckte mein Onkel leicht zusammen, aber er reagierte nicht. Er rief nur den Ober heran, der den nassen Fleck auf dem Tischtuch mit seiner Serviette abtupfte und eine neue Serviette darüber legte, während er noch zwei klare Korn bestellte und sich mir wieder zuwandte.

»Du kannst es nennen, wie du willst. Liaison ist nur ein Wort. Man kann auch ein anderes nehmen. Freie Liebe, wenn du willst. Das liegt dir vielleicht mehr. Aber es ist ja dasselbe. Ich bitte dich.«

Es klang wieder verbindlich und versöhnend. Er bat mich, ihm ein schlecht gewähltes Wort nachzusehen, ein auswechselbares Wort. Das war neu für mich. Er hatte sich nie entschuldigt, nie etwas zurückgenommen. Anscheinend war ich nun erwachsen für ihn, ein Erwachsener, mit dem man in einem Lokal ein Bier trank, um ihm klar zu machen, daß eine seiner Amouren nicht ging, ein Wort unter Männern. Ich glaubte zu erraten, was er sagen wollte: Gerda kommt aus besseren Kreisen und du aus ärmlichen Verhältnissen. Das geht nicht, auf die Dauer ist es unmöglich. Gegen eine Bettgeschichte ist ja nichts einzuwenden. Das versteht sich von selbst.

So etwas hätte er sagen können. Sätze dieser Art, Ausdruck seiner konservativen, lebensbejahenden Mentalität. Aber er sagte es nicht. Er saß vor mir und sah mich an, und ich sah auf die Tischdecke. Nur das Kinn meines Onkels war in meinem Blickfeld, ein straffes, energisches Kinn. Das Monokel sah ich nicht. Es war über meinem Kopf, das Auge hinter dem Monokel sicher auf meine Stirn gerichtet.

Er lachte leicht auf und begann von den Weibern zu sprechen. »Weib bleibt Weib« und »Jede läßt sich durch eine andere ersetzen« und »Was die zwischen den Beinen haben, das findest du überall«, er nannte es »Apparat«, »den kleinen Apparat, den die Weiber da unten haben«. Er hätte es auch vulgärer ausdrücken können, mit Bezeichnungen, die ich von meinen Genossen an der Küste gewohnt war, aber er sagte:

»Die Weiber sind doch alle gleich bis auf kleine Unterschiede. Das weißt du so gut wie ich. Warum also ausgerechnet diese Gerda, die Tochter eines Polizeimajors. Was willst du damit?«

Ich hörte ihm schweigend zu. Die Betrachtungen meines Onkels über das Weib schlechthin waren mir gleichgültig, ich fand sie nur unangenehm und trivial. Ich glaubte Gerda durch die Tür kommen zu sehen, ihre X-Beine vor sich herschiebend, mit der Bewegung ihrer Füße nach außen, unter den Drahthaaren das Rot ihres Gesichts, dieses immer vorhandene, sich ständig verändernde Rot. Der letzte Abend in der Buchhandlung fiel mir ein, Gerdas Bemerkung über ihre Krankheit, ihr wollbestrickter Unterleib, ihre Backofenhitze und dann das Frieren, ihr seltsames Benehmen, ihre für mich ganz unverständliche Leidenschaft, ihre Raserei. Ja, sie war krank, sie hatte es immer wieder durchblicken lassen: ich weiß nicht, was es ist, aber es ist ein Wechselbad von Hitze und Kälte. Ich begriff es jetzt. Mein Onkel sagte die Wahrheit. Sie war unheilbar krank.

Ich nahm das Glas, das er mir hingeschoben hatte, und trank es leer. Es schüttelte mich. Alles war plötzlich trostlos: der dünne Eisregen draußen, Gerdas schreckliche Krankheit, die letzte nutzlos verpuffte Demonstration auf dem Bulowplatz, Alex Smirnoffs pessimistische Ausblicke und Liverpools proletarisches Protzertum, meine Antipathie und Sympathie für diesen Onkel, der August hieß, ein Deutschnationaler, Hitleranhänger, mein Feind, mein Gegner und doch mein Onkel. Ich unterbrach seine Betrachtungen über die Weiber und sagte, nur um etwas zu sagen:

»Kommt sie denn durch? Besteht eine Hoffnung?«

»Nein. Du kannst dir keine Hoffnung mehr machen. Gib es auf. Es ist besser für alle, auch für Gerda. Und besonders für ihren Vater. Ein Polizeimajor kann es sich nicht mehr leisten, daß seine einzige Tochter mit einem Kommunisten umgeht. Es war immer peinlich. Aber jetzt kann es strafbar werden ... für einen Polizeimajor.«

Mein Onkel sprach jeden Satz ohne besondere Betonung vor sich hin, nicht drohend, nicht männlich forsch. Es waren lakonische, unumgängliche Feststellungen. Jeder an seinen Platz, jeder in seine Schicht, jeder in seine Klasse, eine Hierarchie der Ordnung, die ich widerwärtig fand und die zerstört werden mußte.

Ich hätte ihm das Bier ins Gesicht schütten und den Tisch gegen seinen Körper stoßen können. Es war wieder mein überheblicher Onkel, der vor mir saß, dem ich nichts anderes entgegenzusetzen hatte als meine politischen Überzeugungen. Aber ich schwieg, sah auf die Tischdecke, dachte an Gerda und hörte auf seine Stimme, die wie aus der Ferne zu mir drang: »Du bist doch noch Kommunist?«

»Ja, ich bin es noch.«

»Aber man hat dich doch aus der Partei hinausgeschmissen. Deine Mutter hat es mir geschrieben.«

»Das ist unwichtig. Es gilt nur unter Kommunisten. Dir gegenüber gilt es nicht.«

»Was heißt mir gegenüber?«

»Den Reaktionären und Nationalsozialisten gegenüber. Denen gegenüber gilt es nicht.«

Mein Onkel starrte mir direkt ins Gesicht, und mir kam es vor, als sei nun eine Saalschlacht zwischen mir und ihm unvermeidlich. Ein Wort konnte das andere geben und den politischen Haß heraufbeschwören, den wir beide vermeiden wollten. Mein Onkel zog die Augenbraue hoch, unter der das Monokel saß. Es fiel nach unten, aber er fing es kurz zuvor mit seiner linken Hand ab und bewegte es jetzt wie ein Wurfgeschoß.

»Junge, Junge«, sagte er und dann kurz und militärisch: »Eine Frechheit.«

Ich nahm es hin. Mein Onkel war größer, sportlicher, und ich würde den Kürzeren ziehen. Ich sah zu meines Onkels Spazierstock hinüber: Silberkrücke und Silberspitze. Es genügte ein Sprung, um ihn zu erreichen, aber Onkel August gab plötzlich seine herausfordernde Haltung auf, ruckartig, wieder einem inneren Befehl folgend. Er lachte kurz auf und gab sich wieder gelockert, überlegen. Aus seinem monokelfreien Auge kam ein abtastender, freundschaftlicher Blick über den Tisch und traf mich unvorbereitet. Einem so jähen Wechsel hatte ich nichts entgegenzusetzen. »Keine Unüberlegtheiten. Du bist gereizt. Das verstehe ich. Die todkranke Gerda ist ja auch kein Pappenstiel.« »Pappenstiel« kam mir wieder abgeschmackt und borniert vor. Gerda war kein Pappenstiel.

»Pappenstiel, Quatsch«, sagte ich.

Es fiel mir nichts anderes ein. Das Quatsch war Abwehr, ich konnte meinem Onkel nicht erklären, warum man mich aus der Partei ausgeschlossen hatte, nicht die Dialektik der revolutionären Entwicklung, den Streit zwischen Alex Smirnoff und Liverpool. Mein Onkel hätte auch über sie gesagt, was er über Trotzki gesagt hatte: Affenärsche, mehr sind sie nicht, deine revolutionären Freunde. Er fuhr fort zu sprechen, jetzt, so schien es mir, bewegt von verwandtschaftlichen Gefühlen.

»Du bist doch nicht dumm. Und die ganze Familie ist nicht dumm. Es ist ja auch meine Familie, nicht wahr, und deine Mutter, meine Schwester, na ja, das weißt du ja. Aber was ihr politisch macht, ist Unsinn. Ihr seid doch nicht blind. Ihr müßt doch sehen, was kommt. Ihr könnt euch doch nicht dagegenstellen.«

»Wogegen, Onkel August?«

»Gegen Hitler«, sagte er.

Er sprach den Namen aus wie Bismarck oder Friedrich der Große, etwas weihevoll, getragen, ein zuvor leerer Luftballon, von ihm zur vollen Größe aufgeblasen.

»Ein Scharlatan«, sagte ich.

»Na gut, von mir aus kannst du ihn einen Scharlatan nennen, wie du willst, aber ich sage dir, das eine oder das andere kommt, entweder Hitler oder die Militärdiktatur. Genau weiß man es noch nicht. Du bist anscheinend schlecht unterrichtet. Ihr habt keine Chance mehr, weder deine Partei noch die Leute von links überhaupt. Das System ist fertig, die Republik im Eimer. Es ist Zeit, daß ihr das einseht. Ihr müßt euch darauf einstellen.«

»Nie«, sagte ich, »niemals.«

Es war nicht mehr mein Onkel, der vor mir saß, es war das andere, das Feindliche, Gegnerische, tödlich Gefährliche schlechthin, aber dieser Onkel sprach aus, was auch Alex Smirnoff glaubte: Militärdiktatur oder Hitler, die letzte Alternative der Republik. Ich zweifelte daran. Hitler war keine Alternative, ein unmöglicher, nicht denkbarer Kanzler, und die Reichswehr war viel zu schwach, um eine Diktatur ausüben zu können. Ich sagte es meinem Onkel, versuchte Analysen aufzustellen, sprach vom Kapitalismus, von der großen Wirtschaftskrise des Systems, die nicht ins Chaos, in die Diktatur von rechts, sondern in die Revolution führen würde und schließlich zum Sieg der Linken, des revolutionären Proletariats.

»Und wenn Hitler wirklich kommt, was ich nicht glaube, dann wird es nur eine Episode sein, eine Kanzlerschaft von einigen Wochen, vielleicht von ein paar Monaten. Mehr ist für den nicht drin.«

Ich sprach aus, was der Paletotgenosse vermutete und was vielleicht auch Liverpool für möglich hielt: eine konterrevolutionäre Episode ja, aber nicht mehr. Onkel August hörte

mir ruhig zu, spielte mit seinem Monokel und lächelte vor
sich hin, sarkastisch, gelangweilt. Er hielt offensichtlich alles für Geschwätz, was ich sagte, aber er gab sich Mühe,
meine politischen Analysen ernst zu nehmen und mich nicht
zu unterbrechen. Nur einmal machte er einen Einwurf.
»Völkerrecht bricht Klassenrecht, falls es die proletarische
Klasse überhaupt so gibt, wie du sie siehst. Es sind allemal
Deutsche, die einen wie die anderen. Das hat sich schon
einmal gezeigt und das wird sich wieder zeigen. Du kannst
es mir glauben. Da habe ich die größeren Erfahrungen.«
Es waren Sätze, die ich nicht von ihm erwartet hatte. Was
hieß: »Völkerrecht bricht Klassenrecht?« Ich hatte das
nie gehört, auch nicht in der Propaganda der Nationalsozialisten. Doch mein Onkel hörte schon wieder lächelnd
zu.
Ich stockte, wurde verlegen, es war Unsinn, ihm etwas vom
Marxismus zu erzählen. Ich hatte mich vergaloppiert und
war wieder der Unterlegene, vergebens suchte ich nach irgendeiner klaren These, die mein Onkel begreifen konnte.
Ich sagte: »Hitler, das bedeutet Krieg. Das weißt du doch.«
Ein falscher Satz. Ich wußte es sofort. Ein Kanzler, der nur
eine Episode sein würde, konnte keinen Krieg führen. Aber
mein Onkel ging auf diesen Widerspruch nicht ein. Er lachte
auf, militärisch kurz, wie ich es von ihm gewohnt war. Das
Wort »Krieg« belustigte ihn, es stimmte ihn fröhlich. Er
nickte, nun wieder das Monokel eingeklemmt, und freundlich harmlos kam es rasch hintereinander von seinen Lippen:
»Na und? Paßt dir das nicht?« und »Hast du was dagegen?«
und »Krieg, das ist Naturgesetz. Daran wirst du nichts
ändern.«
»Seit wann ist das Naturgesetz?« sagte ich.
Es klang hilflos. Mein Onkel nahm die Gegenfrage nicht an.
Er saß fest im Sattel seiner Überzeugungen, und keine Zweifel beirrten ihn. Mein Angriff war so hoffnungslos wie meine Gegenwehr.

»Krieg wird immer sein, mein Junge, und Revanche muß sein. Das ist doch selbstverständlich.«

»Revanche wofür?«

Mein Onkel lachte laut auf, preßte beide Unterarme auf den Tisch und sah mir beschwörend ins Gesicht, in die Augen, als sei diese Frage beispiellos und unwissend.

»Das fragst du noch? Wofür?«

In seinem Satz lag Verachtung und Bedauern, Bedauern über das mangelnde Nationalbewußtsein seines Neffen, ein nicht wieder gutzumachender Charakterfehler. »Auf deine Revanche wirst du lange warten. Revanche für Versailles, ich weiß. Aber daraus wird nichts. Es gibt keinen Krieg mehr. Das ist vorbei.«

Es waren überflüssige Sätze. Mein Onkel war weder zu belehren noch zu bekehren, noch zu beeinflussen. Es gab nur die gewaltsame Auseinandersetzung, etwas anderes gab es nicht mehr. Ich sah wieder zu dem Garderobenständer hinüber, an dem der Spazierstock hing.

»Du glaubst also an Hitler? Noch immer?«

»Was heißt glauben? Wir brauchen ihn.«

Die Antwort meines Onkels kam schnell, selbstsicher. Er und seinesgleichen brauchten also Hitler und nicht etwa Hitler ihn; der Offizier, der Major brauchte den Gefreiten und nicht umgekehrt.

»Das ist klar, mein Junge. Ohne Hitler geht es nicht.«

Er winkte den Ober heran, eine militärische Handbewegung, knapp, befehlend.

»Er wird verlieren, dein Hitler«, sagte ich.

»Na, wir werden ja sehen, wer verliert. Ich kann jedenfalls deiner Familie nur raten, sich umzustellen. Und dir gebe ich auch den Rat. Mehr kann ich nicht tun.«

Er knöpfte seine Jacke zu, zog sie über der Weste zusammen. Er trug einen braunen Zweireiher. Sein Monokel hing vor dem zweiten Westenknopf. Die seidene Krawatte war zu der Farbe des Anzugs abgetönt. Die Hose saß untadelig, elegant und fiel auf beige Gamaschen. Er schritt zu dem Garderobenständer hinüber, griff nach seinem Spazierstock und setzte sich seinen Homburg auf, stellte den Spazierstock wieder ab und zog sich erst seinen Paletot an. Ich half ihm nicht, sprang nicht dienstbeflissen hinzu, wie mein Onkel es vielleicht erwartete. Er zögerte einen Augenblick und drehte sich während des Anziehens zu mir um.

»Na gut. Und was Gerda betrifft, so sind wir uns ja einig.«

»Wieso einig?«

»Du wirst sie nicht wiedersehen. Du hast es mir versprochen.«

»Ich habe dir gar nichts versprochen.«

»Wie du willst. In die Schweiz kannst du ja nicht. Dazu fehlt dir das Geld. Und wenn sie einmal wiederkommt, sieht alles ganz anders aus.«

Er hatte recht. Ich würde Gerda nicht wiedersehen. Es war ein unerträglicher Gedanke, ein unbestimmbares, nicht faßbares, sentimentales Gefühl: Nie mehr wiedersehen. Das »nie« war abschließend und kalt wie der dünne Eisregen, der mir draußen ins Gesicht schlug und der auf Onkel Augusts Homburg niederging.

Mein Onkel schritt neben mir her, lässig, federnd, spazierstockschwingend, auf, ab, der Spazierstock einem sich hebenden und sich senkenden Degen gleich. Er beachtete mich nicht mehr. Wir verabschiedeten uns an der Straßenkreuzung, vor der Buchhandlung.

»Also«, sagte mein Onkel und legte dabei die Silberspitze seines Spazierstocks an den Rand des Homburgs, ein salutierender Degen an einem zivilen Hut. Er sagte nur »also«, nicht »Auf Wiedersehn«. Dann ging er davon.

XIX

Der Drogist sah mir ins Gesicht. Er war aufgeregt. Irgend etwas beschäftigte ihn. Ich war in den Laden getreten, um Rasierklingen zu kaufen. Es war Mittag, kurz nach ein Uhr.

»Rotbart, bitte«, sagte ich.

Der Drogist hörte es nicht.

»Wie, bitte?«

»Rasierklingen, Rotbart.«

Der Drogist war offensichtlich schwerhörig. Er stand unbeweglich hinter seinem Ladentisch, ein Mann in den mittleren Jahren, rotgesichtig bis zu den Ohren, bis zur Glatze hinauf. Er nahm seine Brille ab: »Ja, ja, Rasierklingen, natürlich.« Aber er machte keine Anstalten, mir die verlangten, erbetenen Rasierklingen zu geben. Er schüttelte nur den Kopf, wobei die Brille in seiner Hand einen Kreis beschrieb, eine Geste des Erstaunens.

»Ich kann es nicht glauben.«

»Was können Sie nicht glauben. Ich möchte Rasierklingen. Rotbart, bitte.«

»Ja, wissen Sie denn von nichts?«

Ich verneinte, schüttelte den Kopf. Der Drogist benahm sich seltsam. Vielleicht war ihm etwas zugestoßen, vielleicht war vor wenigen Minuten seine Frau gestorben oder sonst etwas passiert.

»Was ist denn passiert? Ist etwas los?«

»Ach, Sie wissen von nichts? Sie wissen es noch nicht?«

»Nein, ich weiß von nichts.«

Es war ärgerlich, daß der Drogist mir die Rasierklingen

nicht gab. Ich hatte es eilig. Ich wollte zu der Juweliersgeliebtenwitwe, eine Mittagsstunde, eine Mittagspause. Ich
war nur in den Laden auf dem Weg in ihre Wohnung getreten, weil mir die Rasierklingen gerade eingefallen waren.
Ich wiederholte mein:

»Was ist denn los?«

»Hitler ist Reichskanzler geworden«, sagte der Drogist.

Der Satz kam fast ohne Stimme aus seinem Mund, un-
glaubwürdig, für ihn selbst nicht glaubhaft.

»Ja, ja, Sie glauben es vielleicht nicht. Aber es ist wahr. Es
ist soeben durch den Rundfunk gekommen, durch das Radio.«

Es war unfaßbar. Ich glaubte es trotz seiner Versicherung
nicht. Ich konnte es nicht glauben.

»In den Nachrichten?«

»Ja, in den Nachrichten«, sagte der Drogist.

Ich nahm die Rasierklingen und warf das Geld hin. Der
Drogist hatte sie mir auf den Ladentisch gelegt. Ich drehte
mich um und griff nach der Ladentürklinke, ich dachte gleichzeitig an alle, an Alex Smirnoff, an Liverpool, an Onkel
August, an meine Familie. Sie wußten es jetzt alle oder
erfuhren es in diesem Augenblick. Der Drogist stand noch
immer hinter seinem Ladentisch.

»Na, was sagen Sie jetzt?«

Ich wußte keine Antwort. Ich lief mit einem »Auf Wiedersehn« hinaus, ich bemerkte nicht, daß ich lief. Es waren nur
ein paar hundert Meter bis zu der Neubausiedlung, bis zur
Wohnung der Juweliersgeliebtenwitwe. Ich lief die Treppe
hinauf, ich mußte mit jemandem sprechen. Die Wohnungstür war nur angelehnt. Ich stieß sie auf. Meine Vermieterin
stand in der offenen Schlafzimmertür. Es sah aus, als hätte
sie auf mich gewartet.

»Ach, da sind Sie ja, Gott sei Dank.«

Sie war angezogen, bis zum Hals zugeknöpft, eine weiße
Herrenbluse, stehkragenähnlich unter ihrem Kinn, gestärkt

wahrscheinlich. Der schwarze Rock saß eng in ihrer Taille. Sie war schön, streng, anscheinend unnahbar. Ich dachte alles gleichzeitig: schön, streng, Hitler, unnahbar, Reichskanzler. Es kam mir alles ungeheuerlich vor.

»Es ist nicht wahr«, sagte ich, »ich glaube es nicht.«

Aber meine Vermieterin bewegte den Kopf leicht nach vorn, ein nickendes Heringsgesicht, ein nickender Heringskopf.

»Es ist wahr. Er ist Reichskanzler. Ich habe es soeben im Radio gehört. In den Nachrichten.«

Es klang nicht selbstverständlich. Sie war aufgeregt, bedrückt, niedergeschlagen, alles zur gleichen Zeit. Der »Reichskanzler« kam ohne jede Achtung aus ihrem Mund. Den Namen »Hitler« sprach sie nicht aus. Sie sagte nur »er«. Er ist Reichskanzler geworden. Es schien auch für sie unfaßbar zu sein. Ich wußte nicht, warum. Ich hatte nie mit ihr über Politik gesprochen. Ich stand ihr gegenüber, in dem schmalen Korridor, zog meinen Mantel aus und wollte ihn an die Garderobe hängen.

»Also doch. Ich hätte es nie für möglich gehalten.« Ich war aufgeregt wie sie, ich verfehlte den Haken und ließ den Mantel fallen. Sie war mit einem Schritt bei mir und hob den Mantel auf, sie bückte sich neben mir. Ich hätte um ihre schmale Taille greifen, sie an mich ziehen können, aber ich tat es nicht. Sie war für mich fern und streng, eine Herrenfrau. Nur ein bißchen maskulin, hatte Gerda gesagt, am letzten Abend in der Buchhandlung. Aber Gerda war weit weg, in der Schweiz, in einem Sanatorium, krank oder todkrank, wie mein Onkel gesagt hatte. Nun hätte ich sie gebraucht, nur um ihr zu sagen: »Stell dir vor, er ist Kanzler geworden«, nun kam mir ihre Krankheit, ihre Abwesenheit, ihr Verschwinden wie ein Verbrechen meines Onkels vor. Nur zu maskulin, dachte ich, während ich neben der Juweliersgeliebtenwitwe stand, neben ihrem langen, schmalen Körper.

Unabsichtlich griff ich nach ihrer Hand, die den Mantel an

den Haken hängte. Sie drehte sie nach innen und hielt die meine fest, mit ihren langen, ringgeschmückten Fingern, sie umspannten meine Hand, kalte Finger, die vielleicht zärtlich sein wollten. Sie sagte: »Bleiben Sie bei mir. Ich mag jetzt nicht allein sein.«

Sie sagte es bittend, trostlos. Ich nickte. Ihr Gesicht war über mir, neben mir, vor mir, es war überall, ein fast weinendes Heringsgesicht. Ihre Halskette hing unter, über, oder vor meinen Augen, kleine, goldene, ineinander geschlungene Ringe auf weißem Battist oder Musselin, darunter eine flache Brust. Ich wollte es nicht sehen. Es war vielleicht nur ein Brustbein. Es interessierte mich nicht, ich dachte immer dasselbe: Reichskanzler, Reichskanzler. Ich sagte: »Ich kann es nicht glauben.«

Sie verzog ihre Lippen, ihren schönen, strengen Mund. Er öffnete sich ohne ein Wort, aber es kam nichts heraus, kein Satz. Ihre Sprache blieb weg. Ich erschrak. Ich bewegte ihre Hand und versuchte, die meine frei zu bekommen.

»Was ist? Haben Sie etwas?«

Ich sagte es zweimal hintereinander. Sie schüttelte den Kopf: »Ich habe nichts. Es ist nur alles so unverständlich, diese Nachricht, diese Meldung.«

Ich ging hinter ihr her in ihr Schlafzimmer. Das Radio stand neben dem Telefon auf ihrem Nachttisch. Es spielte heruntergedreht, leise. Sie setzte sich auf das Bett daneben, die Hände zwischen ihren langen Schenkeln auf dem schwarzen Rock, sie lagen dort, schmal, weiß, goldgeschmückt, eingeklemmt oberhalb ihrer Knie.

»Es ist schrecklich. Er hat ihn so gehaßt. Wenn er das noch erlebt hätte, es hätte ihn umgebracht.«

Sie sprach von ihrem Juwelier, ihrem Geliebten, der vor einem Jahr gestorben war. Sein Photo stand auf dem Radioapparat, ein alltägliches Gesicht, ein ziviles Gesicht. Ich sah es nur flüchtig an. Er hatte ihn also auch gehaßt, dieser Juwelier. Ich empfand es wie eine Bestätigung meiner eigenen

Abneigung, meines eigenen Hasses. Der Haß war unerträglich in diesem Augenblick: das Sensationsgefühl der Nachrichtenmeldung und die Ohnmacht des Hasses, ein sensationelles Verlierergefühl. Ich empfand es zum erstenmal. Ich sah auf die Knie meiner Vermieterin, spitze Knie unter schwarzem Stoff, ich sah auf ihre weißen Hände oberhalb der Knie. Die Hände bewegten sich, schlangen sich ineinander, es sah aus, als seien es ohnmächtige Bewegungen der Niedergeschlagenheit, vielleicht der Angst. Ich begriff nicht, wovor sie Angst hatte, sie war eine Frau und hatte nichts mit Politik zu tun. Ich sagte, und dabei belog ich mich selbst: »Aber es dauert ja nicht lange. Er wird nur kurze Zeit Kanzler sein. Das schafft er nie.«

Sie glaubte es mir nicht. Es war mehr als der Schock der Nachricht, was sie bewegte. Etwas mußte in ihrem Leben geschehen sein, was mit Hitler, mit der SA, mit den Nationalsozialisten zusammenhing. Ich fragte sie nicht. Es war mir nicht wichtig genug in diesem Augenblick. Ich mußte versuchen Alex Smirnoff zu erreichen, Liverpool und alle anderen. Ich lief um die beiden Betten herum, breite, flache Betten, mit goldgelben Decken darauf, ich lief auf dem Teppich hin und her.

»Es wird etwas geschehen, glauben Sie mir. So geht das nicht ab.«

Ich gab mich großsprecherischen Reden hin und hörte mich selbst sprechen, aus Ohnmacht geborene Sätze. Sie klangen verloren, hohl, sie besagten nichts. Ich hatte sie zu oft gehört, selbst zu oft gebraucht, sie waren längst leer gedroschen: Diktatur des Proletariats, die Kraft der Arbeiterschaft, der spontane Aufstand der Massen. Meine Vermieterin hörte mir zu, ohne zu antworten. Ich dachte wieder an Alex Smirnoff, ich erwähnte ihn, er war der Situation gewachsen, er mußte ihr gewachsen sein.

»Rufen Sie ihn doch an«, sagte sie. »Vielleicht weiß er mehr als wir.«

Sie gab mir das Telefon, und ich setzte mich neben sie, den Apparat auf den Knien.

Die Stimme kam leise, eine Vogelstimme, sie kam aus dem Jenseits des Apparats und klang für mich wie aus dem Jenseits.

»Ja, er ist Reichskanzler geworden.«

»Und was geschieht? Geschieht denn nichts?«

»Nein, ich glaube nicht. Erwarte nichts. Es ist besser, wenn man nichts erwartet. Erwarte nur einen Fackelzug. Den gibt es heute abend.«

»Was für einen Fackelzug?«

»Na, den des Sieges. Für den neuen Reichskanzler. Für Adolf Hitler natürlich.«

Die Sätze Alex Smirnoffs klangen nüchtern, ironisch, er hustete sie ins Telefon. Er lud mich zu sich ein, in die Wohnung der jungen Ärztin, seiner Freundin.

»Wir müssen uns sehen. Es ist vielleicht besser, wenn wir heute abend zusammen sind.«

Er gab mir die Adresse seiner Freundin. Die Juweliersgeliebtenwitwe notierte sie. Ich bat sie darum. Sie schrieb die Adresse auf blaues Briefpapier, das auf ihrem Nachttisch lag, verzog ihren Mund dabei und lächelte streng und melancholisch. Es galt nicht mir. Ich war nur Ersatz. Es galt ihrer Vergangenheit, ihren Erinnerungen, ihrem verstorbenen Juwelier, von dem sie nicht loskam.

»Er ist mit ihnen zusammengestoßen«, sagte sie, »damals, kurz vor seinem Tod. Es war in einer Versammlung. Er ist nicht daran gestorben. Nein, daran nicht. Nur hat es ihn mit jedem Tag mehr aufgeregt. Er hat sie gehaßt.«

Sie saß da, auf dem Bett, nach vorn gebeugt. Ihre Hände glitten über die Knie, irrten an den Waden entlang, kamen zurück, zu den Oberschenkeln hinauf, tastende, schmeichelnde, unruhige Hände. Ich sah ihrem nervösen Spiel zu.

»Die SA? War es die SA?«

»Ja, ja, die Sturmtrupps«, sagte sie.

Es klang unbeholfen, ein Wort, das ihr nicht geläufig war: Sturmtrupps, die ihren Geliebten bedrängt hatten, auf einer Versammlung in Charlottenburg. Sie erzählte es, nach Worten suchend, stockend, eine Erinnerung aus halben Sätzen, aus Bruchstücken, die kein Bild ergaben: ein unpolitischer Juwelier, aus Versehen in eine politische Versammlung geraten. Ich hörte ihr zu. Es interessierte mich nicht sonderlich, eine alltägliche Geschichte der letzten zwei Jahre, eine Geschichte, die bei ihr einen Schock ausgelöst und die Angst vor Hitler und seinen Anhängern zurückgelassen hatte: »Und jetzt ist er Reichskanzler. Stellen Sie sich das vor?«
Ich konnte es mir nicht vorstellen. Es gelang mir nicht. Vielleicht hatte jemand einen Witz gemacht, im Rundfunk, in der Regierung, oder im Reichspräsidentenpalais, vielleicht der alte Hindenburg selbst: aus Trottelhaftigkeit oder Senilität. Ich sagte: »Dem alten Trottel ist ja alles zuzutrauen.«
»Aber er hat ihn doch ernannt«, sagte sie.
Sie zitierte die Rundfunkmeldung: »Der Reichspräsident ernannte heute den Führer der Nationalsozialistischen Deutschen Arbeiterpartei, Adolf Hitler, zum Reichskanzler und übertrug ihm die Bildung eines neuen Kabinetts.«
So hatte sie es gehört, sie zitierte es fast wörtlich. Es bestand kein Zweifel mehr. Auch Alex Smirnoff hatte es bestätigt. Aber irgend etwas würde geschehen: Unruhen, Streik, Aufstand, Gegenwehr, das Reichsbanner, der Rot-Frontkämpfer-Bund, die Gewerkschaften, die Parteien, sie konnten es nicht hinnehmen, in wenigen Stunden konnte die Stadt mitten im Aufstand sein. Ich hoffte es. Ich wünschte es mir. Ich sagte: »Ich muß jetzt gehen.«
Aber meine Vermieterin ließ es nicht zu. Sie hielt mit beiden Händen meine rechte Hand fest. Ich empfand es für einen Augenblick als unangenehm und belästigend. Es war eine Geste, die nach Wärme, nach Mitempfinden suchte. Sie wollte nicht allein sein. »Lassen Sie mich jetzt nicht allein. Vielleicht hören wir noch etwas.«

Sie drehte den Apparat auf, und noch immer gab es die Operettenmusik, eine Musik, der nichts zu entnehmen war. Ich dachte: sie ist zu ängstlich, sie ist hysterisch. Alles schien von ihr abgefallen, das Maskuline, das Herrische, das peinlich sauber Vornehme. Ich saß neben ihr und suchte nach anderen Stationen. Es kamen keine Meldungen, nur quietschende, quäkende Mischstimmen.

Sie hatte sich auf den Rücken fallen lassen und lag jetzt halb ausgestreckt, die Beine neben mir, den Oberkörper auf dem Bett, die Hände im Nacken. Unter der weißen gestärkten Bluse zeichnete sich ihr Körper ab, in der Taille, unter dem schwarzen Rock. Alles war lang, schlank, glatt. Keine Unebenheiten, keine Polsterungen. Es ging keine Wärme von ihr aus, nicht Gerdas Wärme. Es gab kein Erröten. Ihr Gesicht war schmal, weiß, ohne Augen. Ich konnte ihr nicht in die Augen sehen. Ich beugte mich über sie, zu dem Radioapparat hin, ich hätte meinen Kopf auf ihre Oberschenkel fallen lassen können, es war nur eine Bewegung nötig, ein Sichfallenlassen. Aber sie kam mir zuvor, sie tat es mit der rechten Hand und zog mich zu sich herunter, ohne Anstrengung, mühelos. Es war selbstverständlich.

»Laß doch das Radio. Wir können es doch nicht ändern.« Sie sagte es zur Decke des Schlafzimmers hinauf. Ihre Hand lag auf meinem Kopf, mein Kopf auf ihren Schenkeln, in ihrem Schoß. Ich empfand nichts Besonderes dabei. Mein Kopf hätte auch sonstwo liegen können, irgendwo. Ich dachte immer dasselbe: Reichskanzler, Reichskanzler. Sie fragte nach Gerda, nach meinem Mädchen.

»Sie ist krank, ernsthaft krank«, sagte ich, »und jetzt in einem Sanatorium, irgendwo in der Schweiz. Ich werde sie vielleicht nicht wiedersehen.«

Es klang empfindsam, sentimental. Aber es berührte mich nicht. Gerda war fern, unwirklich, ein Schemen in diesem Augenblick.

»Schade. Ein nettes Mädchen«, flüsterte sie.

Ich hörte es nur halb. Ich spürte nur die Wärme ihrer Oberschenkel an meinem rechten Ohr. Die Wärme kam durch den schwarzen Rock, eine maskuline Wärme, eine Wärme ohne Gefühl. Ich versuchte mich aufzurichten, aufzustehen. Sie hielt mich fest: »Bleib doch hier«, sagte sie und dann: »Nehmen Sie mich mit.«

Sie sagte bald du bald Sie. Es klang vertraut und fremd. Ich hatte keine Beziehungen zu ihr, kein Gefühl für sie. Sie war mir fremd. Was wollte sie bei Alex Smirnoff, eine bürgerliche Frau in seinem Kreis. Ihr Wunsch kam mir absurd vor. Ich erhob mich, ohne »Nein« oder »Ja« zu sagen, und drehte den Radioapparat hoch: dröhnende Operettenmusik, die Stimme eines Tenors: Es steht ein Soldat am Wolgastrand. Unsere Lönssänger hatten es gesungen, jeden Tag.

»Ein blödes Lied«, sagte ich.

Mir kam alles sinnlos vor: Hitler als Reichskanzler und die Juweliersgeliebtenwitwe vor mir auf dem Bett, ein maskuliner Frauenkörper. Ich dachte: das Männliche triumphiert, das Maskuline, überall. Ich versuchte darüber zu lachen. Es gelang mir nicht. Ich sagte: »Ich muß jetzt gehen. Und wenn Sie mit wollen . . .«

»Sie nehmen mich wirklich mit?«

»Ja, ja, aber dann müssen Sie sich anziehen. Es wird Zeit.«

Sie tat, was ich nicht erwartet hatte, sie zog sich aus statt an. Es ging alles sehr schnell. Sie sprang auf, sagte: »Wart einen Augenblick«, öffnete ihren schwarzen Rock und ließ ihn fallen, zu den roten Puscheln auf ihren Hausschuhen hinunter.

Ich versuchte wegzusehen, an dem Radioapparat herumzudrehen. Es gelang mir schlecht. Sie stand vor mir, neben mir, sie stand überall, auf dem bunten, den farbigen Teppichen. Sie stieg aus ihrem Rock, knöpfte ihre weiße Herrenbluse auf und warf beides auf das Bett. Ich sah ihre langen Beine, ihre Oberschenkel, ihre Unterwäsche. Es blieben nur ein Schlüpfer und der Büstenhalter übrig. Alles erschien mir eleganter als bei Gerda, gepflegter, eine geschmeidig straffe Haut auf einem weiblichen Knochengerüst. Ich spielte an dem Radioapparat herum und sagte: »Es müssen noch Meldungen kommen.« Ich tat, als sähe ich sie nicht, als sei ihr Sichausziehen ganz selbstverständlich. Ich wollte es nicht sehen, aber ich sah es doch. Ich wußte nicht, was ich mit ihr anfangen sollte, jetzt, in diesem Augenblick. Ich mußte zu Alex. Es war wichtiger als alles andere. Aber ich war befangen. Sie war schön. Ich sah es: schön und kalt. »Es ist nicht zu glauben«, sagte ich, »Hitler Reichskanzler. Das gibt es doch nicht.«

Sie nickte nur und trat dabei einen Schritt auf mich zu, war vor meinem Gesicht, war ganz Nähe, weibliche Nähe. Alles war vor mir, unmittelbar, der Geruch ihrer Wäsche, ihres Körpers, ihre Schamhaare unter dem weißen Seidenschlüpfer. Ich brauchte nur die Hände zu heben, ihre Taille zu umfassen, ihren Schlüpfer herunterzuziehen. Ich tat es nicht, ich rührte mich nicht, ich sagte: »Er wird nicht lange Kanzler bleiben. Bestimmt nicht. Er ist ja unfähig dazu, ein Schreier, weiter ist er doch nichts.«

Es war eine Ausrede, zu meiner eigenen Beruhigung gesagt. Ich hatte es schon einmal gesagt, ich glaubte es und glaubte es nicht. Sie ging um die beiden Betten herum, ein sich in den Hüften leicht wiegender, eleganter, aufgerichteter Körper. Sie war schöner als Gerda, sie wußte, daß sie es war, sie gab sich keine Mühe, es zu verbergen: so bin ich, siehst du es. »Ich zieh mich schnell an. Es dauert nicht lange.« Sie sagte es in meinem Rücken, an ihrem Kleiderschrank, ein Kleid oder ein Kostüm suchend, das sie anziehen konnte. Ich hörte sie hinausgehen, ins Badezimmer. Sie schloß die Tür hinter sich. Ich hörte das Wasser rauschen, ich hörte es und hörte es nicht. Alles war erregend und gleichgültig und beides zur gleichen Zeit.

Die Atmosphäre des trüben, kalten, verschmierten Januartages drang in dieses, mir fremde Schlafzimmer, in dem ich

auf dem Bett saß und nichts mit mir anzufangen wußte. Ich stand auf und schob die Gardinen beiseite. Irgend etwas mußte draußen los sein, eine Explosion vielleicht, die Explosion der Massen. Ich sah nur den Bahndamm, dreihundert Meter entfernt. Alles war wie immer. Ein Stadtbahnzug fuhr vorbei. Das Gelb der Stadtbahnwaggons sah wie immer aus, es leuchtete nicht. Alles war alltäglich. Kein Schrei der Entrüstung kam von irgendwoher, der Schrei der Massen, nur das stoßende Rollen der Räder, das Geräusch der fahrenden und bremsenden Züge. Es vermischte sich mit dem Rauschen des Wassers nebenan. Ich lief hinaus, in mein Zimmer, in die Küche und wieder zurück, ich begann hin und her zu gehen, ich hatte plötzlich keine Geduld mehr, ich mußte hinaus auf die Straße, zu Alex, zu Liverpool, zu meinen Genossen. Sie warteten vielleicht auf mich. Ich klopfte an die Badezimmertür: »Es wird Zeit. Wir müssen gehen.«
»Ja, gleich, nur einen Moment noch«, sagte sie.
Ich wurde ungeduldig. Sie zog sich anscheinend sorgfältig an, machte sich schön, vielleicht schöner als sonst. Ich dachte: wozu, für mich, für Alex Smirnoff, für die Genossen? Alex Smirnoff würde es nicht bemerken und die anderen auch nicht. Niemand würde es sehen an diesem Tag, in dieser Stunde. Ärger stieg in mir auf. Es war Unsinn, sie mitzunehmen.
Sie kam mit einem Lachen der Entschuldigung aus dem Badezimmer. Es machte sie anziehend. Für einen Augenblick zog es mich zu ihr hin, zu ihrem Gesicht, ihrem Mund, den rosarot geschminkten Lippen. Sie sah elegant aus, zu elegant für einen Kreis marxistischer Revolutionäre. Ich ging neben ihr her, die Treppe hinunter, auf die Straße. Sie trug einen Pelzmantel, Schuhe, deren Absätze zu hoch waren. Es störte mich, daß sie größer war als ich. Ich sagte es ihr: »Du bist zu groß für mich.« Sie lachte darüber und fand es albern.
»Je länger, je lieber«, sagte sie, eine Bemerkung, die mir dumm und trivial vorkam.

Auf den Straßen war es nicht unruhiger als sonst. Aber mir erschien die Stadt wie gelähmt, eine unter dem Schock dieses Tages gelähmte Stadt.

Es war eine Einbildung. Alles war wie immer, nur die SA-Leute waren zahlreicher geworden. Sie waren überall, auf den Straßen, in den U-Bahn-Schächten, in den Straßenbahnen, feldmarschmäßig, mit Mänteln, Stiefeln, Koppeln, Ledergamaschen, sie waren alle mit demselben Ziel unterwegs, zur Innenstadt, zum großen Fackelzug, von dem Alex gesprochen hatte. Die Sieger marschierten auf, ihren Kanzler zu ehren.

Alex Smirnoff war nicht allein. Liverpool war da, ein paar Studenten, junge Funktionäre. Ich kam mir mit meiner Juweliersgeliebtenwitwe merkwürdig vor. Sie paßte nicht hierher, sie war fremd in diesem Kreis, eine bürgerliche Fremde, zu elegant, zu modisch. Aber sie versuchte zu sein wie alle anderen. Ich sah es ihr an. Liverpool kümmerte sich um sie, er war liebenswürdig, gesprächig, gab sich selbstsicher und sprach von der Hitlerkrankheit.

»Eine Massenerkrankung, weiter nichts.«

Er bagatellisierte noch immer.

»Ein Reichskanzler wie alle anderen, ein Interimskanzler. Er wird so wenig mit der Krise fertig werden wie seine Vorgänger. Die Massen werden ihm weglaufen. Enttäuschte Hoffnungen und nicht eingehaltene Versprechen sind schlimm und schlagen schnell ins Gegenteil um, statt Hosianna, kreuziget ihn.«

Liverpool glaubte, was er sagte. Nur seine revolutionären Gesten hatten an Kühnheit verloren, sie kamen mir jetzt lässiger vor, weniger kämpferisch, ein gezähmter und vielleicht auch schon gelähmter Liverpool. Seltsam, daß er hier war, zu dieser Stunde und in dieser Wohnung: ein Zeichen, daß nichts geschah und nichts geschehen würde. Ich fragte Alex: »Wie kommt denn Liverpool hierher?«

»Er hat mich angerufen wie du.«

»Und er ist nicht in der Partei? Nicht in seinem Bezirk?«

»Nein, wie du siehst.«

»Es geschieht also nichts?«

»Ich glaube nicht. Wahrscheinlich haben sie keine Befehle oder nur den Befehl, sich still zu verhalten. Genau weiß ich es nicht.«

Er war nicht erregt, nicht nervös. Die Entscheidung, die gefallen war, hatte ihn nicht überrascht. »Es war ja nichts anderes zu erwarten bei so viel Dummheit.«

Er sagte es hüstelnd und hielt sich dabei seine Raubvogelkrallenhand vor den Mund. Es störte ihn nicht, was auf den Straßen draußen geschah, der Auflauf der Massen, das Zusammenziehen der SA.

»Das ist doch selbstverständlich«, sagte er. »Das können sie ja. Gegenüber der Linken sind sie Meister auf diesem Gebiet. Von hier aus können wir übrigens den Aufmarsch sehen.«

Es war nicht seine Wohnung, sie gehörte dem Vater seiner Freundin, einem Landgerichtspräsidenten, der irgendwo in den Winterferien unterwegs war. Jetzt hielten sich Alex und seine linken Freunde hier auf. Die Wohnung hatte einen Balkon, der zu den Linden hinausging.

»Von dort aus werden wir alles sehen.«

»Aber ich will es nicht sehen. Es interessiert mich nicht«, sagte ich.

»Man muß sich alles ansehen«, sagte Alex Smirnoff, »du weißt doch nie, was daraus wird.«

Wir gingen hinaus auf den Balkon, und ich sah, was ich nicht sehen wollte, den Sieg unserer Feinde. Im Schein der Bogenlampen schoben sich die Massen, auf den Bürgersteigen, auf den Plätzen, auf den Fahrbahnen, Menschenknäuel, die sich zusammen- und wieder auseinanderzogen, ein sich drängendes, stoßendes Menschenmeer. Ich begann zu frieren. Ich wußte nicht, warum ich fror, ich wollte nicht wahrhaben, was dort unten geschah, und wußte doch, daß es

geschah, daß es Wirklichkeit war. Ich hörte die Rufe von unten herauf, einzelne Rufe, Massenrufe: Heil, Heil, Heil. Der
Sog der Massen, ihre Suggestivkraft drang bis zu mir herauf, ein unwirklicher, für mich feindlicher Rausch. Ich dachte
an meine Familie an der Küste, an meine Freunde dort, an
meine Genossen. Sie waren jetzt diesem Druck unmittelbar
ausgesetzt. Angst überfiel mich, Angst vor dem Terror, der
kommen konnte und kommen mußte.

Die anderen kamen auf den Balkon, Liverpool voran. Er
blieb an der Brüstung stehen, neben mir, halb in meinem
Rücken. Er sah hinunter in die Straßen, unbeweglich, ein
breiter Schatten in der Dunkelheit des Abends, in der beginnenden Nacht. Er hatte verloren wie ich, wie Alex, wie
alle anderen. Vielleicht empfand er es in diesem Augenblick,
auf diesem Balkon, hoch über der belebten und bewegten
Innenstadt. Aber er würde es niemals zugeben, jetzt nicht
und morgen vielleicht auch nicht.

Alles verschwamm ineinander und verlor seinen Sinn, die
Generallinie, der Parteihader, die Gruppenkämpfe, die Aus-
schlüsse, der Sozialismus in einem Land, sinnentleerte Thesen angesichts der Bewegung der Massen. Ich sah mich nach
Alex um. Er stand gebeugt, einen Schritt von Liverpool
entfernt. Sie hatten einander bekämpft und nun gemeinsam
verloren. Auch die permanente Revolution war nur eine der
vielen Thesen, die Illusionen waren, die Illusion der permanenten Revolution. Mir fiel ein, was Alex Smirnoff einmal
gesagt hatte: vergiß nicht den irrationalen Faktor, den
gibt es auch, und er ist vielleicht stärker als vieles andere. Ich sah es jetzt, spürte es, es war etwas Irrationales,
was die Massen dort unten bewegte, etwas nicht Faßbares,
etwas Unbegreifliches.

Geschrei, Jubel, der jubelnde Schrei der Massen lag in der
Abendluft, drang von den Straßen herauf und brach im Norden, unter den Linden, irgendwo in der Nähe des Schlosses
auf. Fackeln leuchteten, Fackel neben Fackel, Fackel hinter

Fackel. Die SA marschierte, in Fünferreihen, in Zehnerreihen, eingerahmt von heilschreienden Menschenmassen. Der Rauch der Fackeln, Pechschwaden, Schwefelschwaden zogen über die Köpfe dahin. Der Flammenschein der Fackeln zuckte über die Gesichter, schreiende Gesichter, aufgerissene Augen, aufgerissene Münder, ein Meer von aufzuckenden, aufflammenden und wieder verschwindenden Gesichtern.

Das Brausen, der Jubel, das Geschrei der Masse drang zu uns herauf. So hatte ich es mir vorgestellt, so mußte es sein, das aufstehende, das revolutionäre, das Barrikaden erstürmende Volk. Aber es war etwas anderes. Ich wußte es. Es war eine Revolution gegen eine Revolution, die nicht stattgefunden hatte. Es war die Niederlage der Revolutionäre, der Sozialisten, der Kommunisten, der Demokraten, es war meine eigene Niederlage und die aller anderen: die Niederlage Liverpools, Alex Smirnoffs, des Paletotgenossen, meiner Brüder, meiner linken Freunde, meiner Genossen. Es gab viele Sieger, aber für mich gab es in diesem Augenblick nur einen. Ich glaubte ihn zu sehen im Schein und im Rauch der Fackeln, vor einer SA-Abteilung marschierend, vor einem Sturm oder einer Standarte, ein Mann in der braunen Uniform des Führers, in dem schlichten Kleid der siegenden nationalen Bewegung, ein lachender, militärischer, männlicher Mann der nationalen Revolution.

Ich sah ihn, tausendmal wiederholt, in immer neuer Gestalt, mit immer neuen Gesichtern und in immer der gleichen Uniform. Er war vielleicht nicht dabei, und er war doch dabei, mein Onkel August.

Schutzumschlag und Einband Werner Rebhuhn
Foto Ullstein
Gesetzt aus der Korpus Aldus-Antiqua
Gesamtherstellung Butzon & Bercker GmbH, Kevelaer